2026 특수교사임용시험 대비

KORea Special Education Teacher

김남진
특수교육

KORSET

기출분석 ①

| 영역별 마인드맵 수록
| 2009~2025년 기출문제 수록

김남진 편저

이 책의
머리말

기출문제를 풀고, 분석하고, 이를 토대로 시험을 준비하는 일련의 과정은 시험을 준비하는 수험생들에게는 가장 기본이면서 필수적인 과정에 해당한다. 그만큼 기출문제 풀이 및 분석의 중요성은 아무리 강조해도 지나침이 없는 것이다. 이뿐만 아니라 이와 같은 중요성은 이전의 문제가 거듭 출제되고 있는바, 더욱더 현실적으로 체감할 수 있다.

이에 기출문제 분석집을 개정하는 입장에서는 상당한 심적 부담이 될 수밖에 없다. 편저자의 문제 풀이 접근 방식 그리고 제시되는 모범답안이 수험생들에게 절대적인 영향을 미친다는 것을 너무나 잘 알기에 더욱 그러하다. 그간 본인이 제시한 모범답안을 절대적인 기준으로 삼아 답안을 외우고 변형을 생각하는 수많은 수험생들을 보면서 답안에 사용될 단어 하나를 선택함에도 신중에 신중을 기해야 함을 수차례 경험하였다. 이와 같은 기출문제 및 분석의 중요성을 염두에 두고 개정판은 다음과 같은 점에 초점을 두었다.

첫째, 기출문제를 14개 영역별로 구분 후, 문제를 연도별(2009~2025년)로 제시하였다. 확인 과정을 거쳐 누락되었던 문제들을 추가함과 동시에 하나의 문항을 구성하고 있더라도 서로 다른 영역의 하위문제인 경우는 문제의 흐름을 깨지 않는 선에서 별개로 분리, 제시함으로써 내용 정리 및 기출 동향 파악을 보다 수월하게 할 수 있도록 하였다.

둘째, 내용을 보다 정확하고 명료하게 전달하는 데 초점을 두었다. 이는 기출문제 분석집이 갖추어야 할 기본에 해당하는 것으로, 정답 혹은 모범답안의 내용을 보다 깔끔하게 정리하여 제시함과 동시에 정답 또는 모범답안의 근거를 수험생들이 자주 접하는 각론서에 근거하여 구체적으로 제시하였다.

셋째, '내용 돋보기'를 강화하였다. 내용 돋보기는 수험생들의 자율적 학습 및 문제의 확장적 이해를 위한 것으로, 이를 통해 문제에 대한 분석과 제시된 내용에 대한 분석이 동시에 가능하도록 하였다.

넷째, 'Check Point'를 통해 중심 내용을 반복적으로 제시하였다. Check Point는 기출문제의 지문 그리고 해설과 관련하여 반드시 확인해야 될 내용을 보다 간결하게 정리한 것으로, 간헐적 제시를 통해 반복학습을 유도하고 학습에서의 효과성 증진을 추구하였다.

마지막으로, 수험생들의 가독성을 도모하였다. 수험생들의 문제풀이 과정상의 편의를 위해 문제는 한 페이지 내에서 볼 수 있도록 하였으며 답안을 작성할 수 있는 최소한의 공간을 남겨두고자 하였다.

수험서를 써 내려가다 보면 뭔가 이전과는 다른 형식에 남들과는 다른 내용으로 채워 넣어야 할 것만 같은 욕심이 마음 한켠에 지속적으로 남아 있던 것이 사실이다. 그러나 교재가 목적으로 삼고 있는 바를 고려하여 현재의 범위와 그리고 깊이 내에서 마무리 지었다. 끝으로 이 책이 특수교사 임용시험을 준비하고 있는 수험생들이 앞으로 한 걸음 더 나아갈 수 있도록, 그래서 모두가 바라는 자랑스러운 대한민국 특수교사의 꿈을 이루는 데 조금이나마 도움이 되었으면 하는 바람이다.

2025년 3월

김남진

이 책의
차례

KORea Special Education Teacher

김남진
KORSET 특수교육
기출분석 **①**

KORea Special Education Teacher

PART 01

행동지원

Chapter 1 긍정적 행동지원의 이론적 배경

❶ 긍정적 행동지원의 이해 ┬ 긍정적 행동지원의 개념
　　　　　　　　　　　　　├ 긍정적 행동지원의 특징
　　　　　　　　　　　　　└ 긍정적 행동지원의 주요 요소

❷ 긍정적 행동지원의 실행 절차 ┬ 표적행동의 선정 ┬ 표적행동 선정 순위 ┬ 1. 파괴적 행동
　　　　　　　　　　　　　　　　│　　　　　　　　│　　　　　　　　　├ 2. 방해하는 행동
　　　　　　　　　　　　　　　　│　　　　　　　　│　　　　　　　　　└ 3. 가벼운 방해행동
　　　　　　　　　　　　　　　　│　　　　　　　　└ 조작적 정의
　　　　　　　　　　　　　　　　├ 표적행동 관련 정보 수집
　　　　　　　　　　　　　　　　├ 가설 설정 : 학생의 이름, 배경/선행사건, 추정되는 문제행동의 기능, 문제행동
　　　　　　　　　　　　　　　　├ 긍정적 행동지원 계획의 수립 및 실행 ┬ 배경/선행사건 중재
　　　　　　　　　　　　　　　　│ (긍정적 행동지원의 요소)　　　　　　├ 대체기술 교수 : 교체기술, 대처 및 인내기술, 일반적 적응기술
　　　　　　　　　　　　　　　　│　　　　　　　　　　　　　　　　　　├ 문제행동에 대한 반응 : 위기관리 계획 포함
　　　　　　　　　　　　　　　　│　　　　　　　　　　　　　　　　　　├ 장기지원
　　　　　　　　　　　　　　　　│　　　　　　　　　　　　　　　　　　└ 사회적 타당도
　　　　　　　　　　　　　　　　└ 행동지원 계획의 평가 및 수정

Chapter 2 학교 차원의 긍정적 행동지원

❶ 학교 차원의 긍정적 행동지원의 이해 ┬ 학교 차원의 긍정적 행동지원의 개념
　　　　　　　　　　　　　　　　　　　└ 학교 차원의 긍정적 행동지원의 핵심 요소 : 시스템, 자료, 실제, 성과

❷ 연속적 행동지원 체계 ┬ 연속적 행동지원 체계의 개념
　　　　　　　　　　　　　└ 예방적 접근 ┬ 1차 예방(보편적 중재)
　　　　　　　　　　　　　　　　　　　├ 2차 예방(소집단 중재)
　　　　　　　　　　　　　　　　　　　└ 3차 예방(개별적 중재)

Chapter 3 행동의 기능평가와 문제행동의 기능

❶ 행동의 기능평가의 이해 ┬ 행동의 기능평가의 개념
　　　　　　　　　　　　　├ 행동의 기능평가의 목적
　　　　　　　　　　　　　└ 행동의 기능평가의 이점

2 행동의 기능평가 방법 ─ 간접평가 ┬ 개념
　　　　　　　　　　　　　　　├ 종류
　　　　　　　　　　　　　　　└ 장단점

　　　　　　　　　　├ 직접 관찰 평가 ┬ 개념
　　　　　　　　　　　　　　　├ 종류 : 일화기록, 행동분포 관찰, A−B−C 관찰기록,
　　　　　　　　　　　　　　　　　　　A−B−C 행동관찰 검목표, 행동의 기능평가 관찰지
　　　　　　　　　　　　　　　└ 장단점

　　　　　　　　　　└ 기능분석 ┬ 개념
　　　　　　　　　　　　　　├ 장점
　　　　　　　　　　　　　　└ 제한점

3 문제행동의 기능 ─ 문제행동 기능의 종류 : 관심 끌기, 회피하기, 물건/활동 획득, 자기조절, 놀이나 오락
　　　　　　　　　└ 문제행동 기능의 분류

Chapter 4 바람직한 행동의 증가

1 강화 ┬ 강화의 이해 ┬ 개념
　　　　　　　　　└ 종류
　　├ 강화제의 이해 ┬ 개념
　　　　　　　　　└ 종류 ┬ 근원에 따른 강화제의 분류 : 무조건 강화제, 조건 강화제
　　　　　　　　　　　　└ 물리적 특성에 따른 강화제의 종류 : 음식물 강화제, 감각적 강화제, 물질 강화제, 활동 강화제, 사회적 강화제
　　├ 강화제의 판별 및 선정(선호도 평가 방법) ┬ 질문하기
　　　　　　　　　　　　　　　　　　　├ 관찰하기
　　　　　　　　　　　　　　　　　　　└ 시행 기반 평가하기
　　├ 효과적인 강화제의 특성 및 사용 ┬ 효과적인 강화제의 특성
　　　　　　　　　　　　　　　└ 강화제의 효과적인 사용을 위한 조건
　　└ 강화계획 ┬ 연속 강화계획
　　　　　　　└ 간헐 강화계획 ┬ 비율 강화계획 : 고정비율, 변동비율
　　　　　　　　　　　　　├ 간격 강화계획 : 고정간격, 변동간격
　　　　　　　　　　　　　└ 지속시간 강화계획 : 고정 지속시간, 변동 지속시간

2 토큰제도 ┬ 토큰제도의 이해 ┬ 개념
　　　　　　　　　　　　├ 목적
　　　　　　　　　　　　└ 구성 요소 : 목표행동, 토큰, 교환 강화제
　　　├ 토큰제도의 실행 절차
　　　├ 토큰의 장점
　　　└ 토큰제도 실행 시 고려사항

3 행동계약 ┬ 행동계약의 이해 ┬ 개념
　　　　　　　　　　　　└ 구성 요소 : 학생의 표적행동, 표적행동의 조건과 준거, 강화내용과 방법,
　　　　　　　　　　　　　　　　　계약 기간, 계약자와 피계약자의 서명
　　　└ 행동계약의 실행 절차

4 집단강화 ┌ 집단강화의 이해 ┌ 개념
│ └ 목적
├ 집단강화의 유형 ┌ 독립적 집단강화
│ ├ 종속적 집단강화
│ └ 상호 종속적 집단강화
├ 집단강화 실행을 위한 지침
└ 집단강화의 장단점 ┌ 장점
└ 단점

5 고확률 요구 연속 ┌ 고확률 요구 연속의 개념
├ 고확률 요구 연속에 사용되는 과제의 조건
├ 고확률 요구 연속의 효과적인 활용법
└ 고확률 요구 연속의 사용 시 고려할 점

Chapter 5 바람직하지 않은 행동의 감소

1 행동 감소를 위한 중재 ┌ 행동 감소를 위한 수준별 대안
└ 행동 감소를 위한 원칙 ┌ 최소 강제성 대안의 원칙
└ 행동의 기능에 근거한 중재

2 차별강화 ┌ 차별강화의 이해 ┌ 개념
│ └ 장점
└ 차별강화의 유형 ┌ 저비율 행동 차별강화 : 전체 회기 저비율 행동 차별강화, 간격 저비율 행동 차별강화,
│ 반응시간 저비율 행동 차별강화
├ 타행동 차별강화 : 고정−간격 타행동 차별강화, 변동−간격 타행동 차별강화,
│ 고정−순간 타행동 차별강화, 변동−순간 타행동 차별강화
├ 대체행동 차별강화 ┌ 대체행동 선택 기준 : 기능의 동일성, 수행의 용이성,
│ │ 사회적 수용 가능성, 동일한 반응노력
│ └ 대체행동 선택 시 고려사항 : 반응 효율성, 반응 수용성, 반응 인식성
└ 상반행동 차별강화

3 비유관 강화 ┌ 비유관 강화의 개념
├ 비유관 강화의 특징
└ 비유관 강화의 장단점 ┌ 장점
└ 단점

4 소거 ─┬─ 소거의 이해 ─┬─ 개념
        │   └─ 적용
        ├─ 소거 사용의 장단점 ─┬─ 장점
        │   └─ 단점
        ├─ 소거 관련 용어 ─┬─ 소거 폭발
        │   ├─ 자발적 회복
        │   └─ 소거 저항
        └─ 소거 사용 시 고려할 사항

5 벌 ─┬─ 벌의 이해 ─┬─ 개념
      │   └─ 벌의 효과에 영향을 미치는 요소
      ├─ 부적 벌 ─┬─ 반응대가
      │   └─ 타임아웃
      └─ 정적 벌 ─┬─ 과잉교정
                 ├─ 혐오자극 제시
                 └─ 단점과 윤리적 지침

Chapter 6 새로운 행동의 습득

1 변별훈련과 자극통제 ─┬─ 변별훈련 ─┬─ 개념 ─┬─ 변별자극
                      │   │   ├─ 델타자극
                      │   │   └─ 변별훈련
                      │   └─ 변별훈련 시 주의사항
                      └─ 자극통제 ─┬─ 개념
                                   └─ 자극통제의 중요성

2 촉진 ─┬─ 촉진의 개념과 목표 ─┬─ 개념
        │   └─ 목표
        ├─ 촉진의 종류 ─┬─ 반응촉진 : 시각적, 언어적, 몸짓, 모델링, 신체적 촉진
        │   ├─ 자극촉진 : 자극 내 촉진, 가외 자극촉진
        │   └─ 자연적 촉진
        └─ 촉진 적용 시 고려사항

3 촉진체계 ─┬─ 촉진의 용암
            ├─ 반응촉진의 점진적 변화 방법 ─┬─ 최소-최대 촉구법
            │   ├─ 최대-최소 촉구법
            │   ├─ 시간 지연법 : 지속적 시간 지연, 점진적 시간 지연
            │   └─ 점진적 안내 : 그림자 방법
            └─ 자극촉진의 점진적 변화 방법 ─┬─ 자극 용암법
                                          └─ 자극 모양 변형

4 행동연쇄법 ┬ 행동연쇄법의 이해 ┬ 개념
                │   ├ 과제분석
                │   └ 행동연쇄의 효과를 극대화하기 위한 방법
                ├ 성취 수준의 평가 ┬ 단일기회법
                │   └ 다수기회법
                ├ 행동연쇄법의 유형 ┬ 전진 행동연쇄법
                │   ├ 후진 행동연쇄법
                │   └ 전체 과제제시법
                └ 연쇄를 가르치는 방법

5 행동형성법 ┬ 행동형성법의 개념 : 표적행동에 가까운 행동, 차별강화
                ├ 행동형성법의 절차
                ├ 행동형성법의 장단점 ┬ 장점
                │   └ 단점
                └ 행동형성법 대 자극 용암법

6 모델링 ┬ 모델링의 이해 ┬ 개념
            │   └ 모델링이 아닌 경우
            ├ 효과적인 모델링 ┬ 관찰자의 특성
            │   └ 최적의 모델이 갖는 특성 : 연령과 특성의 유사성, 문제의 공유성, 능력의 우월성
            └ 비디오 모델링 ┬ 자기 관찰
                          └ 자기 모델링

Chapter 7 유지와 일반화

1 유지 ┬ 유지의 개념
          └ 유지를 위한 전략 ┬ 전략 : 과잉학습, 분산 시행, 간헐강화, 연습기회 삽입, 유지 스케줄
                            └ 시행 방식 : 집중 시행 방식, 간격 시행 방식, 분산 시행 방식

2 자극 일반화 ┬ 자극 일반화의 개념 : 장소/상황, 대상/사람, 자료/사물에 대한 일반화
                ├ 자극 일반화에 영향을 주는 요인
                └ 자극 일반화를 위한 전략

3 반응 일반화 ┬ 반응 일반화의 개념
                ├ 반응 일반화에 영향을 주는 요인
                └ 반응 일반화를 위한 전략

4 과잉 일반화

Chapter 8 인지적 행동주의 중재

❶ 자기관리 기술에 대한 이해 ─┬─ 자기관리 기술의 개념
　　　　　　　　　　　　　　 └─ 자기관리 기술의 장점

❷ 자기관리 기술의 유형 ─┬─ 목표설정 ─┬─ 개념
　　　　　　　　　　　　 │　　　　　　 └─ 적용 방법
　　　　　　　　　　　　 ├─ 자기기록 ─┬─ 개념
　　　　　　　　　　　　 │　　　　　　 ├─ 적용 방법
　　　　　　　　　　　　 │　　　　　　 └─ 장점
　　　　　　　　　　　　 ├─ 자기평가 ─┬─ 개념
　　　　　　　　　　　　 │　　　　　　 └─ 적용 방법
　　　　　　　　　　　　 └─ 자기강화/자기처벌 ─┬─ 개념
　　　　　　　　　　　　　　　　　　　　　　　 ├─ 자기강화 적용 방법
　　　　　　　　　　　　　　　　　　　　　　　 └─ 자기처벌 적용 방법

Chapter 9 행동의 관찰

❶ 행동의 차원 ─ 행동의 여섯 가지 차원 : 빈도, 지속시간, 지연시간, 위치, 형태, 강도

❷ 행동목표 ─┬─ 행동목표 세우기의 필요성
　　　　　　 ├─ 행동목표의 구성 요소 ─┬─ 일반적인 요소 : 학습자, 조건, 기준, 행동
　　　　　　 │　　　　　　　　　　　　 └─ Mager 방식 : 조건, 기준, 행동
　　　　　　 └─ 행동목표 양식

❸ 행동의 직접 관찰과 측정 ─┬─ 행동의 관찰과 측정
　　　　　　　　　　　　　　 └─ 관찰 및 측정 단위와 요약 ─┬─ 행동의 직접적 측정 단위
　　　　　　　　　　　　　　　　　　　　　　　　　　　　 └─ 측정된 행동의 요약 방법 : 행동의 직접적 측정 단위로 요약, 비율, 백분율

❹ 측정의 타당도 ─┬─ 타당도의 개념
　　　　　　　　　 └─ 측정의 타당도를 훼손하는 요인 ─┬─ 간접 측정
　　　　　　　　　　　　　　　　　　　　　　　　　　 ├─ 목표행동의 차원 잘못 측정하기
　　　　　　　　　　　　　　　　　　　　　　　　　　 └─ 측정의 인위적 산물 : 불연속 측정, 잘못 선택된 측정기간,
　　　　　　　　　　　　　　　　　　　　　　　　　　　　　　　　　　　　　　민감하지 않거나 제한된 측정도구

❺ 측정의 신뢰도 ─┬─ 신뢰도의 개념
　　　　　　　　　 ├─ 측정의 신뢰도를 훼손하는 요인 ─┬─ 잘못 고안된 측정체계
　　　　　　　　　 │　　　　　　　　　　　　　　　　　 ├─ 불충분한 관찰자 훈련 : 관찰자 선정, 관찰자 훈련, 관찰자 표류
　　　　　　　　　 │　　　　　　　　　　　　　　　　　 └─ 의도하지 않은 관찰자 영향 : 관찰과 기대, 관찰자 반응성
　　　　　　　　　 └─ 관찰자 간 일치도 : 관찰자 간 일치도를 구하는 목적

`Chapter 10` **행동의 관찰 · 측정 방법**

1 행동 묘사 관찰기록

2 행동 결과물 중심 관찰기록 ┬ 행동 결과물 중심 관찰기록의 개념
　　　　　　　　　　　　├ 행동 결과물 중심 관찰기록의 장점
　　　　　　　　　　　　└ 행동 결과물 중심 관찰기록의 단점

3 사건기록법 ┬ 사건기록법의 개념
　　　　　　├ 사건기록법의 장단점 ┬ 장점
　　　　　　│　　　　　　　　　　└ 단점
　　　　　　└ 사건기록법의 유형별 특징 ┬ 빈도 기록법
　　　　　　　　　　　　　　　　　　├ 지속시간 기록법
　　　　　　　　　　　　　　　　　　├ 지연시간 기록법
　　　　　　　　　　　　　　　　　　├ 반응기회 기록법
　　　　　　　　　　　　　　　　　　└ 기준치 도달 기록법

4 시간표집법 ┬ 시간표집법의 개념
　　　　　　├ 시간표집법의 유형 ┬ 전체 간격 기록법
　　　　　　│　　　　　　　　　├ 부분 간격 기록법
　　　　　　│　　　　　　　　　└ 순간표집기록법
　　　　　　├ 시간 간격의 결정
　　　　　　├ 시간 간격별 행동 발생의 시각적 표현과 행동 발생률 ┬ 시각적 표현
　　　　　　│　　　　　　　　　　　　　　　　　　　　　　　　└ 행동 발생률
　　　　　　└ 관찰자 간 일치도 ┬ 간격 대 간격 관찰자 간 일치도
　　　　　　　　　　　　　　　└ 발생 · 비발생 간격 관찰자 간 일치도 ┬ 발생 간격 관찰자 간 일치도
　　　　　　　　　　　　　　　　　　　　　　　　　　　　　　　└ 비발생 간격 관찰자 간 일치도

`Chapter 11` **단일대상연구**

1 단일대상연구의 개념 및 특성 ┬ 단일대상연구의 개념
　　　　　　　　　　　　　　└ 단일대상연구의 특성

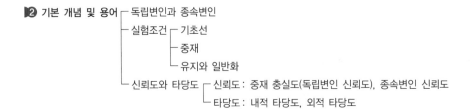

2 기본 개념 및 용어 ┬ 독립변인과 종속변인
　　　　　　　　├ 실험조건 ┬ 기초선
　　　　　　　　│　　　　├ 중재
　　　　　　　　│　　　　└ 유지와 일반화
　　　　　　　　└ 신뢰도와 타당도 ┬ 신뢰도 : 중재 충실도(독립변인 신뢰도), 종속변인 신뢰도
　　　　　　　　　　　　　　　　└ 타당도 : 내적 타당도, 외적 타당도

PART 01

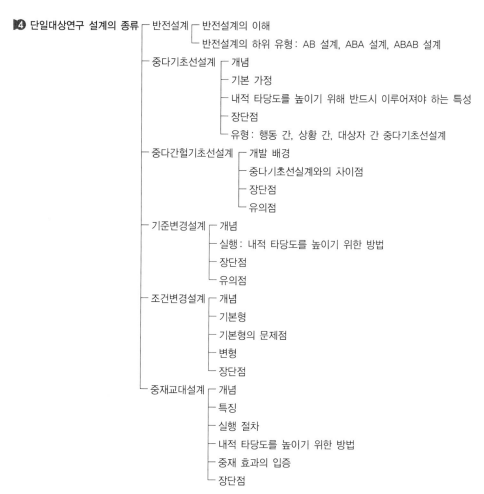

❸ 그래프 그리기와 자료의 시각적 분석 ─┬─ 그래프 그리기 ─┬─ 자료를 그래프로 제시하는 목적
　　　　　　　　　　　　　　　　　　　　　　　└─ 그래프의 주요 구성 요소
　　　　　　　　　　　　　　　　└─ 자료의 시각적 분석 방법 ─┬─ 자료의 수준
　　　　　　　　　　　　　　　　　　　　　　　　　　├─ 자료의 경향
　　　　　　　　　　　　　　　　　　　　　　　　　　├─ 자료의 변화율
　　　　　　　　　　　　　　　　　　　　　　　　　　├─ 상황 간 자료의 중첩 정도
　　　　　　　　　　　　　　　　　　　　　　　　　　└─ 효과의 즉각성 정도

❹ 단일대상연구 설계의 종류 ─┬─ 반전설계 ─┬─ 반전설계의 이해
　　　　　　　　　　　　　│　　　　　└─ 반전설계의 하위 유형 : AB 설계, ABA 설계, ABAB 설계
　　　　　　　　　　　　　├─ 중다기초선설계 ─┬─ 개념
　　　　　　　　　　　　　│　　　　　　　├─ 기본 가정
　　　　　　　　　　　　　│　　　　　　　├─ 내적 타당도를 높이기 위해 반드시 이루어져야 하는 특성
　　　　　　　　　　　　　│　　　　　　　├─ 장단점
　　　　　　　　　　　　　│　　　　　　　└─ 유형 : 행동 간, 상황 간, 대상자 간 중다기초선설계
　　　　　　　　　　　　　├─ 중다간헐기초선설계 ─┬─ 개발 배경
　　　　　　　　　　　　　│　　　　　　　　　├─ 중다기초선실계와의 차이점
　　　　　　　　　　　　　│　　　　　　　　　├─ 장단점
　　　　　　　　　　　　　│　　　　　　　　　└─ 유의점
　　　　　　　　　　　　　├─ 기준변경설계 ─┬─ 개념
　　　　　　　　　　　　　│　　　　　　　├─ 실행 : 내적 타당도를 높이기 위한 방법
　　　　　　　　　　　　　│　　　　　　　├─ 장단점
　　　　　　　　　　　　　│　　　　　　　└─ 유의점
　　　　　　　　　　　　　├─ 조건변경설계 ─┬─ 개념
　　　　　　　　　　　　　│　　　　　　　├─ 기본형
　　　　　　　　　　　　　│　　　　　　　├─ 기본형의 문제점
　　　　　　　　　　　　　│　　　　　　　├─ 변형
　　　　　　　　　　　　　│　　　　　　　└─ 장단점
　　　　　　　　　　　　　└─ 중재교대설계 ─┬─ 개념
　　　　　　　　　　　　　　　　　　　　├─ 특징
　　　　　　　　　　　　　　　　　　　　├─ 실행 절차
　　　　　　　　　　　　　　　　　　　　├─ 내적 타당도를 높이기 위한 방법
　　　　　　　　　　　　　　　　　　　　├─ 중재 효과의 입증
　　　　　　　　　　　　　　　　　　　　└─ 장단점

기출문제 다잡기

정답 및 해설 p.4

01
2009 유아1-20

유치원에서 활동에 잘 참여하지 않는 발달지체 유아 지영이에 대한 기능 평가(functional assessment)에 근거하여 문 교사가 적용한 중재 방법과 그에 따른 지원 내용이 바르게 연결되지 <u>않은</u> 것은?

	중재 방법	지원 내용
①	선행사건 조절	지영이를 위하여 칸막이로 활동 공간을 구분하였다.
②	선행사건 조절	30분 정도 진행하던 이야기나누기 시간을 15분으로 줄여 진행하였다.
③	선행사건 조절	등원 시 교실에 들어가기 싫어하는 지영이를 위하여 바깥놀이를 첫 번째 활동으로 제공하였다.
④	후속결과 조절	활동 시작 전에 지영이가 좋아하는 친구를 옆자리에 앉게 하였다.
⑤	후속결과 조절	활동에 잘 참여한 경우 지영이가 원하는 자유놀이를 할 수 있도록 하였다.

02
2009 유아1-22

김 교사는 동료 교사와 함께 유아가 또래와 상호작용하는 행동을 순간표집기록법으로 관찰하고자 한다. 순간표집기록법에 관한 진술로 맞는 것은?

① 순간표집기록법으로는 여러 유아의 상호작용 행동을 관찰할 수 없다.
② 순간표집기록법은 상호작용 행동의 선행사건 및 후속결과에 대한 정보를 제공한다.
③ 상호작용 행동에 대한 조작적 정의 여부는 관찰자 간 신뢰도에 영향을 미치지 않는다.
④ 상호작용 행동이 매 간격의 마지막 순간에 나타났을 때 해당 간격에 행동이 발생한 것으로 기록한다.
⑤ 상호작용 행동 발생률은 행동발생 간격 수를 행동이 발생하지 않은 간격 수로 나누고 100을 곱하여 구한다.

03

다음은 또래에게 물건을 던지는 예림이의 문제행동 분포도이다. 이 자료에 근거하여 파악할 수 있는 것은?

이름: 김예림

문제행동: 물건 던지기

활동＼날짜	3/17(월)	3/18(화)	3/19(수)	3/20(목)	3/21(금)
8:30~9:00 도착 및 자유놀이					
9:00~9:15 이야기 나누기	▨	▨			
9:15~10:00 집단 활동	▨	▨	▨		
10:00~10:30 미술 활동	▨	▨	▨	▨	▨
10:30~11:00 간식	▨				
11:00~11:30 자유 선택 활동	▨	▨			
11:30~12:00 정리 및 귀가 준비					

▨ =6회 이상 발생   ▨ =1~5회 발생   □ =발생하지 않음

① 습득해야 할 새로운 행동
② 문제행동을 대신할 수 있는 대체행동
③ 문제행동 발생 시 사용 가능한 벌 절차
④ 보다 자세한 진단을 실시해야 할 시간대
⑤ 문제행동을 하지 않는 시간에 제공해야 할 강화물

04

〈보기〉는 2007년 개정 유치원 교육과정에 근거하여 김 교사가 발달지체 유아에게 '가위로 색종이 오리기'를 지도할 때 사용한 촉진(촉구)의 예시이다. 김 교사가 사용한 촉진의 유형을 바르게 제시한 것은?

〈보기〉
ㄱ. 교사가 종이를 오리는 방법을 보여준다.
ㄴ. 교사가 유아의 손을 잡고 함께 색종이를 오린다.
ㄷ. 가위를 잡고 천천히 색종이를 오려 보라고 말한다.
ㄹ. 교사는 가위와 색종이를 미리 유아 가까이 가져다 놓는다.

	ㄱ	ㄴ	ㄷ	ㄹ
①	신체적 촉진	공간(환경)적 촉진	언어적 촉진	시범(모델링) 촉진
②	신체적 촉진	시범 촉진	언어적 촉진	공간적 촉진
③	언어적 촉진	시범 촉진	신체적 촉진	공간적 촉진
④	시범 촉진	신체적 촉진	언어적 촉진	공간적 촉진
⑤	시범 촉진	동작적 촉진	언어적 촉진	신체적 촉진

05 2009 초등1-14

다음은 초등학교 특수학급에 재학 중인 자폐성장애 학생 순희의 상동행동을 10초 간격으로 2분 동안 관찰한 결과를 도식화한 것이다. 상동행동은 관찰 시작 후 35초부터 85초까지 발생하였다. 이에 대한 설명으로 바른 것은?

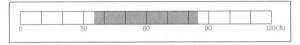

① 전체간격기록법은 행동의 발생 여부가 중요한 경우에 사용된다.
② 순간표집기록법에 의해 상동행동을 관찰하면 행동 발생률은 50.0%이다.
③ 전체간격기록법에 의해 상동행동을 관찰하면 행동 발생률은 33.3%이다.
④ 부분간격기록법에 의해 상동행동을 관찰하면 행동 발생률은 66.7%이다.
⑤ 부분간격기록법은 어느 정도 지속되는 안정된 행동을 측정할 때 사용된다.

06 2009 초등1-26

다음은 박 교사가 중도·중복장애 학생 성수에게 2008년 개정 특수학교 기본교육과정 사회과 내용인 '물건 구입하기'를 지도하는 과정을 기술한 것이다. 박 교사가 사용하고 있는 반응 촉진(촉구) 체계는?

> 박 교사 : (문구점 안에서 성수에게) 공책을 집으세요.
> 성　　수 : (아무런 반응 없이 그 자리에 가만히 서 있다.)
> 박 교사 : (공책 사진을 보여주며) 공책을 집으세요.
> 성　　수 : (여전히 움직이지 않고 그대로 서 있다.)
> 박 교사 : (성수의 손을 잡고 공책을 함께 집으면서)
> 　　　　　 자, 이렇게 공책을 집으세요.

① 동시 촉진
② 최대-최소 촉진
③ 최소-최대 촉진
④ 고정 시간지연 촉진
⑤ 점진적 시간지연 촉진

07

김 교사는 2008년 개정 특수학교 기본교육과정 실과의 '청소하기'를 지도하기 위한 과제분석표를 작성하여 정신지체 학생 진수가 스스로 청소를 할 수 있도록 하였다. 진수가 사용한 (가)와 (나)의 전략은?

순서	할 일	확인
1	청소에 알맞은 옷차림과 청소용구 준비하기	○
2	창문열기	○
3	의자를 책상 위에 올리고 뒤쪽으로 밀기	○
4	앞 쪽부터 비로 바닥 쓸기	○
5	책상을 다시 앞쪽으로 밀기	○
6	뒤쪽부터 비로 바닥 쓸기	○
7	책상을 제자리로 갖다 놓기	○
8	의자 내려놓기	○
9	청소용구 제자리에 놓기	×

진수는 순서에 따라 청소를 하고 (가) 각각의 순서에 제시된 일을 끝낼 때마다 확인란에 ○표를 하였다. 진수는 청소가 끝난 후에 확인란의 ○표를 세어 (나) 자기가 세운 목표 8개를 달성하였으므로, 청소를 시작하기 전에 정한 대로 컴퓨터 게임을 하였다.

       <u>(가)</u>   <u>(나)</u>
① 자기점검   자기교수
② 자기점검   자기강화
③ 자기교수   자기점검
④ 자기강화   자기점검
⑤ 자기교수   자기강화

08

박 교사는 초등학교 1학년 '즐거운 생활' 시간에 자폐성장애 학생 슬기에게 '가족과 친구' 영역 중 '얼굴표정 나타내기'를 지도하면서 슬기의 반응을 관찰하여 경향선을 그리려고 한다. 반분법에 의해 경향선을 그리는 순서로 바른 것은?

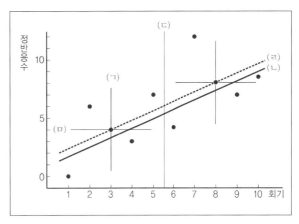

① ㄱ → ㄴ → ㄷ → ㄹ → ㅁ
② ㄱ → ㄷ → ㄹ → ㅁ → ㄴ
③ ㄴ → ㄹ → ㄱ → ㄷ → ㅁ
④ ㄷ → ㄱ → ㄹ → ㅁ → ㄴ
⑤ ㄷ → ㄱ → ㅁ → ㄹ → ㄴ

09   2009 초등1-36

〈보기〉는 임 교사가 초등학교 5학년 영어과 읽기 영역의 '쉽고 간단한 낱말을 소리내어 읽는다.'와 관련하여 학습장애 학생 철수에게 자극용암, 자극외(가외자극) 촉진(촉구), 자극내 촉진을 사용하여 영어 단어의 변별을 지도한 방법이다. 임 교사가 사용한 지도방법의 예가 바르게 제시된 것은?

─〈보기〉─

ㄱ. 컵 그림 위에 글자 cup을 쓰고, 모자 그림 위에 글자 cap을 썼다.

ㄴ. cup의 글자를 cap의 글자보다 크고 진하게 썼다.

ㄷ. 단어장을 보여주며 컵이라고 읽는 시범을 보인 후 따라 읽도록 하였다.

ㄹ. 초기에는 학생이 발음을 하려고만 해도 강화를 제공하였으나, 점진적으로 목표행동에 가까운 발음을 하면 차별적으로 강화하였다.

ㅁ. 학생이 cup과 cap을 변별하여 읽기 시작하면 컵 그림과 모자 그림을 점차 없애가며, cup의 글자 크기와 진하기를 점차 cap의 글자 크기와 진하기처럼 작고 연하게 변화시켰다.

ㅂ. 학생이 카드 위에 쓰인 cup과 cap을 성공적으로 변별하면 다양한 책에 쓰여진 cup을 읽도록 하였다.

	자극용암	자극외 촉진	자극내 촉진
①	ㄷ	ㄹ	ㄱ
②	ㄷ	ㅂ	ㄱ
③	ㅁ	ㄱ	ㄴ
④	ㅁ	ㅂ	ㄴ
⑤	ㅂ	ㄱ	ㄹ

10   2009 중등1-12

〈보기〉는 과학 실험 수업 시 장애학생 A에게 적용가능한 지도 전략들을 나열한 것이다. (가)~(다)에 해당하는 전략의 명칭을 순서대로 바르게 제시한 것은?

─〈보기〉─

(가) 교사는 실험 과제(자연적 단서)를 A에게 제시한 후 반응을 기다리지 않고 바로 교수적 촉진을 제공한다. 다음 시도부터는 자연적 단서 제시 후 A의 반응이 나오기까지 미리 정해둔 계획에 따라 5초 간격을 두고, 5초 안에 정반응이 없으면 교수적 촉진을 제공한다.

(나) 자연적 단서 제시 후 A가 올바른 수행을 하지 못하면 A의 손을 겹쳐 잡고 수행 방법을 가르쳐 준다. 수행의 진전에 따라 교사의 손은 A의 손목, 팔꿈치, 어깨의 순서로 옮겨가며 과제 수행을 유도한다. 독립수행이 일어나면 손을 사용하는 지원은 없앤다.

(다) 자연적 단서를 제시한 다음에는 "자, 이젠 무엇을 해야 하지?"라는 방식으로 묻는다.

	(가)	(나)	(다)
①	진행시간 지연	최소-최대 촉진 (least-to-most prompting)	간접구어 촉진
②	진행시간 지연	점진적 안내 (graduated guidance)	직접구어 촉진
③	0초 시간지연	최소-최대 촉진 (least-to-most prompting)	확산적 발문
④	고정시간 지연	부분적 참여 (partial participation)	확산적 발문
⑤	고정시간 지연	점진적 안내 (graduated guidance)	간접구어 촉진

11
2009 중등1-17

다음 내용에서 사용된 행동수정 기법으로 옳은 것은?

정신지체학생 A는 자주 수업을 방해하는 행동을 하였다. 김 교사는 기능평가를 실시하여 A가 교사로부터 관심을 받기 위해 평균 6분마다 수업방해 행동을 한다는 사실을 알았다. 수업방해 행동을 감소시키기 위해 김 교사는 A에게 매 5분마다 관심을 주었더니 수업방해 행동이 감소하였다. 이때부터 김 교사는 A에게 관심을 주는 시간 간격을 점차적으로 증가시켰다. 학기말에 A는 수업방해 행동을 하지 않았다.

① 소거(extinction)
② 다른행동 차별강화
③ 상반행동 차별강화
④ 대체행동 차별강화
⑤ 비유관 강화(noncontingent reinforcement)

12
2009 중등1-22

다음 그래프는 수업을 방해하는 문제행동을 감소시키기 위한 중재의 결과를 분석한 것이다. 이를 보고 옳은 설명을 〈보기〉에서 고른 것은?

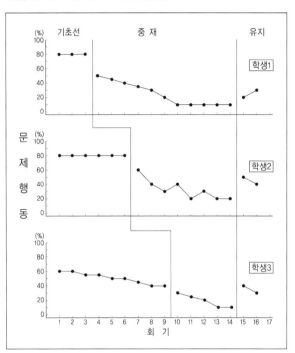

〈보기〉
ㄱ. 대상자 간 중다간헐기초선 설계가 사용되었다.
ㄴ. 이 설계는 다수의 기초선을 동시에 측정해야 한다.
ㄷ. 이 설계는 교사가 실제 교육 현장에서 사용하기 용이하다.
ㄹ. 학생 2와 학생 3의 기초선 자료는 중재를 실시하기에 적합하였다.

① ㄱ, ㄴ   ② ㄱ, ㄷ
③ ㄴ, ㄷ   ④ ㄴ, ㄹ
⑤ ㄷ, ㄹ

13 2010 유아1-12

다음은 자폐성장애 아동의 문제행동을 중재한 사례들을 제시한 것이다. 다음의 사례들에 사용되지 <u>않은</u> 행동수정 전략은?

- 아동이 수업 중 소리를 지르자 교사는 아동으로 하여금 교실 구석에서 벽을 쳐다보고 1분간 서 있게 하였다.
- 울 때마다 과제를 회피할 수 있었던 아동이 싫어하는 과제를 회피하기 위하여 울더라도 교사는 아동이 과제를 끝내도록 하였다.
- 교사는 아동이 5분 간 과제에 집중을 하면 스티커 한 장을 주고, 공격행동을 보이면 스티커 한 장을 회수하여 나중에 모은 스티커로 강화물과 교환하도록 하였다.
- 문제행동을 보일 때마다 교사의 관심을 받았던 아동이 교사의 관심을 끌기 위하여 물건을 집어던지는 행동을 하더라도, 교사는 문제행동에 관심을 기울이지 않고 무시하였다.

① 반응대가   ② 소거
③ 과잉(과다)교정   ④ 토큰경제
⑤ 타임아웃(고립)

14 2010 유아1-13

병설유치원 통합학급에 다니는 채원이는 머리를 벽에 부딪치는 문제행동을 보인다. 홍 교사는 긍정적 행동지원을 통해 채원이의 문제행동에 대한 중재계획을 세우고자 한다. 〈보기〉에서 '가설 세우기' 단계 이전에 해야 할 일들을 모두 고른 것은?

〈보기〉
ㄱ. 문제행동의 기능분석을 한다.
ㄴ. 문제행동을 조작적으로 정의한다.
ㄷ. 채원이에게 효과적인 대체행동 기술을 지도한다.
ㄹ. 문제행동의 유발 요인을 미리 제거하거나 수정한다.
ㅁ. 채원이의 선호 활동을 파악하고 채원이의 선택을 존중한다.

① ㄱ, ㄴ   ② ㄱ, ㄷ
③ ㄴ, ㅁ   ④ ㄱ, ㄹ, ㅁ
⑤ ㄷ, ㄹ, ㅁ

15

박 교사는 만 4세 발달지체 유아 선우의 활동 참여 시간을 증가시키기 위해 선우가 일정 시간 활동에 참여하면 스티커를 제공하는 중재를 하였다. 다음은 박 교사가 자유놀이, 소집단, 대집단 활동에서 중재를 실시한 과정을 나타내는 '상황 간 중다기초선 설계(multiple baseline design across settings)' 그래프이다. 이 그래프와 관련된 진술로 바른 것은?

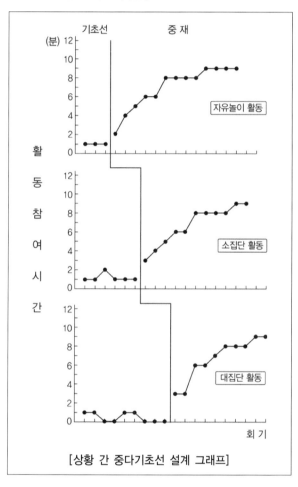

[상황 간 중다기초선 설계 그래프]

① 종속변인인 활동 참여 시간은 분으로 측정되었다.
② 기초선에서 선우가 활동에 참여하면 스티커가 제공되었다.
③ 중재는 대집단, 소집단, 자유놀이 활동 순서로 시작되었다.
④ 각 활동에서의 기초선 총 회기 수는 기초선 자료 수집 전에 결정되었다.
⑤ 자유놀이 활동에서 스티커가 제공되자마자 소집단 활동에서 선우의 활동 참여 시간이 증가되었다.

16

홍 교사는 중도 · 중복장애 학생 민수가 스스로 냉장고에 있는 팩에 든 음료수를 꺼내 마실 수 있도록 지도하고자 한다. 이를 위해 다음과 같이 과제분석을 한 후, 행동연쇄 전략을 사용하여 6단계부터 먼저 지도할 계획이다. 홍 교사가 사용할 지도 전략과 그 특징을 바르게 짝지은 것은?

1단계 : 냉장고 문을 연다.
2단계 : 음료수 팩을 꺼낸다.
3단계 : 냉장고 문을 닫는다.
4단계 : 음료수 팩 겉면에 붙어 있는 빨대를 뜯는다.
5단계 : 빨대를 음료수 팩에 꽂는다.
6단계 : 빨대로 음료수를 마신다.

	지도 전략	특징
①	전진 행동연쇄	교사의 지원이 점점 증가한다.
②	후진 행동연쇄	교사의 지원이 점점 증가한다.
③	전진 행동연쇄	자연발생적인 강화가 제공된다.
④	후진 행동연쇄	자연발생적인 강화가 제공된다.
⑤	전체 행동연쇄	자연발생적인 강화가 제공된다.

17

임 교사는 2008년 개정 특수학교 기본교육과정 수학과 내용체계의 영역을 정신지체 학생에게 〈보기〉와 같은 다양한 촉진 전략을 사용하여 지도하였다. 임 교사가 사용한 촉진 전략 중 가외자극 촉진(자극 외 촉구 : extrastimulus prompt) 전략을 〈보기〉에서 모두 고른 것은?

─〈보기〉─

ㄱ. 수 영역 Ⅰ단계의 '변별하기'를 지도하기 위해, 축구공과 야구공 중에서 변별해야 하는 야구공을 학생에게 더 가까운 위치에 놓아준 후, 야구공을 찾게 하였다.

ㄴ. 연산 영역 Ⅰ단계의 '구체물 가르기와 모으기'를 지도하기 위해, 여러 개의 사과와 '두 접시에 나눠진 사과 그림'을 함께 제시한 후, 여러 개의 사과를 그림에서처럼 가르게 하였다.

ㄷ. 측정 영역 Ⅰ단계의 '화폐의 종류 알기'를 지도하기 위해, 천 원 크기의 종이와 ○표시 스티커를 붙인 천 원짜리 지폐를 제시한 후, 실제 지폐를 찾게 하였다.

ㄹ. 수 영역 Ⅱ단계의 '한 자릿수의 크기 비교하기'를 지도하기 위해, 비교해야 하는 숫자 9와 6 밑에 각각 그 개수만큼의 바둑알을 놓아준 후, 많은 쪽의 숫자에 동그라미 표시를 하게 하였다.

ㅁ. 측정 영역 Ⅲ단계의 '무게 재기'를 지도하기 위해, 저울을 사용하여 감자 무게를 재는 시범을 보여준 후, 직접 감자 무게를 재게 하였다.

① ㅁ   ② ㄱ, ㅁ
③ ㄴ, ㄷ   ④ ㄴ, ㄷ, ㄹ
⑤ ㄱ, ㄴ, ㄷ, ㄹ

18

정신지체학생의 교수·학습 과정에서 사용하는 촉진(prompting)과 관련된 설명으로 옳은 것을 〈보기〉에서 고른 것은?

─〈보기〉─

ㄱ. 간단한 언어촉진으로 학생이 정반응을 지속적으로 보이면 과제에 대한 독립적 수행이 이루어진 것으로 본다.

ㄴ. 학생들이 촉진에 고착되거나 의존하는 단점을 보완하기 위하여 촉진을 점진적으로 제거하는 것을 용암이라고 한다.

ㄷ. 최소-최대 촉진체계는 학생들이 기술을 습득하는 초기 단계에서 사용하여 학습과정에서의 오류를 줄이는 데 유용하다.

ㄹ. 촉진은 자연적인 자극하에서 정반응이 일어나지 않을 때 여러 가지 부가 자극을 사용하여 정반응의 발생 가능성을 증가시키는 방법이다.

ㅁ. 점진적 안내(graduated guidance)는 신체적 촉진의 수준을 학생의 수행 진전에 따라 점차 줄여나가다 나중에는 그림자 방법을 사용하는 것이다.

① ㄱ, ㄴ, ㄹ   ② ㄱ, ㄷ, ㅁ
③ ㄴ, ㄷ, ㄹ   ④ ㄴ, ㄷ, ㅁ
⑤ ㄴ, ㄹ, ㅁ

19   2010 중등1-14

다음은 A–B–C 기술 분석 방법을 사용하여 정신지체 학생의 행동과 그와 관련된 환경 사건에 대한 자료를 수집한 것이다. 이 자료에 근거한 수업방해 행동 중재 방법으로 적절하지 <u>않은</u> 것은?

A–B–C 관찰기록지

학생: ○영희   상황: 국어 수업시간
관찰시간: 10:00~10:10

선행사건(A)	행동(B)	후속 결과(C)
교사: "지난 시간에 무엇에 대해 배웠지요?"	"저요. 저요." (큰 소리를 지르며 손을 든다.)	교사: "영희가 한 번 말해 볼래?"
	(답을 하지 못하고 머뭇거린다.)	교사: (영희의 머리를 쓰다듬으며) "영희야, 다음에는 잘 해보자."
	"네, 선생님." (미소를 짓는다.)	
교사: "지난 시간에 무엇을 배웠는지 철수가 한 번 대답해 볼까?"	"저요. 저요." (큰 소리를 지르며 손을 든다.)	교사: (주의를 주듯이) "영희야! 지금은 철수 차례야."
	"선생님, 저요. 저요."	교사: (영희 자리로 다가가 주의를 주듯이) "지금은 철수 차례라고 했지?"
	"네, 선생님." (미소를 짓는다.)	
(철수가 지난 시간에 배운 것을 말하기 시작한다.)	"저요. 저요." (큰 소리를 지르며 손을 든다.)	교사: (야단치듯) "영희야! 조용히 하고 친구 말을 들어 보자."
	(교사를 보며 미소를 짓는다.)	
교사: "그래요, 맞았어요. 자, 그럼 오늘은…"	(교사의 말이 끝나기 전에) "저요. 저요. 저도 알아요."	교사: (영희 옆으로 다가가서) "영희야, 지금은 선생님 차례야."
	"네, 선생님." (미소를 짓는다.)	

① 수업방해 행동이 발생한 직후, 교사가 그 행동에 대하여 긍정적이거나 부정적인 관심을 주지 않는다.
② 수업 시간에 바람직한 행동을 할 때는 교사가 관심을 주고 수업방해 행동을 할 때는 관심을 주지 않는다.
③ 수업방해 행동과는 상관없이 미리 설정된 시간 간격에 따라 교사가 관심을 주되 그 행동이 우연적으로 강화되지 않도록 주의한다.
④ 완전히 제거된 줄 알았던 수업방해 행동이 얼마의 시간이 지난 뒤 다시 발생하더라도 교사는 그 행동에 대하여 관심을 주지 않는다.
⑤ 수업방해 행동을 빠른 시간 내에 감소시키기 위하여 정해진 시간 동안 수업방해 행동이 미리 설정한 기준보다 적게 발생하면 교사가 학생이 좋아하는 활동을 함께 한다.

20   2010 중등1-23

장애학생의 문제행동 지원에 관한 설명으로 옳은 것을 〈보기〉에서 모두 고른 것은?

─〈보기〉─
ㄱ. 면담은 비형식적 방법으로 면담 대상자는 학생을 잘 아는 사람과 학생 본인이다.
ㄴ. 긍정적 행동지원은 바람직한 행동을 증가시키고, 문제가 되는 행동을 감소 및 제거하는 데 초점을 맞춘다.
ㄷ. 기능평가(functional assessment)는 문제행동의 기능을 검증하기 위해 선행 사건과 후속 결과를 실험·조작하는 활동이다.
ㄹ. 긍정적 행동지원의 목표는 가정, 학교, 지역사회에서 문제행동을 보이는 개인은 물론 행동을 지원하는 사람들의 삶의 질을 높이는 데 있다.
ㅁ. 기능분석(functional analysis)은 특정 행동을 신뢰할 수 있게 예언하고, 그 행동을 지속시키는 환경 내의 사건을 정의하기 위해 이루어지는 일련의 활동 과정이다.

① ㄱ, ㄹ
② ㄱ, ㄴ, ㄹ
③ ㄱ, ㄷ, ㅁ
④ ㄱ, ㄷ, ㄹ, ㅁ
⑤ ㄴ, ㄷ, ㄹ, ㅁ

21

다음의 (가)와 (나)에 적용된 설계에 대한 설명으로 옳지 <u>않은</u> 것은?

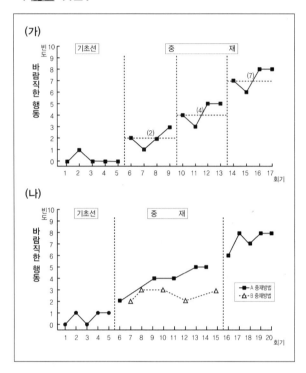

① (가)의 설계는 시급한 행동수정을 필요로 하는 경우에 부적절하다.
② (가)는 중간단계에서 준거에 너무 늦게 도달할지라도 중간준거를 조정하면 안 된다.
③ (가)는 최소한 연속적으로 세 개의 구간에서 단계목표가 달성되면 기능적 인과관계가 입증된 것으로 본다.
④ (나)는 중재의 임의적 배열과 평형화를 통해 중재간 상호 영향을 최소화한다.
⑤ (나)의 설계는 두 가지 이상의 실험처치 또는 중재 조건이 표적행동에 미치는 효과를 비교할 때 활용한다.

22

다음은 김 교사가 지원이의 책상 두드리기 행동이 과제제시로 인한 것인지를 알아보기 위해 과제제시 상황과 과제철회 상황에서의 행동을 기록하여 그래프로 나타낸 것이다. 이 그래프를 통해 알 수 있는 것을 〈보기〉에서 고른 것은?

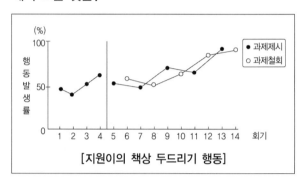

[지원이의 책상 두드리기 행동]

〈 보기 〉
ㄱ. 기초선이 안정적이었다.
ㄴ. AB 설계를 이용하였다.
ㄷ. 지원이의 행동은 강화되고 있다.
ㄹ. 지원이는 과제가 하기 싫어서 책상을 두드리는 것이다.
ㅁ. 김 교사는 과제의 양을 줄이거나 난이도를 낮추어야 한다.

① ㄱ, ㄴ　　② ㄱ, ㄷ
③ ㄴ, ㄹ　　④ ㄷ, ㅁ
⑤ ㄹ, ㅁ

23 ▪▪▪▪▪▪▪▪▪▪▪▪▪▪▪▪▪ 2011 유아2-1

현우는 통합 유치원에 다니는 만 4세 발달지체 유아이
다. (가)는 현우의 소리 지르기 행동에 대한 빈도 기록
이고, (나)는 현우의 소리 지르기 행동에 대한 ABC 관
찰 기록이다.

(가) 현우의 소리 지르기 행동 빈도 기록

조건	기초선				중재							
회기	1	2	3	4	5	6	7	8	9	10	11	12
빈도	12	11	11	12	7	8	10	12	12	14	15	14

(나) 현우의 소리 지르기 행동 ABC 관찰 기록

일시	선행사건(A)	행동(B)	후속결과(C)
9월 27일 10:40	교사가 다른 유아와 대화를 하고 있음	소리 지름	교사가 "현우야, 이리 와서 같이 이야기하자."라고 하며 현우를 쳐다봄
9월 28일 10:45	친구들끼리 블록놀이를 하고 있음. 현우는 친구들의 놀이를 쳐다보고 있음	소리 지름	친구들이 현우를 쳐다보며 "현우야, 왜 그래?"라고 함
9월 29일 09:00	아침에 등원하여 교실에 들어와 가만히 서 있음. 아무도 쳐다보지 않음	소리 지름	교사가 쳐다보며 "현우야, 이리 와 앉아라."라고 함

1) (가)를 보고, 기초선과 중재 기간 동안 나타난 '소리
지르기' 행동의 수준과 경향을 분석하고, 중재 효과
와 그 근거를 논하시오.

2) (나)의 ABC 관찰 기록을 근거로 가정할 수 있는 '소
리 지르기' 행동의 기능과 유지변인을 밝히고, 앞에
서 가정한 기능을 근거로 가설문을 작성하시오.

3) 위의 2)번에서 수립한 가설을 기반으로 선행사건,
후속결과, 대체행동 각각의 측면에서 새로운 중재
를 계획하시오. (500자)

24

다음은 특수학급 3학년 정서·행동장애 학생 민지의 어머니가 민지의 문제행동에 대한 분석을 하기 위해 관찰한 내용이다. 특수학급 박 교사가 가정에서 적용하도록 민지 어머니에게 제안할 수 있는 중재로 바르게 짝지어진 것은?

ABC 행동 관찰 기록지
• 학생 : 김민지
• 민지가 선호하는 것 : 스티커, 귤, 장난감 로봇, 텔레비전 시청하기, 그림 그리기

날짜	A(선행사건)	B(행동)	C(후속결과)
9. 15.	어머니가 "숙제하자."라고 말함	자기 방으로 뛰어 들어가 버림	어머니가 민지에게 손을 들고 서 있게 함
9. 16.	어머니가 숙제를 가지고 민지에게 다가감	할머니 방으로 뛰어가 할머니와 얘기함	어머니가 민지에게 손을 들고 서 있게 함

	선행사건 중재	후속자극 중재	
		전략	적용
①	민지가 숙제를 하지 않을 때 무시한다.	행동 형성	숙제의 난이도를 민지에게 맞게 순차적으로 조정한다.
②	민지와 숙제 일정을 미리 약속한다.	행동 계약	숙제를 하지 않으면 5분 동안 벽을 보고 서 있게 하겠다고 말해준다.
③	가정에서 숙제할 장소를 민지가 선택하도록 한다.	토큰 경제	숙제를 하면 스티커를 1개 주고, 스티커를 3개 모으면 장난감 로봇을 준다.
④	민지가 밤에 잠을 충분히 자도록 한다.	행동 연쇄	매일 5분씩 시간을 늘리면서 그 시간 동안 숙제를 하면 스티커를 준다.
⑤	어머니와 함께 오늘 숙제가 적힌 알림장을 확인한다.	타임 아웃	민지가 숙제를 하지 않으면 텔레비전을 볼 수 없도록 한다.

25

다음은 초등학교 3학년인 진수의 문제행동에 대해 실시한 개별 차원의 긍정적 행동지원 사례의 일부이다.

• 진수의 학습 관련 특성: 언어 및 지능은 정상 발달 수준이나, 과제 수행 시 집중하는 시간이 짧고 학습 의지가 부족하며 수동적인 태도를 보인다.
• 진수는 새 학년이 되면서 수업시간에 집중하지 못하고 급우들을 귀찮게 하는 등 여러 가지 수업방해 행동을 보였다. 이로 인해 수업시간 및 학급운영에 어려움을 겪던 일반학급 담당 박 교사는 특수학급 담당교사와 학부모와의 면담 및 협의를 통해 긍정적 행동지원을 실시하기로 하고 행동지원팀을 구성하였다.
• 행동지원팀이 문제행동 기능을 파악하기 위해 여러 자료를 수집하던 중, 다음과 같은 수업 상황이 관찰되었다.

(가) 관찰 일지

날짜	주요 관찰 내용
4월 6일	박 교사 : '긴 글을 읽고 질문에 답하기' 과제를 제시함 진 수 : 책상에 엎드려 몸을 뒤척거리며 머리를 긁기 시작함 박 교사 : 과제 대신 진수가 좋아하는 책을 꺼내 읽도록 지시함
4월 7일	박 교사 : 전체 학생에게 과제를 제시한 후 순회하며 모둠별 활동을 지도함 진 수 : 같은 모둠의 또래들을 건드리며 학습을 방해함 박 교사 : 진수가 또래를 방해하는 행동을 보고 즉각 관심을 나타냄

※ 참고 : 일주일 동안 관찰한 결과, 수업시간 진수의 과제이탈 행동과 또래방해 행동, 그리고 이에 대한 교사의 행동이 같은 유형으로 반복되어 나타남

• 행동지원팀은 기능평가 단계에서 문제행동에 대한 기능분석을 실시했고, 그 결과 (나) 수업시간 진수의 과제이탈 행동은 많은 양의 과제가 한꺼번에 주어질 경우 이를 회피하기 위함이고, 또래방해 행동은 교사의 관심을 끌기 위한 것이었음을 알 수 있었다. 이와 관련하여 행동지원팀은 (다) 수업시간 진수의 과제이탈 행동과 또래방해 행동이 이에 대한 박 교사의 후속조치에 의해 유지되었음을 알게 되었다.
… (중략) …
• 진수가 축구를 좋아하지만 체육 시간이나 쉬는 시간에 친구들이 축구에 잘 끼워 주지 않는다는 것을 행동지원 계획 과정에서 알게 되었다. 이에 행동지원팀은 행동지원 외에도 진수를 지역 스포츠 센터의 축구 교실에 참여시켜, 동네의 또래도 사귀고 건강을 유지할 수 있도록 하였다.

위의 사례와 같이 기능평가의 일환으로 기능분석을 실시하는 이유를 2가지로 논하시오. 또한 위의 사례에서 (가), (나), (다)를 근거로 진수의 과제이탈 행동과 또래방해 행동의 이유를 각각 설명하시오. 그리고 긍정적 행동지원의 주요 요소 중 '진단기반 중재'와 '삶의 방식 변화를 위한 중재'에 해당하는 활동을 위의 사례에서 찾고, 각 요소의 의미를 논하시오. (500자)

26 2011 중등1-19

〈보기〉의 그래프는 수업 중 발생한 학생의 행동에 대하여 중재한 결과를 나타낸 것이다. 종속변인의 변화가 독립변인으로 인해 발생했을 가능성이 높은 것을 고른 것은?

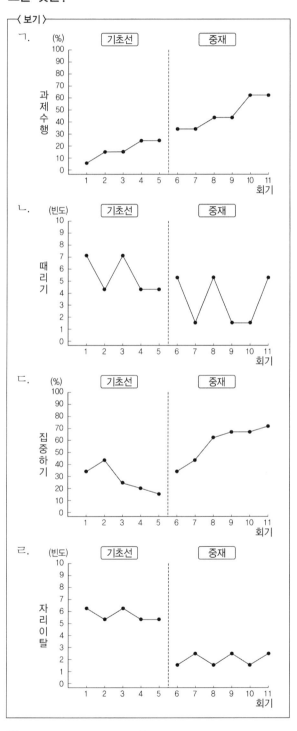

① ㄱ, ㄴ
② ㄱ, ㄹ
③ ㄴ, ㄷ
④ ㄴ, ㄹ
⑤ ㄷ, ㄹ

27 2011 중등1-21

다음은 수업 중에 옆 친구를 방해하는 학생 A의 행동을 담임 교사와 동료 교사가 동시에 관찰하여 기록한 간격기록법 부호형 자료이다. 관찰자 간의 일치율을 바르게 구한 것은? (단, 소수점 이하 첫째자리 반올림)

〈행동 부호〉

H = 때리기 T = 말 걸기 P = 꼬집기

〈담임 교사〉

분＼초	10″	20″	30″	40″	50″	60″
1′	T	T	H	TH		
2′		T	T		P	P
3′	H	TH		T	T	
4′	T		PH		T	T
5′	T	T		T		

〈동료 교사〉

분＼초	10″	20″	30″	40″	50″	60″
1′	T	T	H	TH		
2′		T	T		P	
3′	H	H		T	T	
4′	T		PT		T	T
5′	T	T		T		

① 83%
② 87%
③ 90%
④ 94%
⑤ 96%

28

다음은 김 교사가 공립 유치원 통합학급에 다니는 발달
지체 유아들의 문제행동 원인을 알아내기 위해 기능 평
가를 실시하여 얻은 결과표이고, 〈보기〉는 이 결과표를
바탕으로 실시할 수 있는 긍정적 행동지원에 대한 설명
이다. 〈보기〉에서 설명이 옳은 것을 모두 고른 것은?

유아	선행사건	문제행동	후속결과
진국	교실에서 특수교육 보조원과 함께 개별 활동을 함	특수교육 보조원을 발로 참	특수교육 보조원과의 활동을 중단함
경수	교사가 다른 일을 수행하느라 경수에게 관심을 보이지 않음	소리를 지름	교사가 경수에게 관심을 보임
수미	신체적 접촉을 싫어하는 수미에게 친구가 손을 잡거나 안으려고 함	친구를 과격하게 밀침	친구들이 수미에게 가까이 가지 않음

〈보기〉
ㄱ. 진국에게 사용할 수 있는 대체 기술 교수의 목표는
   문제행동을 대체하면서도 사회적으로 적절한 기술
   을 가르치는 것이다.
ㄴ. 기능 평가를 통해서 나타난 경수의 문제행동의 기능
   은 '소리 지르기'이다.
ㄷ. 수미에게 신체적 접촉을 하지 않도록 반 친구들에
   게 주의시키는 것은 수미의 문제행동에 대한 선행
   사건 중재에 해당한다.
ㄹ. 긍정적 행동지원의 주된 목적은 문제행동에 대한
   예방보다는 처벌에 있기 때문에 선행사건 중재보
   다는 후속결과 중재에 초점을 둔다.

① ㄱ, ㄷ
② ㄱ, ㄹ
③ ㄱ, ㄴ, ㄷ
④ ㄱ, ㄴ, ㄹ
⑤ ㄴ, ㄷ, ㄹ

29

만 5세 발달지체 유아 인애는 주변의 사물 이름을 묻는
직접적인 질문에 대부분 반응을 보이고, 지시에 따라 물
건을 가져올 수 있으며, 과일 장난감을 좋아하지만, 장
난감 정리에는 어려움이 있다. 다음은 송 교사가 인애
에게 장난감 정리하기를 지도하는 과정이다. 송 교사가
사용한 교수 전략은?

[상황] 자유 선택 활동 시간이 끝나고 장난감을 정리하
라는 교사의 지시에 따라 또래들이 장난감을 정
리하고 있지만, 인애는 가지고 놀던 과일 장난
감을 정리하지 않고 그대로 두고 있다.

교사: 인애야, 사과 장난감을 가져 올래?
인애: (사과 장난감을 주워서 교사에게 준다.)
교사: 그래, 잘 했어. 바나나 장난감을 가져 올래?
인애: (바나나 장난감을 주워서 교사에게 준다.)
교사: 와! 바나나 장난감도 잘 가져왔어. 오렌지 장난
감도 가져 올래?
인애: (오렌지 장난감을 찾아서 교사에게 준다.)
교사: 오렌지 장난감도 가져 왔네. 아주 잘 했어. 자,
이제 바구니에 과일 장난감 넣는 것 도와줄래?
인애: (바구니에 과일 장난감들을 넣는다.)
교사: 장난감 정리 아주 잘 했어!

① 반응 대가(response cost)
② 토큰 경제(token economy)
③ 부적 강화(negative reinforcement)
④ 점진적 시간지연(progressive time delay)
⑤ 고확률 절차(high-probability procedures)

30

다음은 어느 통합학급에서 유치원 만 3~4세 교육과정 사회생활 영역 '친구와 사이좋게 지낸다.'를 지도하면서 유아특수 교사와 유아 교사가 발달지체 유아인 현주의 목표 행동을 관찰하여 나타낸 관찰 기록지이다. 이에 대한 설명으로 옳은 것은?

관찰 기록지

• 관찰 대상 : 김현주(발달지체)
• 목표 행동 : 협동 놀이에 참여하기
• 관찰 방법 : 순간표집기록법
　－두 교사가 4분 동안 15초 간격으로 현주의 목표 행동을 관찰하여 목표 행동의 발생은 ＋, 목표 행동의 비발생은 －로 나타냄

관찰구간 관찰자	1	2	3	4	5	6	7	8	9	10	11	12	13	14	15	16
유아특수 교사	＋	－	＋	＋	－	＋	＋	－	＋	＋	－	－	－	＋	＋	－
유아교사	＋	－	－	＋	＋	＋	－	＋	＋	－	＋	－	＋	＋	＋	－

---

① 두 교사의 관찰자 간 신뢰도는 75%이다.
② 위의 관찰 기록지에서는 현주의 목표 행동 발생 원인을 파악할 수 있다.
③ 각 관찰구간에서 목표 행동이 5초 동안 지속되는 경우에만 ＋로 표시하였다.
④ 각 관찰구간에서 목표 행동이 15초 동안 지속되는 경우에만 ＋로 표시하였다.
⑤ 두 교사의 관찰에서 현주의 목표 행동 발생 횟수가 같기 때문에 구인 타당도가 높다고 할 수 있다.

31

다음은 유치원의 역할 놀이 영역에서의 일화기록 자료이다. 이 자료에 대한 분석으로 올바른 것을 〈보기〉에서 모두 고른 것은?

관찰 대상 : 이수지
생년월일 : 2007. 2. 25. (남 · ㉔)
관찰일 : 2011. 10. 12.
관찰자 : 정해수

수지는 민국이와 함께 역할 놀이 영역으로 들어온다. 수지가 민국이에게 "우리, 병원 놀이 할까?"라고 말하자, 민국이가 "좋아. 난 의사 할래."라고 말한다. 수지는 "나도 의사 하고 싶어. 그럼, 우리 가위, 바위, 보로 정하자."라고 말한다. 민국이가 좋다고 하여 가위바위보를 하고 수지가 이긴다. 수지는 자기가 이겼으니까 의사라고 말하며 옆에 있던 흰 가운을 입는다. 수지는 민국이에게 너가 졌으니까 환자 해라고 하면서 청진기를 귀에 꽂는다. 민국이는 "나도 의사하고 싶은데…."라고 아쉬운 듯 말한다. 수지가 민국이에게 "빨리 환자 해야지."라고 말하자 민국이가 "의사 선생님, 의사 선생님, 배가 아파요. 안 아프게 해 주세요."라고 말하며 배를 잡고 몹시 아픈 시늉을 한다. 수지는 "그래요? 어디 봅시다."라고 말하면서 바로 청진기를 민국이 배의 이곳저곳에 대어 본다.

〈보기〉

ㄱ. 사건을 일어난 순서대로 기록하였다.
ㄴ. 관찰 내용을 객관적인 언어로 기록하였다.
ㄷ. 관찰 대상 외 다른 유아의 활동 내용도 기록하였다.
ㄹ. 일화기록 시 포함되어야 할 모든 정보가 제시되었다.
ㅁ. 관찰 대상이 한 말을 그대로 인용하면서 말과 행동을 구분하였다.

① ㄱ, ㄷ　　　　　　　② ㄴ, ㄹ
③ ㄱ, ㄴ, ㅁ　　　　　④ ㄷ, ㄹ, ㅁ
⑤ ㄱ, ㄷ, ㄹ, ㅁ

32

다음은 현장 연구를 하기 위해 모인 교사들이 단일대상 연구 방법에 대해 나눈 대화이다. 대화의 내용 ㉠~㉤ 중에서 옳은 것만을 있는 대로 고른 것은?

> 김 교사: 중재 효과를 알아보기에 좋은 단일대상연구 방법을 사용해 보셨나요? 반전 설계도 좋던데요.
>
> 민 교사: 네, 하지만 ㉠반전 설계는 중재를 제공했다가 제거하는 과정을 거치기 때문에, 때로는 윤리적인 문제가 있다는 점도 고려해야겠지요.
>
> 최 교사: 네, 그래서 저는 ㉡AB설계를 통해 문제행동에 대한 기능적 분석을 하고, 인과관계도 쉽게 분석할 수 있어 좋았어요.
>
> 박 교사: ㉢점심시간에 짜증을 내는 것과 같이 위협적이지 않은 문제행동의 기능적 관계를 알아보기 위해서는 ABAB설계보다는 BAB설계가 더 적절한 것 같았어요.
>
> 정 교사: ㉣동시에 3명의 학생을 대상으로 다양한 상황에서 중재를 실시하여 그 중재 효과를 입증할 수 있는 '대상자 간 중다기초선 설계'를 실시하는 것도 좋아요.
>
> 윤 교사: ㉤우리 반 학생이 과제에 집중하도록 '생각 말하기(think aloud)' 중재 전략을 사용했다가 잘 안 되어서 '자기점검하기'로 중재 전략을 바꾸어 시도한 ABC설계도 유용했어요.

① ㉠, ㉡
② ㉠, ㉤
③ ㉠, ㉢, ㉤
④ ㉡, ㉢, ㉣
⑤ ㉢, ㉣, ㉤

33

다음은 박 교사가 개발한 '현금자동지급기에서 현금 인출하기'의 과제분석과 그에 대한 철수의 현행 수준을 평가한 결과이다. 이 내용에 대해 두 교사가 나눈 대화 ㉠~㉤ 중에서 옳은 것만을 있는 대로 고른 것은?

과제분석과 현행 수준 평가 결과					

이름: 김철수   평가자: 박○○
표적행동: 현금자동지급기에서 현금 인출하기
언어적 지시: "철수야, 현금자동지급기에서 돈 3만 원 찾아볼래?"

과제분석	하위행동	평가일시			
		10/19	10/20	10/21	10/22
1단계	현금카드를 지갑에서 꺼낸다.	+	+	+	+
2단계	현금카드를 카드 투입구에 바르게 넣는다.	+	+	+	+
3단계	현금 인출 버튼을 누른다.	−	−	+	+
4단계	비밀 번호 버튼을 누른다.	−	−	−	−
5단계	진행사항에 해당하는 버튼을 누른다.	−	−	−	−
6단계	인출할 금액을 누른다.	−	+	+	+
7단계	현금 지급 명세표 출력 여부 버튼을 누른다.	+	+	+	+
8단계	현금 지급 명세표와 현금카드를 지갑에 넣는다.	−	−	−	+
9단계	현금을 꺼낸다.	+	+	+	+
10단계	현금, 명세표, 현금카드를 지갑에 넣는다.	+	+	+	+
정반응의 백분율(%)		50%	60%	70%	70%
비고	기록코드: 정반응(+), 오반응(−)				

> 김 교사: ㉠일련의 복합적인 행동을 가르치기 위해 과제분석을 할 수 있어요.
>
> 박 교사: ㉡과제분석을 할 때는 과제를 유능하게 수행하는 사람이나 전문가를 관찰해서, 하위행동을 목록화하는 것이 중요해요.
>
> 김 교사: 박 선생님께서는 ㉢철수가 '현금자동지급기에서 현금 인출하기'의 모든 하위 행동을 수행할 수 있는지 보기 위해 '단일기회방법'을 사용하여 매 회기마다 평가하셨군요.
>
> 박 교사: 네, ㉣철수가 많은 하위 행동을 이미 수행할 수 있지만, 순차적으로 수행하는 데는 어려움이 있어 보여요. 그래서 철수에게 이 과제를 지도하기 위해 행동연쇄법 중 '전체과제 제시법'을 적용하는 것이 적절할 것 같아요.
>
> 김 교사: ㉤'전체과제 제시법'을 적용하면, 철수가 각각의 하위 행동을 할 때마다, 교사가 자연적 강화를 주기 때문에 비교적 쉽게 이 과제를 수행할 수 있을 것 같아요.

① ㉠, ㉡   ② ㉢, ㉣   ③ ㉠, ㉡, ㉣
④ ㉠, ㉢, ㉤   ⑤ ㉡, ㉣, ㉤

34

다음은 직업교과 시간에 발생한 정신지체학생 A의 문제행동 상황을 정리한 내용이다. 교사가 학생 A의 문제행동을 중재하기 위하여 적용할 수 있는 강화 중심 전략과 각 전략의 특징 및 그에 따른 예가 바른 것은?

교사가 학생 A에게 세탁기에서 옷을 꺼내 건조대에 널라고 지시한다. 학생은 교사를 쳐다보고 얼굴을 찡그리며 소리를 지르고 세탁기를 심하게 내리친다. 교사가다시 학생에게 다가가 옷을 꺼내 널라고 지시한다. 학생은 또다시 하기 싫은 표정을 짓고, 소리를 크게 지르며 세탁기를 심하게 내리친다. 이러한 상황이 수업 시간에 여러 차례 지속적으로 발생하였다.

	전략	특징	예
①	저비율 행동 차별강화 (DRL)	표적행동의 강도를 감소시키는 데 초점을 둔다.	소리 지르기 및 세탁기 내려치는 강도가 낮아지면 강화한다.
②	상반행동 차별강화 (DRI)	표적행동과 형태적으로 양립할 수 없는 행동을 강화하는 데 초점을 둔다.	소리 지르기 행동 대신 옷을 꺼내 건조대에 널면 그 행동에 대해 강화한다.
③	대체행동 차별강화 (DRA)	표적행동의 발생 빈도를 감소시키는 데 초점을 둔다.	소리 지르기 및 세탁기 내려치는 행동의 발생 횟수가 설정한 기준보다 적게 발생하면 강화한다.
④	비유관 강화 (NCR)	표적행동 대신 바람직한 행동이 발생할 때마다 강화하는 데 초점을 둔다.	학생이 소리 지르기 및 세탁기 내려치는 행동을 하는 대신 "도와주세요."라는 말을 하면 강화한다.
⑤	다른행동 차별강화 (DRO)	표적행동의 미발생에 대해 강화하는 데 초점을 둔다.	정한 시간 간격 내에 소리 지르기 및 세탁기 내려치는 행동이 전혀 발생하지 않으면 강화한다.

35

다음은 학생 A의 문제행동을 개선시키기 위한 긍정적 행동지원 절차이다. 이 절차에 따라 김 교사가 적용한 단계별 예로 옳은 것만을 〈보기〉에서 있는 대로 고른 것은?

- 단계 1: 어떤 행동을 중재할 것인지 결정하기
- 단계 2: 목표행동 관련 정보 수집하기
- 단계 3: 가설 설정하기
- 단계 4: 긍정적 행동지원 계획 수립·실행하기
- 단계 5: 행동지원 계획 평가·수정하기

〈보기〉
- ㄱ. 단계 1: 목표행동을 '학생 A는 자신의 옆에 있는 친구를 자주 공격한다'로 진술한다.
- ㄴ. 단계 2: 학생 A의 목표행동 기능을 파악하기 위하여 A-B-C 분석을 실행하고, 행동에 영향을 미칠 수 있는 학습 및 행동 발달 수준을 파악하기 위한 다양한 정보를 수집한다.
- ㄷ. 단계 3: 이전 단계에서 수집한 개괄적 정보를 요약하고, 행동의 기능적 관계를 파악하기 위하여, '학생 A에게 하기 싫어하는 과제를 주면, 공격행동이 증가할 것이다'로 가설을 설정한다.
- ㄹ. 단계 4: 학생 A에게 배경·선행사건 조정, 대체행동 교수, 후속결과 활용 및 행동감소 전략 등과 같은 중재 전략을 구성하여 적용한다.
- ㅁ. 단계 5: 중재 계획에 따라 학생 A를 지도한 후, 중재 전략의 성과를 점검하여 수정이 필요한지를 평가한다.

① ㄱ, ㄴ   ② ㄴ, ㄹ
③ ㄱ, ㄷ, ㅁ   ④ ㄴ, ㄹ, ㅁ
⑤ ㄷ, ㄹ, ㅁ

36 　　　　　　　　　　　　2013 유아A-1

다음의 (가)는 영진이의 행동 목표와 긍정적 행동지원 중재 계획의 일부이고, (나)는 문제행동 관찰 기록지의 일부이다. 물음에 답하시오.

(가) 행동 목표 및 중재 계획

이름	김영진	시행기간	2012. 08. 27.~2013. 02. 15.
행동 목표		중재 계획	
1. 컴퓨터 시간 내내 3일 연속으로 바르게 행동할 것이다. 2. 쉬는 시간에 컴퓨터 앞에 앉아 있는 친구의 손등을 때리는 행동이 감소할 것이다.		1. 바른 행동을 할 때마다 칭찬과 함께 스티커를 준다. 2. ㉠쉬는 시간 컴퓨터 사용 순서와 개인별 제한 시간에 대한 규칙을 학급 전체 유아에게 수업을 마칠 때마다 가르친다.	

(나) 문제행동 관찰 기록지

- 표적 행동 : 친구의 손등을 때리는 행동
- 관찰 방법 : (㉡)

날짜	시간	행동 발생 표시	총 발생 수	비율
9/27	09:40~09:50	////	4	0.4/분
	10:30~10:50	////	4	0.2/분
	11:30~11:40	//	2	0.2/분

1) 메이거(R. F. Mager)의 행동적 목표 진술 방식을 따른다면, (가)의 행동 목표 1과 2가 바람직하지 않은 이유를 각각 쓰시오.

- 행동 목표 1 :
- 행동 목표 2 :

2) (가)에서 교사가 영진이의 표적 행동 발생 전에 ㉠과 같은 보편적 중재를 적용하여 얻고자 하는 목적 1가지를 쓰시오.

3) (나)의 ㉡에 해당하는 관찰 방법을 쓰고, (나)에서 관찰 결과를 비율로 요약하면 좋은 점을 쓰시오.

㉡ :

- 좋은 점 :

37

다음은 통합 유치원의 일반교사인 김 교사가 특수교사인 박 교사에게 발달지체 유아 민기에 대해 자문을 구한 내용의 일부이다. 물음에 답하시오.

김 교사 : 박 선생님, 민기는 대집단 활동 시간에 큰 소리로 울어서 수업을 자주 방해해요. 어떻게 하면 좋을까요?

박 교사 : 우선 민기가 왜 그런 행동을 하는지 아는 것이 중요해요. 아이들이 문제행동을 하는 이유를 몇 가지로 구분해 볼 수 있어요. 예를 들면, 자신이 원하는 물건을 얻거나 활동을 하려 할 때와 감각자극을 추구하고자 할 때입니다. 그 외에도 (㉠)와(과) (㉡)을(를) 위해서도 이러한 행동을 합니다.

… (중략) …

김 교사 : 박 선생님, 민기의 우는 행동을 줄여 주려면 어떻게 해야 할까요?

박 교사 : 민기에게 우는 행동 대신 손을 들게 하는 방법을 가르쳐 보세요. 이러한 방법을 (㉢) 지도라고 하지요.

… (후략) …

1) ㉠과 ㉡에 알맞은 내용을 쓰시오.

㉠ :

㉡ :

2) ㉢에 들어갈 알맞은 말을 쓰고, 방법 선정 시 고려해야 할 사항 2가지를 쓰시오.

㉢ :

• 고려사항 ① :

• 고려사항 ② :

38

유아특수교사인 최 교사는 발달지체 유아 은기에게 '두 손으로 사물을 조작하기'를 가르치기 위해 (가)와 (나)를 구상하였다. 물음에 답하시오.

(가) 단기 교육 목표 구체화하기

> 은기는 ㉠ 유치원 일과 중에 ㉡ 매일 3회 중 2회 이상 ㉢ 한 손으로 물건을 잡고 나머지 한 손으로는 물건을 조작해야 하는 활동 한 가지를 수행할 것이다.

(나) 활동 계획 중 일부

> • 은기에게 일상생활에서 필요한 행동을 우선적으로 가르치려고 한다.
> • 은기의 교육 목표에 해당하는 활동을 유치원 일과 중 다양한 상황에서 여러 번 수행하도록 기회를 주려고 한다.
> • 간식 시간에 은기에게 우유와 컵을 주려고 한다.
> • 간식 시간에 우유 따르는 행동을 지도 시 ㉣ 목표행동을 작은 단계로 나누고 마지막 단계부터 수행하도록 지도하려고 한다.
>
>
>
> • 은기는 간식 시간 활동을 통해 개별화 교육 목표를 연습할 수 있을 것이고, 자신이 좋아하는 우유를 마시고 갈증을 해소하여 기분도 좋아질 것이다.

1) ㉠, ㉡, ㉢은 단기 목표 작성 시 필요한 3가지 요소 중 어디에 해당하는지 각각 쓰시오.

㉠ :

㉡ :

㉢ :

2) ㉣에 해당하는 행동 연쇄 방법을 쓰시오.

39 2013 유아B-3

다음은 특수학교 유치원 과정 5세반 유아의 수업 관찰 내용이다. 물음에 답하시오.

유아	수업 관찰 내용
승호	승호가 미술 활동 중에 물감을 바닥에 뿌리면 교사는 "승호야"라고 이름을 부르며 다가와 흘린 물감을 닦아 주었다. 그러자 승호는 물감을 계속해서 바닥에 뿌렸다. 이러한 행동이 교사의 관심을 받기 위한 것이라고 판단한 교사는 승호가 물감 뿌리는 행동을 해도 흘린 물감을 더 이상 닦아 주지 않았다. 그러자 ㉠승호는 물감을 이전보다 더 많이 바닥에 뿌렸다.
다혜	다혜는 협동 그림을 완성하기 위해 자신이 맡은 부분을 색칠하려고 하였다. 그러나 저시력으로 인해 도화지 위에 연필로 그린 밑그림의 경계선이 잘 보이지 않아서 밑그림과 다르게 색칠하였다. 교사는 다혜의 수업 참여를 증가시키기 위하여 ㉡도안의 경계선을 도드라지게 해 주었고, ㉢조명이 밝은 곳으로 자리를 옮겨 주었다.
철희	철희는 손 힘이 약해서 그리기 활동에 많은 어려움을 겪었다. 그 결과 자신은 그리기 활동을 잘 할 수 없다고 생각하여 색칠하기를 거부하였다. 교사는 여러 가지 방법으로 지원하면서 "철희야, 너도 잘 할 수 있을 거야."라고 하였다. 그러나 철희는 여전히 "난 잘 할 수 없어요."라고 말하며 그리기를 주저하였다.

1) 승호의 사례에서 ㉠에 해당되는 행동 수정 용어를 쓰시오.

40 2013 초등B-1

특수학교 최 교사는 중도 뇌성마비 학생 민수가 있는 학급에서 '2010 개정 특수교육 교육과정' 중 기본 교육과정 사회과 '우리나라의 풍습' 단원을 지도하고자 한다. (가)는 교수 · 학습 과정안이고, (나)는 본시 평가 계획이다. 물음에 답하시오.

(가) 교수 · 학습 과정안

학습목표	민속놀이의 의미를 알고, 규칙을 지켜 민속놀이를 할 수 있다.	
단계	교수 · 학습 활동	자료 및 유의점
도입	• 영상 자료를 활용하여 다양한 민속놀이 알아보기 • 민속놀이 경험 이야기하기	DVD
전개	• 널뛰기, 씨름, 강강술래 등 민속놀이 알기 • 줄다리기에 담긴 의미 알기 • 탈춤을 통한 서민들의 생활 모습 알기	민속놀이 단원은 (㉠)와(과) 관련지어 지도하는 것이 효과적임
	• ㉡모둠별로 책상을 붙이고 둘러앉아서 민속놀이 도구 만들기 • 놀이 방법을 알고 규칙을 지키며 윷놀이 하기	㉢양손을 사용하여 활동하도록 지도함

(나) 본시 평가 계획

• ㉣학생들이 자기의 활동 참여도(예 ☺, ☺, ☻)를 기록지에 표시하도록 함
• ㉤학생들이 놀이 규칙을 잘 지킨 3명의 친구를 선정하여 칭찬 스티커를 주도록 함

4) (나)의 ㉣과 같은 평가 방법의 명칭을 쓰시오.

41

다음의 (가)는 통합학급에 입급된 정서 · 행동장애 학생 은수의 특성이다. (나)는 '2007 개정 초등학교 교육과정' 도덕과 4학년 수업을 계획하기 위해 통합학급 교사와 특수학급 교사가 협의한 내용의 일부이다. 물음에 답하시오.

(가) 은수의 특성

- 무단결석을 자주 한다.
- 친구로부터 따돌림을 당한다.
- 교사의 요구를 자주 무시한다.
- 친구들의 학용품이나 학급 물품을 부순다.
- 수업시간에 5분 이상 자기 자리에 앉아 있지 못한다.

(나) 수업 계획 협의 내용

- 단원: 따스한 손길 행복한 세상
- 단원 목표: 남을 배려하는 태도의 중요성을 알고 진정한 배려가 무엇인지 바르게 판단하여, 생활 속에서 실천한다.

〈협의 내용〉

- ㉠따돌림을 당하는 친구의 감정과 정서를 학급 학생들이 느낄 수 있도록 한다.
- ㉡학급 학생들이 서로에게 존중하고 배려하는 말과 행동을 한 가지씩 해 보도록 한다.
- ㉢친구들 간에 배려해야 할 필요성과 실천 방법을 알고, 이에 대한 판단력을 기르도록 한다.
- ㉣역할놀이의 대본을 만들어 배역을 설정하고 직접 시연해 보도록 한다.
- 은수를 위해 표적행동, 표적행동의 조건과 준거, 강화의 내용과 방법, 계약기간, 계약자와 피계약자의 서명란이 포함된 (㉤)을(를) 은수와 함께 작성한다.

4) (나)의 ㉤에 들어갈 말을 쓰시오.

42

발달장애 학생들은 학습한 내용을 일반화(generalization)하는 데 어려움이 있을 수 있다. 일반화에 대한 내용으로 옳지 않은 것은?

① 자기통제 기술을 지도하면 실생활에서의 독립기능이 촉진될 수 있으므로 일반화에 도움이 된다.

② 교실에서의 수업은 다양한 예시를 활용하되, 제시되는 자극이나 과제 매체는 단순화하는 것이 일반화에 효과적이다.

③ 수업시간에 일과표 작성하기를 배운 후, 집에 와서 가족일과표를 작성할 수 있는 것은 '자극 일반화'에 해당한다.

④ 수업시간에 숟가락으로 밥 떠먹기를 배운 후, 숟가락으로 국을 떠 먹을 수 있는 것은 '반응 일반화'에 해당한다.

⑤ 수업시간에 흰 강아지 그림카드를 보고 '개'를 배운 후, 개가 흰색일 경우에만 '개'라고 말하는 것은 '과소 일반화'에 해당한다.

43 2013 중등1-17

다음은 교사가 강화를 적용한 후, 발생한 문제 상황과 수정한 강화 계획을 나열한 것이다. (가)~(다)에 대한 설명으로 옳은 것만을 〈보기〉에서 있는 대로 고른 것은?

	강화적용 후 발생한 문제 상황	수정한 강화 계획
(가)	학생이 과제를 완성할 때마다 과자를 주었더니 과자를 너무 많이 먹게 되었다.	교사는 학생이 과제를 10개씩 완성할 때마다 과자를 준다.
(나)	학생이 인사를 할 때마다 초콜릿을 주었더니, 초콜릿에 지나친 관심을 보였다.	교사는 학생이 인사할 때마다 칭찬을 한다.
(다)	학생에게 30분 동안 혼자서 책을 읽게 하고, 매 5분마다 점검하여 토큰을 주었더니, 점검할 때만 집중하여 책을 읽는 척하였다.	교사는 3분 후, 5분 후, 2분 후, 10분 후, 4분 후, 6분 후에 집중하여 책을 읽고 있는지 점검하고 토큰을 준다.

〈 보기 〉
ㄱ. (가)는 강화결핍으로 인해 생긴 문제이다.
ㄴ. (가)는 고정비율 강화 계획으로 수정한 것이다.
ㄷ. (나)는 이차적 강화를 사회적 강화로 수정한 것이다.
ㄹ. (나)는 고정간격 강화 계획으로 수정한 것이다.
ㅁ. (다)는 강화포만으로 인해 생긴 문제이다.
ㅂ. (다)는 변동간격 강화 계획으로 수정한 것이다.

① ㄱ, ㅁ   ② ㄴ, ㅂ
③ ㄴ, ㄷ, ㅂ   ④ ㄹ, ㅁ, ㅂ
⑤ ㄱ, ㄷ, ㄹ, ㅁ

44 ▨▨▨▨▨▨▨▨▨▨▨ 2013추시 유아A-4

다음은 유아특수학급 교사들의 대화 내용이다. 물음에
답하시오.

> 김 교사 : 우리 반 정우는 최근 머리를 때리는 자해행동
> 이 점점 심해지고 있어서 이것을 중재하는 것
> 이 급한 것 같아요.
>
> 최 교사 : 우리 반 광희와 아주 비슷한 행동이네요. 광희도
> 머리를 때리는 자해행동을 했었는데, ㉠아래
> 와 같은 양식을 이용해서 유용한 정보를 얻을
> 수 있었어요. ㉡다른 평가 자료와 종합해 보
> 았을 때, 광희의 행동은 관심이나 과제와도
> 무관해 보였고 무언가를 요구하는 것도 아니
> 었어요. 결국 주변의 선행자극이나 후속결과
> 와의 연관성은 찾기가 어려웠죠. 단지 처방
> 받은 두통약을 먹은 후 서너 시간 동안은 머
> 리 때리기가 줄어드는 것으로 관찰되었어요.

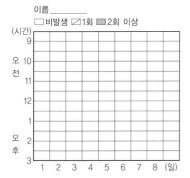

> 김 교사 : 그런 경우 문제행동의 원인을 찾기가 매우 힘
> 들죠.

1) ㉠을 이용한 관찰 방법을 쓰고, 이러한 방법으로 얻
을 수 있는 정보는 무엇인지 쓰시오.

  • 관찰 방법 :

  • 정보 :

2) ㉡의 다른 평가 방법 중 다음의 설명에 해당하는 평
가 방법을 쓰시오.

> • 면담이나 평정척도 등이 활용된다.
> • 평가자의 징보 수준에 의존할 수밖에 없는 단점이
> 있다.
> • 개인이나 행동에 관한 전체적인 정보를 제공한다는
> 장점이 있다.

3) 최 교사의 설명에 근거하여 유추해 볼 때 두통약을
먹기 전까지 나타났던 머리 때리기 행동의 유지 변
인이 무엇인지 쓰시오.

4) 일반적으로 자해행동은 그 정도가 심각한 경우 기
능분석절차가 적용되기 어렵다. 그 이유를 간단히
쓰시오.

45

다음은 교사 협의회 중 2명의 유아특수교사가 나눈 대화 내용이다. 물음에 답하시오.

박 교사 :	선생님, 저는 ㉠요즘 혜수를 위해 학급의 일과를 일정하게 하고 등원 후에는 하루 일과를 그림으로 안내해 줘요. 그리고 활동이 끝나기 5분 전에 종을 쳐서 알려 줘요.
김 교사 :	그래서인지 혜수가 활동에 잘 참여하는 것 같아요. 그런데 걱정하시던 혜수의 언어 평가 결과는 어때요?
박 교사 :	다른 부분은 다 좋아졌는데, ㉡말의 높낮이, 강세, 리듬, 속도와 같은 언어의 ( )측면에는 전혀 변화가 없어요.
김 교사 :	그런 부분은 자폐성장애의 특성 중 하나지요.
박 교사 :	그런데 ㉢제가 계획한 대로 교수 활동이나 중재전략을 정확하고 일관성 있게 적용하고 있는지 객관적으로 점검해 보고 싶은 생각이 들어요.
김 교사 :	좋은 생각이네요. 교사들도 지속적으로 자신의 교수 실행을 점검할 필요가 있어요. 저는 ㉣부모님이나 주변 사람들이 아이들의 변화를 느끼고 있는지, 이런 변화가 생활 속에서 의미 있다고 생각하는지도 알아보고 있어요.
박 교사 :	맞아요. 그렇게 하면 우리 아이들의 변화를 좀 더 객관적으로 알 수 있겠네요.

3) ㉢과 ㉣에서 두 교사가 평가하고자 하는 것이 무엇인지 각각 쓰시오.

㉢ :

㉣ :

46

다음은 발달지체 유아인 민아의 개별화교육계획 목표를 활동중심 삽입교수로 실행하기 위해 박 교사가 작성한 계획안이다. 물음에 답하시오.

유아명	정민아	시기	5월 4주	교수목표	활동 중에 제시된 사물의 색 이름을 말할 수 있다.
교수활동					
활동	㉠ 학습 기회 조성		㉢ 교사의 교수 활동		
자유선택 활동 (쌓기 영역)	블록으로 집을 만들면서 블록의 색 이름 말하기		㉡ 민아에게 사물을 제시하며 "이건 무슨 색이야?" 하고 물어본다. "빨강(노랑, 파랑, 초록)" 하고 색 이름을 시범 보인 후 "따라 해 봐" 하고 말한다. ㉢ 정반응인 경우 칭찬과 함께 긍정적인 피드백을 제공하고 오반응인 경우 색 이름을 다시 말해 준다.		
자유선택 활동 (역할놀이 영역)	소꿉놀이 도구의 색 이름 말하기				
자유선택 활동 (언어 영역)	존대말 카드의 색 이름 말하기				
대소집단 활동 (동화)	그림책 삽화를 보고 색 이름 말하기				
간식	접시에 놓인 과일의 색 이름 말하기				
실외활동	놀이터의 놀이기구 색 이름 말하기				
㉣ 관찰					
정반응률	월	화	수	목	금
	%	%	%	%	%

3) ㉣과 관련하여 다음 글을 읽고 문장을 완성하시오.

> 관찰을 할 때 목표행동을 조작적으로 정의하는 것은 유아의 행동을 일관성 있게 측정하였다는 것을 나타내는 지표인 (   )을(를) 높이기 위한 것이다.

4) ㉢과 관련하여 다음의 글을 읽고 문장을 완성하시오.

> 박 교사는 촉진 의존성을 감소시키기 위한 용암법(fading) 중 기술을 학습함에 따라 촉진의 개입 정도를 체계적으로 줄여 가는 (①)을(를) 적용하기로 하였다. 이 방법은 오류로 인한 좌절을 방지할 수 있기 때문에 4가지 학습 단계(수행수준의 위계) 중 (②)단계에서 주로 적용된다.

① 용암법의 종류 :

② 학습 단계 :

47

다음은 A 특수학교(고등학교) 2학년 윤지가 창의적 체험활동 시간에 인터넷에서 직업을 검색하도록 박 교사가 구상 중인 계획안의 일부이다. 물음에 답하시오.

학습 단계	교수 활동	지도상의 유의점
습득	윤지에게 인터넷에서 직업 검색 방법을 다음과 같이 지도한다. ① 바탕 화면에 있는 인터넷 아이콘을 클릭하게 한다. ② 즐겨 찾기에서 목록에 있는 원하는 검색 엔진을 클릭하게 한다. ③ 검색 창에 직업명을 입력하게 한다. ④ 직업에서 하는 일을 찾아보게 한다. … (이하 생략) …	• 윤지가 관심 있어하는 5가지 직업들로 직업 목록을 작성한다. • ⓒ 직업 검색 과정을 하위 단계로 나누어 순차적으로 지도한다.
(가)	윤지가 직업 검색하기를 빠르고 정확하게 수행하도록 ㉠ 간격시도 교수를 사용하여 지도한다.	• ㉣ 간격시도 교수 상황에서 윤지와 친구를 짝지은 후, 관찰기록지를 주고 수행결과에 대해 서로 점검하여 피드백을 제공하도록 한다.
유지	윤지가 정기적으로 직업명을 인터넷에서 검색할 수 있도록 한다.	
(나)	학교에서는 ㉡ 분산시도 교수를 사용하여 지도한 후, 윤지에게 복지관에서도 자신이 관심 있어 하는 직업명을 검색하도록 한다.	

2) ㉠과 ㉡에 대해 각각 설명하시오.

　㉠ :

　㉡ :

3) ⓒ의 명칭을 쓰시오.

　• 명칭 :

48 ┃▇▇▇▇▇▇▇▇▇▇▇┃ 2013추시 중등B-2

(나)는 김 교사가 수립한 문제행동 중재 및 결과 분석 내용의 일부이다. 물음에 답하시오.

(나) 문제행동 중재 및 결과 분석

- 표적 행동 : 손톱 깨무는 행동
- 강화제 : 자유 놀이 시간 제공
- 중재 설계 : ABAB설계
- ㉢ 중재 방법
  - 읽기 수업 시간 40분 동안, 철규가 손톱을 깨물지 않고 10분간 수업에 참여할 때마다 자유 놀이 시간을 5분씩 준다. 그러나 10분 이내에 손톱 깨무는 행동이 나타나면 그 시간부터 다시 10분을 관찰한다. 이때 손톱 깨무는 행동이 나타나지 않으면 강화한다.
- ㉣ 관찰 기록지

관찰 일시 : 4월 7일(09:50~10:30)								
관찰 행동 : 손톱 깨무는 행동								
관찰자	김 교사(주 관찰자)				최 교사(보조 관찰자)			
관찰시간 (분)	발생횟수	시작시간	종료시간	지속시간 (분)	지속시간 백분율 (%)	시작시간	종료시간	지속시간 (분)	지속시간 백분율 (%)
40	1	10:05	10:09	4		10:05	10:08	3	
	2	10:12	10:17	5		10:13	10:18	5	
	3	10:24	10:29	5		10:25	10:29	4	

- ㉤ 관찰 결과 그래프

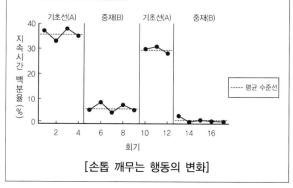

[손톱 깨무는 행동의 변화]

2) ㉢의 중재 방법에 해당하는 차별강화의 명칭을 1가지 쓰시오.

- 명칭 :

3) ㉣의 관찰 기록지를 보고 지속시간 백분율과 평균 지속시간 일치도를 구하시오.

- 지속시간 백분율 : _____%

- 평균지속시간 일치도 : _____%

4) ㉤의 그래프를 보고 표적 행동의 변화 결과를 해석하시오.

- 해석 :

49

보라는 특수학교 유치부에 다니는 4세의 자폐성장애 여아이다. (가)는 보라의 행동 특성이고, (나)는 보라를 지원하기 위한 활동계획안이다. 물음에 답하시오.

(가) 보라의 행동 특성

- 교실이나 화장실에 있는 ⊙전등 스위치만 보면 계속 반복적으로 누른다.
- ⓛ타인의 말을 반복한다.
- 용변 후 물을 내려야 한다는 것을 모른다.
- 용변 후 손을 제대로 씻지 않고 나온다.
- 배변 실수를 자주 한다.

(나) 활동계획안

활동명	화장실을 사용해요.	
활동 목표	• 화장실을 사용하는 순서를 안다. • 화장실에서 지켜야 할 규칙을 안다.	
활동 자료	PPT 자료	보라를 위한 지원방안
활동 방법	1. PPT 자료를 보며 화장실의 사용 순서에 대해 알아보기 ㅡ화장실 문을 열고 들어가요. ㅡ문을 닫고 옷을 내려요. ㅡ화장실 변기에 앉아 용변을 봐요. ㅡ옷을 올리고 물을 내려요. ㅡ문을 열고 나가요. ㅡ손을 씻어요. 2. 화장실에서 지켜야 할 규칙에 대해 알아보기(화장실로 이동한다.)	• 화장실에 가고 싶을 때 용변 의사를 표현하도록 가르친다. • 화장실 사용 순서 중 옷 올리기 기술을 작은 단계로 나누어 교수한다. • 화장실 변기의 물 내리는 스위치 부분에 스티커를 붙여준다. • ⓒ세면대 거울에 손 씻기 수행 순서를 사진으로 붙여 놓는다. • 손을 씻을 때 교사는 ⓔ물비누통을 세면대 위 눈에 잘 띄는 곳에 놓아둔다.

3) 보라가 배변 실수를 하였을 때 교사는 다음과 같은 후속절차를 실시하였다. 이에 해당하는 행동수정 전략을 쓰시오.

> 보라를 화장실에 데리고 가 옷을 내리고 5초 정도 변기에 앉아 있게 한 뒤 일어나 옷을 입게 한다. 이러한 절차를 연속적으로 여러 차례 반복하여 실시한다.

- 행동수정 전략 :

4) (나)의 ⓒ과 ⓔ에 해당하는 촉진방법을 각각 쓰시오.

ⓒ :

ⓔ :

50   2014 유아A-6

통합유치원 5세반에 다니는 진우는 발달지체 유아이다. (가)는 진우의 행동 특성이고, (나)는 유아특수교사인 박 교사가 진우의 문제행동에 대한 긍정적 행동지원을 계획하면서 작성한 ABC 관찰 기록지의 일부이다. 물음에 답하시오.

(가) 진우의 행동 특성

- 핸드벨 소리를 좋아함
- 교사에게 스티커 받는 것을 좋아함
- 학급 내에서 역할 맡기를 좋아함

(나) ABC 관찰 기록지

이름: 김진우   관찰자: 박 교사

날짜	A(선행사건)	B(행동)	C(후속결과)
9/9 10:20	자유선택활동을 마치고 교사는 정리하는 시간임을 알림	㉠ "싫어, 안 해." 하며 그 자리에 누워 뒹굴며 울음	교사가 다가가 진우를 일으켜 세우려고 손을 잡자 이를 뿌리침
9/10 11:00	오전 간식시간을 마무리하고 교사는 이야기 나누기 시간임을 알림	㉡ "싫어, 안 해." 하며 우유곽을 바닥에 집어던짐	교사가 진우에게 우유곽을 줍게 하고 분리수거함에 담게 함
9/11 12:20	바깥놀이를 마치고 교사는 손을 씻고 교실로 들어가는 시간임을 알림	"싫어, 안 가."하며 교실로 들어가지 않겠다며 바닥에 주저앉음	교사는 진우를 일으켜 세워 세면대로 데리고 갔으나 ㉢ 손을 씻지 않아서 학급 규칙에 따라 진우가 모아놓은 스티커 중 2개를 떼어냄
9/12 10:20	자유선택활동을 마치고 교사는 정리하는 시간임을 알림	㉣ "싫어." 하며 가지고 있던 장난감을 또래들에게 던짐	교사는 진우의 행동을 제지하며 친구들에게 장난감을 던지면 친구들이 다칠 수 있다고 말함

1) 긍정적 행동지원을 위해 (나)의 ㉠~㉢에 나타난 진우의 문제행동 중 우선순위를 정할 때 1순위에 해당하는 내용의 기호를 쓰고, 그 이유를 쓰시오.

- 기호 :

- 이유 :

2) 기능평가 결과 진우의 문제행동은 '회피하기'로 나타났다. 긍정적 행동지원을 위해 진우의 문제행동에 대한 가설을 수립하여 쓰시오.

- 가설 :

3) 다음은 박 교사가 (가)를 반영하여 (나)에 나타난 문제행동의 선행사건을 중재한 것이다. 사용된 중재명을 쓰시오.

> 활동을 마칠 때 교사가 핸드벨을 흔들어 마치는 시간을 알린다.

- 중재명 :

4) (나)의 ㉢에 박 교사가 적용한 행동수정 전략을 쓰시오.

㉢ :

51

통합유치원에 다니는 은수는 5세로 정서 및 행동상의 문제를 보이고 있다. (가)는 은수의 행동 특성이고, (나)는 활동계획안의 일부이다. 물음에 답하시오.

(가) 은수의 행동 특성

- 작은 실수에도 안절부절못하면서 울어버림
- 놀이 활동 시 주의를 기울이지 않고 규칙을 잘 따르지 않음

(나) 활동계획안

활동명	친구야, 함께 공놀이 하자		
활동 목표	• 공놀이에 적극적으로 참여한다. • 공을 다양한 방법으로 전달한다. • 서로 협동하며 함께 하는 즐거움을 느낀다.	누리과정 관련 요소	• 신체운동·건강: ___㉠___ • 사회관계: 다른 사람과 더불어 생활하기 - 친구와 사이좋게 지내기
활동 자료	고무공		
활동 방법	• 공을 탐색하고 공을 전달하는 다양한 방법에 대해 이야기를 나눈다. 　-4~5명이 같은 방향을 바라보고 한 줄로 서서 머리 위로 공을 전달한다. 　-공을 전달받은 마지막 사람은 줄의 제일 앞으로 뛰어가 다시 머리 위로 공을 전달한다. 　-처음 섰던 줄 순서가 될 때까지 계속한다. 　　　　　… (중략) …		
활동 관찰 내용	• ㉡은수가 차례를 기다리지 못하고 친구를 밀어버림 • 은수는 머리 위로 공을 전달하다 갑자기 ㉢공을 떨어뜨리자 "나는 바보야"라고 울며 공놀이를 하지 않겠다고 함		

2) (나)의 ㉡과 같이 행동한 은수를 위해 교사는 다음과 같이 지도하였다. 다음에서 사용된 교수전략 2가지를 쓰시오.

> 교사는 차례 지키기를 잘 하는 친구의 모습을 찍은 동영상을 은수와 함께 보면서 순서와 기다리기에 대한 이야기를 나누었다. 교사는 은수에게 친구를 밀어버리는 자신의 모습을 촬영한 동영상을 관찰하게 한 후 고쳐야 할 행동을 찾게 하고, 친구의 바람직한 행동을 따라해 보게 하였다. 그 후 바깥놀이를 할 때, 은수가 운동장에서 줄을 서서 기다리자 교사는 웃으면서 칭찬하였다.

- 교수전략 ① :

- 교수전략 ② :

52

2014 유아B-5

다음은 발달지체 유아 도형이의 또래 상호작용을 증진시키기 위해 담임교사가 순회교사에게 자문을 구하면서 나눈 대화 내용이다. 물음에 답하시오.

> 담임교사 : 선생님, 도형이가 또래들과 상호작용을 거의 하지 않고 있어요. 매일 혼자 놀고 있어서 안타까워요. 몇 가지 방법을 써 봤는데 별 효과가 없어요.
>
> 순회교사 : 네. 그럼 그동안 선생님은 도형이에게 어떻게 하셨는지 말씀해 주시겠어요?
>
> 담임교사 : 먼저 도형이가 또래들에게 관심을 갖도록 ㉠혼자 놀 때는 강화를 하지 않고, 도형이가 친구들에게 다가가거나 놀이에 관심을 보이면 "도형아, 친구들이 뭐하고 있는지 궁금하시? 같이 놀까?"라며 어깨를 두드려 주었어요. 도형이는 제가 어깨를 두드려 주는 걸 좋아하거든요.
>
> 순회교사 : 잘 하셨어요. 그럼 ㉡도형이가 친구들에게 관심을 보일 때 강화하시고, 그 다음엔 조금씩 더 진전된 행동을 보이면 강화해 주세요. 마지막 단계에서는 도형이가 또래와 상호작용할 때 강화해 주세요. 그리고 강화제도 다양하게 사용하면 더 효과적일 수 있답니다.
>
> 담임교사 : 도형이가 ㉢금붕어에게 먹이주기를 좋아하는데 강화제로 쓸 수 있을까요?
>
> 순회교사 : 네, 가능해요. 다른 방법도 적용하신 게 있으세요?
>
> 담임교사 : 도형이가 가끔 관심을 보이는 정아를 통해 도움을 주고 싶었어요. 그래서 얼마 전부터 ㉣정아에게 일치훈련을 적용하고 있어요. 그 밖에 제가 도형이의 또래 상호작용을 도와줄 수 있는 방법은 없을까요?
>
> 순회교사 : 그럼, ㉤아이들이 역할을 정해서 극놀이를 할 때 도형이를 정아와 함께 참여시켜 보세요.

1) ㉠과 ㉡에서 담임교사가 적용한 행동지원전략을 쓰시오.

㉠ :

㉡ :

2) ㉢에 해당하는 강화제 유형을 쓰시오.

㉢ :

53 ████████ 2014 초등A-2

(가)는 정우의 문제행동에 대한 기능평가 결과이고, (나)는 정우의 문제행동 지도를 위해 특수학급 최 교사와 통합학급 강 교사가 나눈 대화 내용이다. 물음에 답하시오.

(가) 문제행동 기능평가 결과

성명	황정우	생년월일	2005. 06. 03.	장애유형	정신지체

- 정우는 자신이 좋아하는 물건을 친구가 가지고 있으면, 그 친구를 강하게 밀치고 빼앗는 행동을 자주 보임
- 정우가 친구의 물건을 빼앗을 때마다, 교사는 물건을 빼앗긴 친구를 다독거려 달래 줌
- 정우는 교사의 별다른 제지 없이 빼앗은 물건을 가짐
- 정우가 가진 문제행동의 기능은 (㉠)(이)라고 할 수 있음

(나) 대화 내용

최 교사: 강 선생님, 지난번 부탁으로 제가 정우의 문제행동을 평가해 보니 기능이 (㉠)인 것 같아요.

강 교사: 그렇군요. 그럼 제가 어떻게 해야 할까요?

최 교사: 여러 가지 방법이 있겠지만, 이렇게 문제행동의 원인이 파악된 상태에서는 ①친구를 밀치고 빼앗는 문제행동보다는 바람직한 행동으로 자신의 의사를 표현할 수 있도록 도와주는 것이 좋아요.

강 교사: 아, 그래요. 그런데 제가 정우에게 어떤 행동을 가르쳐야 할까요?

최 교사: 문제행동에 대한 대체행동을 선정할 때에는 정우가 이미 할 수 있는 행동 중에서 선택하는 것이 좋아요. 그리고 ㉡이 외에도 고려할 점이 몇 가지 더 있어요.

⋯ (중략) ⋯

강 교사: 그런데, 대체행동을 가르쳐 주기만 하면 정우가 할 수 있을까요?

최 교사: 아니죠. 우선 ②정우가 새로 배운 대체행동으로 친구에게 물건을 달라고 할 때에는 요청한 물건을 가지게 해 주고 칭찬도 해 주세요. 그리고 ③정우가 밀치는 행동으로 친구의 물건을 빼앗으려 할 때에는 정우의 행동을 못 본 체하세요. 또한 ④정우가 좋아해서 빼앗을 만한 물건을 학급에 미리 여러 개 준비해 두시면 문제행동을 예방하는 데 도움이 될 거예요.

⋯ (중략) ⋯

강 교사: 최 선생님, 요즘 정우가 보이는 문제행동 때문에 모둠 활동에서 친구들로부터 배제되는 경우가 자주 있어요.

최 교사: 네, 그런 경우에는 (㉢)(이)라는 강화 기법을 적용해 보세요. 이 기법은 정우가 속한 모둠이 다같이 노력해서 목표에 도달하면 함께 강화를 받을 수 있고, 정우가 목표에 도달하면 정우가 속한 모둠의 모든 학생들이 강화를 받을 수도 있어요.

1) (가)와 (나)의 ㉠에 해당하는 정우의 문제행동 기능을 쓰시오.

2) (나)의 ㉡을 대체행동의 효율성 측면에서 1가지 쓰시오.

3) (나)의 ①~④ 중에서 정우의 문제행동에 대한 지도 방법으로 적절하지 않은 제안 1가지를 찾아 번호를 쓰고, 그 이유를 쓰시오.

- 번호와 이유 :

4) (나)의 ㉢에 알맞은 강화 기법을 쓰고, 이 기법을 적용할 때 나타날 수 있는 문제점을 정우와 관련지어 1가지 쓰시오.

㉢ :

- 문제점 :

54   2014 초등B-3

(가)는 특수학교에 재학 중인 자폐성장애 학생 동호의 행동 특성이고, (나)는 초등학교 2학년 미술과 '즐거운 미술관 구경' 단원의 교수·학습 과정안이다. 물음에 답하시오.

(가) 동호의 행동 특성

- 사진 찍히기를 싫어하여 사진 찍기 활동의 참여도가 낮음
- 놀이실에 있는 트램펄린에서 뛰는 활동을 매우 좋아함

(나) 교수·학습 과정안

단원명	즐거운 미술관 구경	제재	미술 작품 감상하기
학습 목표	작품 속 주인공의 모습을 흉내 내며 화가의 마음을 느껴 볼 수 있다.		

단계	학습 내용	교수·학습 활동
1	시각적 대상이나 현상 탐색을 통한 경험과 사전 지식 자극하기	• 작은 미술관으로 꾸며진 교실에 전시된 명화 속에 무엇이 있는지 탐색한다. • 개인의 경험과 사전 지식을 떠올려 미술 작품의 특징을 찾아본다.
2	질문, 토의, 반성의 상호작용하기	• 참고 미술 작품 속 주인공의 모습을 흉내 내어 본다. • 미술 작품 속 주인공이 되려면 준비하고 만들어야 하는 것이 무엇인지 질문에 답하고, 친구들과 토의한다.
3	관련 미술 작품을 탐색하고, 참고 미술 작품을 새로운 시각으로 표현 활동과 연계하기	• 관련 미술 작품을 탐색하고 참고 미술 작품을 새로운 시각으로 표현할 방법을 구상한다. • 여러 가지 재료와 표현 기법을 활용하여 작품 속 주인공의 의상, 소품, 액자 등을 만든다. • 참고 작품에 새로운 생각을 추가하거나 독특한 표현으로 유사한 작품을 그린 후, 작품 속 주인공의 모습을 흉내 내거나 작품의 일부가 되어본다.
4	완성 작품에 의미와 가치 부여하기	• 자신이 좋아하는 미술 작품 옆에 색종이로 접은 꽃이나 스티커를 붙인다. • ㉠작품 속 주인공처럼 꾸민 후 액자 틀을 들고 친구들과 미술 작품의 배경 앞에서 즉석 사진을 찍는다.

3) (나)의 ㉠에서 동호의 사진 찍기 활동 참여를 위해 교사가 동호의 행동 특성을 활용하여 지도할 수 있는 정적 강화 기법을 쓰고, 이를 적용한 지도 내용을 쓰시오.

- 정적 강화 기법:

- 지도 내용:

55
2014 중등A-서3

다음의 (가)는 자폐성장애 학생 A의 자리이탈 행동을 감소시키기 위해 단일대상연구를 실시하여 그 결과를 그래프로 나타낸 것이고, (나)는 이 그래프를 보고 특수교사들이 나눈 대화 내용이다. (나)의 ㉠~㉣ 중 <u>틀린</u> 것 2개를 찾아 기호를 쓰고, 그 이유를 각각 쓰시오.

(가) 단일대상연구 결과 그래프

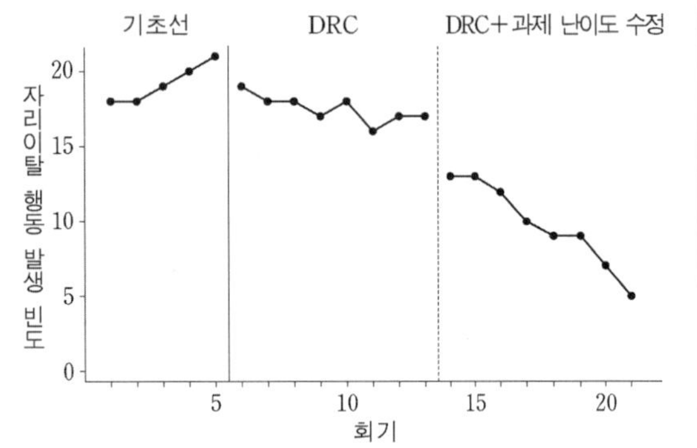

＊DRC : 의사소통 차별강화(Differential Reinforcement of Communication)를 의미함

(나) 대화 내용

㉠ 김 교사 : 'DRC+과제 난이도 수정'이 'DRC'보다 더 효과가 있으니까, 'DRC+과제 난이도 수정'과 자리이탈 행동 간에 기능적 관계가 있다고 할 수 있어요. ㉡ 박 교사 : 이 연구에서는 첫 번째 중재를 통해 학생 A의 자리이탈 행동 변화가 적어서 두 번째 중재를 투입한 거군요. ㉢ 강 교사 : 이 그래프에서 기초선을 보면, 종속변인이 꾸준히 증가하고 있는 추세이기 때문에 첫 번째 중재를 시작하기에 적절하지 않았던 것 같아요. ㉣ 민 교사 : 'DRC+과제 난이도 수정'이 'DRC'보다 효과가 있지만, '과제 난이도 수정'이 'DRC'보다 더 효과적이라고 말할 수는 없어요.

56
2014 중등B-논2

다음의 (가)는 학교 차원의 긍정적 행동지원(Positive Behavior Support; PBS)의 4가지 구성 요소를 나타내는 그림이고, (나)는 ○○학교가 실행하고 있는 PBS의 3차적 예방 내용이며, (다)는 ○○학교에 재학 중인 정서·행동장애학생 A의 행동 특성 및 위기관리 계획의 일부이다. (가)의 ㉠~㉣ 중 (나)에 <u>잘못</u> 반영된 것 2가지를 찾아 쓰고, 그 이유를 (가)와 (나)에 근거하여 각각 쓰시오. 그리고 '위기관리 계획'을 수립하는 일반적인 목적을 설명한 후, (다)의 밑줄 친 ㉤의 <u>잘못된</u> 점을 지적하고 바르게 수정하시오.

(가) 학교 차원의 PBS 4가지 구성 요소(Sugai & Horner, 2002)

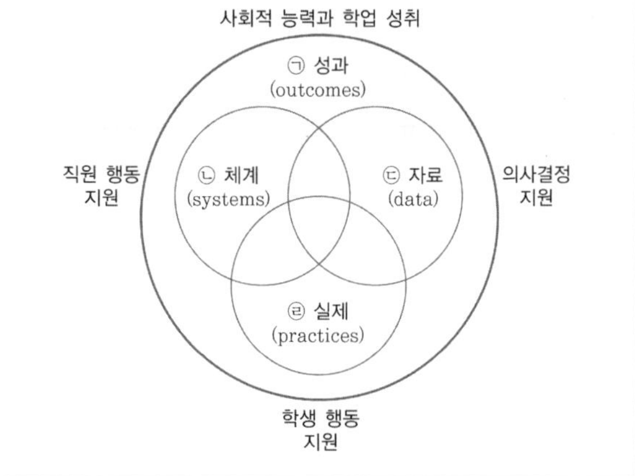

(나) ○○학교가 실행하고 있는 3차적 예방 내용

• 긍정적 행동지원팀의 지원을 통해 심각한 문제행동을 지닌 개별 학생의 사회적 능력과 학업 성취에 대한 성과를 강조한다. • 교사의 지도 경험을 바탕으로 심각한 문제행동이 여전히 지속되고 있다고 생각되는 개별 학생을 중재 대상으로 선정한다. • 심각한 문제행동을 지닌 개별 학생에게 교사의 개인적 경험에 비추어 효과가 있었던 중재를 실시한다.

(다) 학생 A의 행동 특성 및 위기관리 계획

〈행동 특성〉 • 화를 참지 못한다. • 다른 사람을 위협하고 협박한다. • 친구와 싸울 때 위험한 물건을 사용한다. • 화가 나면 학교에 있는 기물을 파손한다. • 신체적 공격을 통해 친구들에게 싸움을 건다. 〈위기관리 계획〉 • 위험한 물건을 미리 치운다. • 위기상황 및 대처 결과를 기록에 남긴다. • ㉤ <u>교사는 교실에서 학생 A의 문제행동에 대해 집중적으로 대처하고, 위기상황이 종료될 때까지 다른 학생들은 교실에서 자습하게 한다.</u> … (하략) …

57

김 교사는 특수교육지원센터의 순회교사이고, 박 교사는 통합유치원의 유아특수교사이다. 다음의 (나)는 김 교사와 은지 어머니의 대화 내용이다. 물음에 답하시오.

(나) 김 교사와 은지 어머니의 대화 내용

은지 어머니: 선생님, 지난번에 가르쳐 주신 대로 은지와 상호작용을 하려고 했는데 효과가 별로 없는 것 같아요. 왜 그럴까요? 김 교 사: 어머니들께서 자녀에 대한 중재를 실행하는 것이 쉬운 일은 아니에요. 그래서 ㉠은지 어머니께서 배운 방법대로 정확하게 하고 있는지, 그리고 이것을 일관성 있게 하는지 점검하고 모니터링해야 해요. 그래서 이미 개별화교육계획을 작성할 때 이를 위한 절차와 점검표를 계획해 놓았어요. 그럼 이것을 실시해 보도록 하지요. 은지 어머니: 선생님, 한 가지 더 의논드릴 일이 있어요. 우리 이웃집에 은지 또래의 아이가 있는데 발달이 더딘 것 같아 그 아이의 엄마가 걱정하고 있더라구요. 김 교 사: 그래요? 그럼 먼저 ㉢선별검사를 해 보는 것이 좋겠군요.

4) ㉠은 무엇을 측정하고자 한 것인지 쓰시오.

58

진희는 경직형 뇌성마비를 가진 5세 유아이다. 특수학교 강 교사는 신변처리 기술을 지도하기 위해 2주 동안 자료를 수집하였다. 다음은 진희의 배뇨와 착탈의 기술에 대한 현재 수준과 단기목표의 일부이다.

구분	현재 수준	단기목표
배뇨	• 배뇨와 관련된 의학적 질병은 없음 • 1일 소변 횟수는 13~17회임 • 소변 간격은 10~60분임	㉠유아용 변기에 앉아 있을 수 있다.
착탈의	• 옷을 입거나 벗는데 도움이 필요함 • 고무줄 바지를 내릴 수 있음 • 바지춤을 잡고 있으나 올리지는 못함	㉡혼자서 고무줄 바지를 입을 수 있다.

3) 강 교사는 단기목표 ㉡을 과제 분석하여 4 → 3 → 2 → 1단계의 순으로 지도하였다. 이 교수전략이 무엇인지 쓰고, 장점 1가지를 쓰시오.

1단계: 바지에 발 넣기 2단계: 무릎까지 바지 올리기 3단계: 무릎에서 엉덩이까지 바지 올리기 4단계: 엉덩이에서 허리까지 바지 올리기

① 전략:

② 장점:

59 2015 유아B-1

(가)는 통합유치원 5세 반 일일 교육계획안의 일부이다. 물음에 답하시오.

(가)

생활 주제	유치원과 친구	소주제	우리 반에 필요한 약속 알아보기
목표	• 유치원 일과를 알고, 즐겁게 생활한다. • 놀이의 약속과 규칙을 알고 지킨다.		

시간/ 활동명	활동 내용	자료 및 유의점
9:00~9:10 <등원 및 인사 나누기>	• 선생님, 친구들과 반갑게 인사 나누기 • 가방, 옷을 정리하고 출석 이름표를 찾아 붙이기	유아에 대한 정보 (약, 건강 상태 등) 받기
9:10~10:20 <자유선택 활동>	• ㉠ <u>언어 영역</u> : '약속'과 관련된 책 읽기 • 미술 영역 : 색종이로 하트 접기 • 조작 영역 : 집 모양 퍼즐 맞추기	(생략)
10:20~10:40 <정리 및 평가>	• 놀잇감을 제자리에 정리하기 • 자유선택활동을 평가하기	(생략)

… (후략) …

4) 교사는 민지의 정리정돈 활동을 지원하기 위해 다음과 같은 강화계획을 사용하였다. ①의 강화계획이 가지고 있는 제한점 1가지를 쓰고, ②에 해당하는 강화계획을 쓰시오.

> 민지가 ① <u>정리정돈을 할 때마다 칭찬을 해 주었다.</u> 교사는 민지의 정리정돈 행동이 습득되자 그 행동이 유지되도록 하기 위해서 4회, 2회, 4회, 6회, 3회, 5회(평균 4회)의 정리정돈을 할 때마다 칭찬을 하는 (②)을(를) 적용하였다.

60 2015 유아B-2

(가)는 자폐성장애 유아 경수에 대한 김 교사의 행동 관찰 내용이고, (나)는 경수에 대한 행동지원 절차 중 일부이다. 물음에 답하시오.

(가) 행동 관찰 내용

장면 1	비가 와서 바깥놀이 시간에 놀이터에 못나가게 되자, 경수는 "바깥놀이 시간, 바깥놀이 시간이에요." 하며 계속 울었다.
장면 2	찰흙놀이 시간에 평소 물컹거리는 물건을 싫어하는 경수가 찰흙을 만지지 않으려 하자, 김 교사는 경수에게 찰흙 한 덩어리를 손에 쥐어 주고, 찰흙놀이를 하도록 하였다. 그러자 경수는 찰흙을 친구에게 던지고 소리를 질렀다.
장면 3	이야기나누기 시간에 경수는 부드러운 천으로 만들어진 자신의 옷만 계속 만지고 있었다.

(나) 행동지원 절차

1단계 : 문제행동을 정의하고 ㉠<u>우선순위화</u>한다.
2단계 : 기능 진단을 실행한다.
3단계 : 가설을 개발한다.
4단계 : 포괄적인 행동지원 계획을 개발한다.
5단계 : 행동지원 계획을 실행하고, 평가하고, 수정한다.

1) 경수의 행동지원팀이 ㉠을 할 때, (가)에 나타난 경수의 행동 중 우선적으로 지도해야 할 순서를 장면의 번호에 따라 차례로 쓰고, 그와 같이 선정한 이유 1가지를 쓰시오.

① 장면 번호 :

② 이유 :

2) 행동지원팀이 경수를 위한 포괄적인 행동지원 계획을 수립할 때, 고려해야 하는 경수의 행동 특성 2가지를 (가)에서 찾아 쓰시오.

3) (나)에서 경수에게 가르칠 대체행동을 선정할 때, 대체행동의 효율성 측면에서 김 교사가 고려할 사항 1가지를 쓰시오.

61 　　　　　　　　　　　　　　

철수는 유아특수학교에 다니는 5세 지체장애 유아이다.
(가)는 철수의 현재 수준이고, (나)는 김 교사의 중재
연구 설계안의 일부이다. 물음에 답하시오.

(가) 철수의 현재 수준

> • 실제로는 네모가 아닌 경우에도 상자를 닮은 것은
>   모두 네모라고 말함
> • 도형의 속성(뾰족한 점, 구부러진 선, 닫힌 상태 등)
>   을 인지하지 못함
> • 외견상 비슷한 도형끼리 짝을 지을 수 있음

(나) 중재 연구 설계안

목표	도형의 속성에 관하여 말 또는 행동으로 표현할 수 있다.
연구 절차	• 도형 속성 인식률 80%를 최종 목표 수준으로 설정한다. • 각 단계별로 성취 수준을 연속 2회기 유지할 경우에 다음 단계로 진행한다. • 다음의 순서대로 목표를 변경한다. 　−1단계 기준: 도형 속성 인식률 10% 성취하기 　−2단계 기준: 도형 속성 인식률 20% 성취하기 　　　　… (후략) …
결과 기록	 [중재 A에 의한 철수의 도형 속성 인식률 변화]

2) (나)에서 김 교사가 계획한 연구 설계의 명칭을 쓰
   고, 중재 A의 효과를 판단할 수 있는 근거 1가지를
   쓰시오.

① 명칭:

② 근거:

62

다음은 민수의 교실 이탈 행동에 대해 저학년 특수학급 김 교사와 고학년 특수학급 정 교사가 나눈 대화이다. 물음에 답하시오.

김 교사 : 민수의 ⊙교실 이탈 행동이 가장 많이 일어나는 시간대를 한눈에 파악할 수 있도록 관찰 기록지를 작성해 봤어요. 그랬더니 하루 중 민수의 교실 이탈 행동은 과학 시간대에 가장 많이 발생하더군요. 그래서 과학 시간에 일화기록과 ABC관찰을 통해 교실 이탈 행동에 대한 보다 자세한 정보를 수집했어요. 기능평가 결과, 민수의 교실 이탈 행동은 어려운 과제가 주어지면 회피하기 위해 나타난 것이었어요. 그래서 민수에게 ⓛ과제가 어려우면 "쉬고 싶어요."라는 말을 하도록 지도하고, ⓒ교실 이탈 행동이 일정 시간(분) 동안 발생하지 않으면 강화제를 제공해 볼까 합니다.

정 교사 : 네, 그 방법과 함께 과학 시간에는 ⓔ민수의 수준에 맞게 과제의 난이도와 분량을 조절해 주거나 민수가 선호하는 활동과 연계된 과제를 제시하면 좋겠네요.

김 교사 : 그래서 민수의 중재계획에도 그런 내용을 포함했어요.

---

1) ⊙을 하기 위해 사용한 관찰(기록) 방법을 쓰시오.

2) ⓛ에 해당하는 지도법을 쓰시오.

3) ⓒ과 같은 차별강화를 적용했을 때의 문제점을 1가지 쓰시오.

4) ⓔ과 같이 문제행동 유발의 요인이 되는 환경을 재구성하는 중재가 무엇인지 쓰시오.

5) 다음은 김 교사가 지속시간 기록법을 사용하여 민수의 행동을 관찰하여 작성한 기록지의 일부이다. ⓜ의 명칭과 ⓝ에 기입할 값을 쓰시오.

날짜	시간	문제행동 지속시간		관찰 결과 요약	
11/6	1:00~1:40	#1	8분	총관찰시간	40분
		#2	4분	총지속시간	24분
		#3	7분	평균지속시간	6분
		#4	5분	ⓜ	ⓝ
11/7	1:10~1:40				

ⓜ :

ⓝ :

63

민호는 뇌성마비와 최중도 정신지체의 중복장애 학생으로 그림이나 사진을 이해하지 못하며, 구어로 의사소통이 어렵다. (가)는 교사와 민호의 상호작용 기록의 일부이다. 물음에 답하시오.

(가) 교사와 민호의 상호작용

> (교사는 민호가 볼 수 있으나 손이 닿지 않는 책상 위에 장난감 자동차가 움직이도록 태엽을 감아 놓아 두고 다음 시간 수업을 준비하고 있다. 장난감 자동차가 소리 내며 움직이다 멈춘다.)
>
> 민호 : (교사를 바라보며 크게 발성한다.) 으으~으으~
> 교사 : 민호야, 왜 그러니? 화장실 가고 싶어?
> 민호 : (고개를 푹 떨구고 가만히 있다.)
> 교사 : 화장실 가고 싶은 게 아니구나.
> 민호 : (고개를 들고 장난감 자동차와 교사를 번갈아 바라 보며 발성한다.) 으으응~응~
> 교사 : (장난감 자동차를 바라보며) 아! 자동차가 멈추었구나.
> 민호 : (몸을 뒤로 뻗치며) 으으응~으으응~
> 교사 : 자동차를 다시 움직여 줄게. (장난감 자동차가 움직이도록 해 주고 잠시 민호를 보고 있다.) ㉠이번에는 민호가 한번 해 볼까? (교사는 장난감 자동차에 스위치를 연결하여 휠체어 트레이 위에 놓은 뒤 민호의 손을 잡고 함께 스위치를 누른다.)
> 민호 : (오른손으로 천천히 스위치를 눌러 자동차가 움직이자 교사를 바라보며 웃는다.)
> 교사 : 민호 잘하네. ㉡(강아지와 고양이 장난감이 놓인 책상에서 강아지 장난감을 집어 들고) 민호야, 이것도 한번 움직여봐. (강아지 장난감을 스위치에 연결해 준다.)
> 민호 : (㉢고양이 장난감 쪽을 바라본다.)

1) (가)의 ㉠에서 교사는 다음과 같은 순서로 지도하였다. 교사가 사용한 촉구(촉진) 체계를 쓰시오.

〈스위치 사용 지도 순서〉

> • 교사가 민호의 손을 잡고 민호와 함께 스위치를 누르며 장난감 자동차가 움직이도록 한다.
> • 교사가 두 손가락을 민호의 손등에 올려놓고 1초간 기다린다.
> • 교사가 스위치를 누르는 모습을 보여 주고, "선생님처럼 해 봐."라고 말한 후 잠시 기다린다.
> • 교사가 "민호가 눌러 볼까?"라고 말한 뒤 잠시 기다린다.
> • 교사의 촉구 없이 민호 스스로 스위치를 누르도록 기다린다.

64 · 2015 초등B-4

(가)는 특수학교 김 교사가 색 블록 조립하기를 좋아하는 자폐성장애 학생 준수에게 '2011 개정 특수교육 교육과정' 중 기본 교육과정 수학과 3~4학년군 '지폐' 단원에서 '지폐 변별하기'를 지도한 단계이고, (나)는 이에 따른 준수의 수행 관찰 기록지이다. 물음에 답하시오.

(가) '지폐 변별하기' 지도 단계

단계	교수 · 학습 활동
주의집중	교사는 준수가 해야 할 과제 수만큼의 작은 색 블록이 든 투명 컵을 흔들며 준수의 이름을 부른다.
㉠	교사는 1,000원과 5,000원 지폐를 준수의 책상 위에 놓는다. 이때 ㉡교사는 1,000원 지폐를 준수 가까이에 놓는다. 교사는 준수에게 "천 원을 짚어 보세요."라고 말한다.
학생 반응	준수가 1,000원 지폐를 짚는다.
피드백	교사는 색 블록 한 개를 꺼내, 준수가 볼 수는 있으나 손이 닿지 않는 책상 위의 일정 위치에 놓는다. (오반응 시 교정적 피드백 제공)
시행 간 간격	교사는 책상 위 지폐를 제거하고 준수의 반응을 기록한다.

* 투명 컵이 다 비워지면, 교사는 3분짜리 모래시계를 돌려놓는다. 준수는 3분간 색 블록을 조립한다.

(나) 수행 관찰 기록지

날짜	11/10	11/11	11/12	11/13	11/14	11/17	11/18	11/19	11/20	11/21	
시행	⑩	⑩	⑩	⑩	⑩	⑩	⑩	⑩	⑩	⑩	100
	9̷	9̷	⑨	9̷	⑨	⑨	⑨	⑨	⑨	⑨	90
	⑧	8̷	8̷	⑧	8̷	⑧	8̷	⑧	⑧	⑧	80
	7̷	⑦	7̷	7̷	7̷	⑦	⑦	⑦	⑦	⑦	70
	6̷	6̷	⑥	6̷	⑥	⑥	⑥	⑥	6̷	⑥	60
	5̷	5̷	5̷	⑤	5̷	5̷	⑤	⑤	⑤	⑤	50
	4̷	4̷	4̷	4̷	④	4̷	④	④	④	④	40
	3̷	③	③	3̷	③	③	③	3̷	③	③	30
	2̷	2̷	②	②	②	②	②	②	②	②	20
	1̷	1̷	1̷	①	①	①	①	①	①	①	10
회기	1	2	3	4	5	6	7	8	9	10	%

```
/  오반응
O  정반응
□  회기 중 정반응
   시행의 수
```

• 표적 기술 : 지폐 변별하기
• 자료 : 1,000원 지폐, 5,000원 지폐
• 구어 지시 : "_____원을 짚어 보세요."
• 기준 : 연속 3회기 동안 10번의 시행 중 9번 정반응

1) (가)의 ㉡에서 적용한 촉구(촉진)의 유형을 쓰시오.

4) (나)에 근거하여 준수의 학습 목표를 메이거(R. F. Mager)의 목표 진술 방식에 따라 쓰시오.

준수는 _____

_____

5) (나)에서 김 교사가 준수의 수행을 관찰하여 기록한 방법의 명칭을 쓰시오.

65 ━━━━━━━━━━━━ 2015 중등A-6

자폐성장애 학생의 바람직하지 않은 행동인 '손바닥을 퍼덕이는 상동행동'의 손바닥을 퍼덕이는 횟수를 관찰·측정하여 행동을 수정하고자 한다. 이 행동을 빈도(사건)기록법으로 측정하는 것이 <u>부적합한</u> 이유를 쓰고, 이에 적합한 관찰기록 방법의 명칭을 쓰시오.

66 ━━━━━━━━━━━━ 2015 중등A-서3

〈보기〉는 정신지체 학생의 일상생활 기술 중에서 상 차리기 기술을 지도한 사례이다. 〈보기〉에 적용된 행동수정 기법을 쓰고, 이 기법과 행동형성법(shaping)의 개념을 각각 설명하시오. 그리고 〈보기〉에 적용된 기법이 행동형성법이 <u>아닌</u> 이유를 〈보기〉의 내용에 근거하여 쓰시오.

┌─〈보기〉─────────────────────┐

• 상 차리기 기술 지도

1단계 : 식사 도구 사진이 실물 크기로 인쇄되어 있는 식 사용 매트 위에 해당 식사 도구를 올려놓는다.

2단계 : 식사 도구 모양이 실물 크기로 그려진 식사용 매트 위에 해당 식사 도구를 올려놓는다.

3단계 : 식사 도구를 놓을 자리에 식사 도구 명칭이 쓰여 있는 식사용 매트 위에 해당 식사 도구를 올려놓는다.

4단계 : 식사 도구를 놓을 자리에 동그라미 모양이 그려진 식사용 매트 위에 해당 식사 도구를 올려놓는다.

5단계 : 특별한 표시가 없는 식사용 매트 위에 해당 식사 도구를 올려놓는다.

└────────────────────────────┘

67

다음은 김 교사가 학생 A의 바람직하지 않은 행동을 감소시킨 결과이다. 이 단일대상연구 설계의 명칭을 쓰고, 김 교사가 적용한 단일대상연구에서 나타난 오류를 1가지 찾고, 그 이유를 2가지 쓰시오. 그리고 중다간헐기초선설계가 이 연구 설계의 단점을 보완할 수 있는 이유를 1가지 쓰시오.

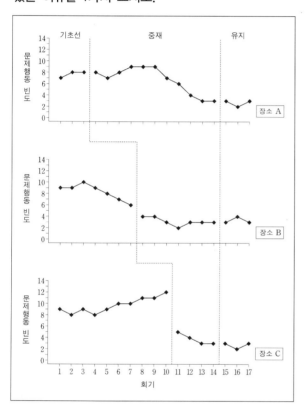

68

다음은 통합학급 유아교사인 김 교사와 유아특수교사인 박 교사의 대화이다. 물음에 답하시오.

김 교사: 선생님, 현수가 근래에 들어서 자꾸 친구를 때리는데, 걱정이 많아요. 장점이 참 많은 아이인데…. 그런 행동만 하지 않으면 좋을 텐데요. 게다가 곧 초등학교에 입학해야 하는 상황이라….

박 교사: 현수 부모님과 상담은 해 보셨나요?

김 교사: 네. 어머니 말씀을 들어 보니, 현수가 아기일 때 가족과 떨어져 친척 집에 머물면서 ㉠심리적으로 무척 위축되고 불안한 시기를 보낸 것 같아요. 그러한 부정적인 경험들이 내재되어 있다가 지금 친구를 때리는 공격 행동으로 나타나는 것은 아닌가 생각되더군요.

박 교사: 그럴 수도 있지만, 현수의 행동을 어느 한 가지 이유가 아니라 ㉡가족 관계, 또래 관계, 유치원 생활, 지역사회 환경 등 현수와 직·간접적으로 연결되어 있는 다양한 환경 맥락과 상황 속에서 이해하는 것이 필요할 수도 있어요.

김 교사: 그렇군요. 그런데 당장 입학을 앞두고 있고, 친구를 때리는 행동이 본인뿐 아니라 다른 유아들에게도 영향을 미칠 수 있으니, 빨리 그 원인을 알고 싶어요. 방법이 없을까요?

박 교사: 그러면 현수가 보이는 행동의 원인과 의도를 파악하기 위한 (㉢)을/를 해 보면 좋겠어요. 이를 위해서 현수의 행동을 관찰해 볼 수 있는 ABC평가, 면접, 질문지 등 다양하고 체계적인 방법을 사용할 수 있어요.

김 교사: 아, 그런 방법이 있군요. 현수의 행동 문제가 개선되어 내년에 초등학교에 가서도 잘 적응했으면 좋겠네요.

박 교사: 사실 지난해에 초등학교에 들어간 문주가 비슷한 상황이었어요. 그때 담임 선생님과 함께 행동 중재를 해서, 초등학교에 입학할 즈음에는 행동이 좋아졌어요.

김 교사: ㉣초등학교 취학 과정에서 아이들은 많은 변화를 경험하기 때문에 새로운 환경에서 잘 적응할 수 있도록 유치원에서부터 지원을 하는 것이 필요해요. 현수처럼 행동 문제를 보이는 아이들에게는 더욱 중요하지요.

박 교사: 그래요. 그리고 문주의 경우에는 그 마지막 단계로 ㉤초등학교에 입학한 이후에 잘 적응하고 있는지 몇 회에 걸쳐 방문하여 점검했고, 담임 선생님과 상담도 했어요.

2) ㉢에 들어갈 용어를 쓰시오.

69

(가)는 ○○특수교육지원센터에서 영아 대상 순회교사로 있는 김 교사의 업무 일지이다. 물음에 답하시오.

(가) 업무 일지

> 9월 15일
>
> ○ 민서(2세 2개월) ㉠10시~11시30분 신발 벗기를 가르치기 위해 신발을 신겨 주고 민서에게 신발 벗기를 수십 회 반복 연습시킴. 어머니에게 평소에 신고 벗기 편한 신발을 신겨 달라고 안내함.
>
> ○ 지우(1세 9개월) ㉡12시~1시 지우의 식사지도를 위해 가족의 점심 식사 시간에 방문하여 지우를 관찰함. 지우 어머니에게 유동식을 피하고 고형식이나 반고형식을 준비할 것과 그릇이 미끄러지지 않도록 미끄럼 방지 매트를 사용하라고 조언함.
>
> ○ 준수(2세 10개월) ㉢2시~3시 준수가 매주 화요일마다 참석하고 있는 놀이 모임에 가서 또래와의 놀이 행동을 관찰함. 준수가 또래와 상호작용 시 시작 행동과 반응 행동의 빈도 및 행동 특성에 대한 자료를 수집함. 내년 유치원 입학을 대비해 또래 상호작용을 촉진할 계획임.
>
> ○ 현우(2세 10개월) ㉣3시30분~4시30분 현우 어머니가 거실에서 책을 읽는 동안 현우 집 화장실에서 손 씻기를 지도함. 상담 시 어머니에게 하루 일과 중 필요한 때(식사 전후, 바깥놀이 후 등)에 현우에게 손을 씻을 기회를 자주 갖게 하도록 요청함.

1) (가)의 ㉠~㉣ 중 자연적 환경에서의 중재 관점에서 잘못된 것 2가지를 찾아 그 기호와 이유를 각각 쓰시오.

　① 기호와 이유 :

　② 기호와 이유 :

2) (가)에서 김 교사는 현우 어머니에게 다음과 같은 방법을 순서대로 실시하도록 안내하였다. 이 방법은 반응촉진전략 중 무엇에 해당하는지 쓰시오.

> ① 처음에는 전체적인 신체적 촉진을 제공하고, 현우가 잘하면 강화해 주세요.
> ② 현우가 80% 수준에 도달하면, 부분적인 신체적 촉진을 제공하고, 잘하면 강화해 주세요.
> ③ 현우가 80% 수준에 도달하면, 언어적 촉진을 제공하고 잘하면 강화해 주세요.
> ④ 현우가 스스로 손 씻기를 할 수 있게 될 때까지 이렇게 촉진을 단계적으로 줄여 주세요.

70 ▰▰▰▰▰▰▰▰▰▰▰ 2016 유아B-2

(가)는 박 교사가 3명의 유아를 대상으로 실시한 중재 결과를 보여주는 그래프이다. 물음에 답하시오.

(가) 중재 결과 그래프

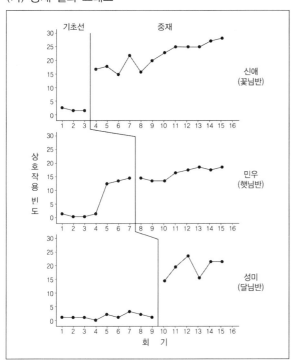

1) (가)에서 ① 사용한 연구 설계 방법의 명칭을 쓰고, ② 중재를 시작한 시점과 관련한 교사의 오류 2가지를 쓰시오.

  ① :

  ② 오류 ⓐ :
  　오류 ⓑ :

71 2016 유아B-4

다음은 김 교사가 작성한 활동계획안의 일부이다. 물음에 답하시오.

활동명	식빵 얼굴	활동 형태	대·소집단 활동	활동 유형	미술
대상 연령	4세	주제	나의 몸과 마음	소주제	감정 알고 표현하기

활동 목표	• 얼굴 표정을 보고 어떤 감정인지 안다. • 친구들과 협동하며, 도움이 필요할 때 도움을 주고받는다. • 미술 재료를 이용하여 다양한 표정의 얼굴을 표현한다.
누리과정 관련요소	• 사회관계 : 나와 다른 사람의 감정 알고 조절하기 − 나와 다른 사람의 감정 알고 표현하기 • 사회관계 : 다른 사람과 더불어 생활하기 − (㉠) … (생략) …
활동 자료	얼굴 표정 가면, 다양한 표정의 반 친구 사진, 식빵, 여러 색깔의 초콜릿펜

활동 방법	발달지체 유아 효주를 위한 활동 지원
• 얼굴 표정 가면을 이용하여 나의 감정에 대해 이야기 나눈다. • 다양한 표정의 반 친구 사진을 보며, 친구의 감정에 대해 이야기 나눈다.	… (생략) …
• 활동 방법을 소개한다. − 식빵과 그리기 재료를 나눈다. − 식빵에 초콜릿펜을 이용하여 얼굴 표정을 그린다.	• 좋아하는 친구와 짝이 되어 협동 활동을 하도록 한다. • 초콜릿펜 뚜껑을 열기 어려워할 경우, 도움을 요청하도록 한다.
• 식빵에 다양한 표정의 얼굴을 그린다. − 어떤 표정을 그렸니? − 누구의 사진을 보고 표정을 그렸니? • ㉡ '식빵 얼굴'을 들고 앞으로 나와 친구들에게 보여준다.	• 상호작용을 촉진하기 위해 각각 다른 색깔의 초콜릿펜을 주고, 친구와 바꿔 쓰게 한다. • ㉢ 얼굴 표정 전체를 그리기 어려워하는 경우, 얼굴 표정의 일부를 표현하게 한다.
• 활동에 대해 평가한다. − 무엇이 재미있었니? − 어려운 점은 없었니?	• 활동 후 성취감을 느끼도록 친구들과 서로 칭찬하는 말이나 몸짓을 주고받을 수 있게 한다.

발달지체 유아 효주를 위한 행동 지원

㉣ 현재 효주는 자신의 요구를 표현하기 위해 책상 두드리기 행동을 하는데, 이 행동은 다른 유아들이 활동에 집중하는 데 방해가 된다. 그러므로 효주가 바람직한 요청하기 행동을 습득하도록 책상 두드리기 행동에 대해서는 강화하지 않고, 손을 들어 요청할 경우에만 반응하고 강화한다.

4) ㉣에서 김 교사가 적용하고자 하는 강화는 무엇인지 쓰시오.

72 2016 초등A-3

다음은 ○○특수학교의 담임교사와 교육 실습생이 나눈 대화 내용이다. 물음에 답하시오.

실 습 생 : 선생님, 그동안 은수의 의사소통 지도를 어떻게 해 오셨는지 궁금해요.

담임교사 : 은수처럼 비상징적 언어 단계에 있는 아이들의 경우에는 먼저 부모와 ㉠면담을 하거나 ㉡의사소통 샘플을 수집하여 아이가 어떻게 의사소통을 하는지 분석하는 것이 중요하답니다.

실 습 생 : 그렇군요.

담임교사 : 저는 은수의 의사소통 샘플을 수집하던 중, 은수의 이름을 부르면 은수가 어쩌다 눈맞춤이 된다는 것을 알게 되었어요. 그래서 눈맞춤 빈도를 증가시키기 위한 중재를 실시했지요. 비록 기능적인 관계를 입증할 수는 없지만 ㉢이 그래프에 나타난 결과를 보면 중재가 효과적이었다는 것을 알 수 있어요.

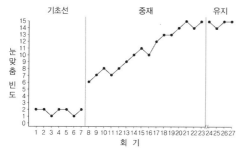

※ 눈맞춤 기회를 매 회기 15번 제공하였음

실 습 생 : 정말 효과가 있었네요.

담임교사 : 네, 이제는 ㉣은수가 학급 친구들과도 눈맞춤을 한답니다.

1) ㉠과 관련하여, 비구조화된 면담과 반구조화된 면담의 차이점을 1가지 쓰시오.

3) ㉢이라고 판단한 근거를 그래프의 시각적 분석 측면에서 2가지 쓰시오.

① :

② :

4) 중재를 통하여 ㉣과 같은 효과가 나타나는 것을 무엇이라고 하는지 쓰시오.

73

다음은 자폐성장애 학생을 지도하기 위해 작성한 '2011 개정 특수교육 교육과정' 중 기본 교육과정 사회과 1~2학년군 '마음을 나누는 친구' 단원의 교수·학습 과정안의 일부이다. 물음에 답하시오.

단원	마음을 나누는 친구	제재	친구의 표정을 보고 마음 알기
단계	교수·학습 활동	자료(재) 및 유의 사항(유)	

전개	〈활동 1〉 • 같은 얼굴 표정 그림카드끼리 짝짓기 • 같은 얼굴 표정 상징카드끼리 짝짓기	재 얼굴 표정 그림카드 얼굴 표정 상징카드
	〈활동 2〉 • 같은 얼굴 표정 그림카드와 상징카드를 짝짓기 • 학습지 풀기	재 ㉠바구니 2개, 학습지 4장 유 (㉡) 재 〈학습 활동 순서〉 책상에 앉기 학습지 준비하기 [A] 연필 준비하기 학습지 완성하기
	〈활동 3〉 … (생략) …	유 ㉢학생이 학습 활동 순서에 따라 학습지를 완성할 수 있도록 시각적 단서를 제공한다.
정리 및 평가	• 학습 내용 정리하기 • 형성 평가: 실제 학교생활에서 친구의 얼굴을 보며 친구의 마음을 표정으로 표현하기	유 ㉣학생의 일상생활 및 학교생활 등 실제 생활 장면과 연계하는 다양한 평가 방법을 활용한다.

1) 다음은 교사가 〈활동 1〉에서 학생이 촉진 없이 스스로 같은 얼굴 표정 상징카드끼리 짝지을 수 있도록 가르치기 위해 사용하려는 전략의 예이다. ① 이 전략이 무엇인지 쓰고, 이 전략을 사용할 때 ② 기대할 수 있는 효과를 쓰시오.

> • 교사는 "같은 얼굴 표정 상징카드끼리 짝지어 보세요."라고 말한 후 바로 촉진을 제공한다. 학생이 정반응을 보이면 강화한다. 정해진 수행 기준을 달성하면 다음으로 넘어간다.
> • 교사는 "같은 얼굴 표정 상징카드끼리 짝지어 보세요."라고 말한 후 3초간 학생의 반응을 기다린다. 학생이 반응을 보이지 않으면 그때 촉진을 제공한다. 학생이 정반응을 보이면 강화한다. 정해진 수행 기준을 달성하면 다음으로 넘어간다.
> • 교사는 "같은 얼굴 표정 상징카드끼리 짝지어 보세요."라고 말한 후 7초간 학생의 반응을 기다린다. 학생이 반응을 보이지 않으면 그때 촉진을 제공한다. 학생이 정반응을 보이면 강화한다. 정해진 수행 기준을 달성하면 다음으로 넘어간다.
> … (하략) …

① :

② :

74

(가)는 정서·행동장애로 진단받은 영우에 대해 통합학급 김 교사와 특수학급 최 교사가 나눈 대화의 일부이고, (나)는 영우의 행동에 대한 ABC 관찰기록의 일부이다. 물음에 답하시오.

(가) 대화 내용

김 교사:	영우는 품행장애로 발전할 수 있는 적대적 반항장애가 있다고 하셨는데, 이 둘은 어떻게 다른가요?
최 교사:	DSM-IV-TR이나 DSM-5의 진단기준으로 볼 때, 적대적 반항장애는 품행장애의 주된 특성인 (㉠)와/과 (㉡)이/가 없거나 두드러지지 않는다는 점이 달라요. 그래서 적대적 반항장애를 품행장애의 아형으로 보기도 하고, 발달 전조로 보기도 해요. … (중략) …
최 교사:	제가 지난번에 말씀드린 대로 ㉢<u>학급 규칙을 정해서 적용해</u> 보셨나요?
김 교사:	네, 그렇게 했는데도 ㉣<u>지시를 거부하는 영우의 행동은 여전히</u> 자주 발생하고 있어요. … (하략) …

(나) ABC 관찰기록

학생: ○영우 　　　　날짜: 2015. 9. 18.
관찰자: ○○○
장소: ○○초등학교 6학년 5반 교실

상황: 통합학급의 수학 시간

시간	선행사건	행동	후속결과
10:20	교사는 학생들에게 학습지를 풀도록 지시함	영우는 교사를 향해 큰 소리로 "이런 걸 왜 해야 돼요?"라고 함	교사는 "오늘 배운 것을 잘 이해했는지 보려는 거야"라고 함
[A]	✓	영우는 책상에 엎드리며 "안 할래요!"라고 함	교사는 "그러면 좀 쉬었다 하거라."라고 함
10:30	교사는 옆 친구와 짝을 지어 학습 활동을 하도록 지시함	영우는 "하기 싫어요!" 하면서, 활동 자료를 바닥으로 던져버림	교사는 "영우야, 자료 올려놓고, 교실 뒤로 가서 서 있어."라고 단호히 말함
	✓	영우는 그대로 즉시 일어나서 뒤로 감	
10:35	㉮영우가 의자 위로 올라 앉아 교실을 둘러봄	㉯진성이는 "야, 너 때문에 안 보여."라고 함	㉰교사는 "영우야 바르게 앉아."라고 함

※ ✓는 바로 앞의 후속결과가 그다음 행동의 선행사건도 됨을 의미함
※ [A]는 반복되는 영우의 문제행동 발생 상황임

2) (가)의 ㉢이 학급 차원의 '긍정적 행동 지원 3단계 예방 모델' 중 ① 어디에 해당하는지 쓰고, ② 그렇게 판단한 이유를 해당 모델의 개념적 특성과 관련하여 쓰시오.

①:

②:

3) (가)의 ㉣과 같은 상황이 나타나고 있는 이유를 (나)의 [A]에 근거하여 쓰시오.

4) (나)의 ㉮~㉰ 중에서 <u>잘못된</u> 위치에 기록된 내용의 기호 2가지를 찾아 쓰고, 각 기호의 내용이 ABC 관찰 요소(선행사건, 행동, 후속결과) 중 어디에 해당하는지 〈예시〉와 같이 쓰시오.

┌〈예시〉┐
　㉰ → 행동
└───┘

①:

②:

75

다음은 김 교사가 정신지체 중학생 A의 연산 수행능력 향상을 위해 '수행 자기점검 중재'와 '주의집중 자기점검 중재'를 실시하고 그 결과를 나타낸 그래프이다. 이 단일대상설계의 명칭을 쓰고, 이 설계의 내적 타당도를 높이기 위한 방법을 쓰시오.

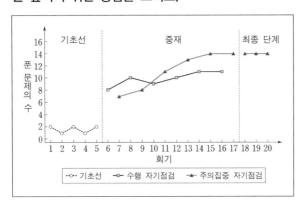

76

다음은 정서장애학교에 재직 중인 교사 A가 학생의 행동 관리를 위하여 1주차에 밑줄 친 ㉠을 실행하고, 2주차에 밑줄 친 ㉠과 ㉡을 함께 적용한 과정을 요약한 것이다. 교사 A가 이와 같은 중재를 실시한 이유를 2가지 쓰시오. 그리고 밑줄 친 ㉢과 ㉣에서 교사 A가 효과적인 행동 중재를 하기 위해 개선해야 할 점을 순서대로 각각 1가지 쓰시오.

교사 A는 행동 관리를 위해서 2가지 중재 방법을 함께 실행하기 위한 간단한 점수 체계를 만들었다. 첫 1주일 간 학생들은 ㉠바람직한 수업 행동에 상응하는 점수를 얻었다. 학생 모두가 이 점수 체계에 익숙해진 2주차에, 학생들은 ㉡수업 방해 행동을 할 시 점수를 잃었다. 매일 종례 후 학생들은 획득한 점수를 자기가 원하는 활동으로 교환할 수 있고, 다음 날 자기가 더 좋아하는 활동과 교환하기 위해서 점수를 모아 둘 수도 있다. 점수의 교환은 5점부터 가능하다. 2주차에 지수의 점수는 ㉢수요일 오전에 0점이었고, ㉣금요일 종례 전에는 1점이었다.

77

다음은 정서·행동문제를 가진 5세 유아 영우에 대해 방과 후 과정 교사인 민 교사, 통합학급 교사인 박 교사, 그리고 유아특수 교사인 강 교사가 나눈 대화이다. 물음에 답하시오.

민 교사: 자유놀이 시간에 영우가 색칠하기를 하고 있었어요. 그런데 색칠하던 크레파스가 부러지자 옆에 있던 민영이에게 "야, 네가 방해해서 크레파스가 부러졌잖아." 하고 화를 내면서 들고 있던 크레파스를 교실 바닥에 내동댕이쳤어요. 영우는 자신의 실수로 크레파스가 부러진 것을 민영이 탓으로 돌리며 화를 낸 거죠.

박 교사: 우리 반에서도 자신이 실수할 때면 항상 다른 친구들이 방해했기 때문이라며 화를 내고 물건을 던졌어요. 영우의 이런 행동을 시도하기 위해 ㉠영우가 물건을 던질 때마다 달력에 스스로 표시하도록 가르치려고 하는데, 이 방법이 영우에게 도움이 될까요?

강 교사: 박 선생님께서 선택하신 중재방법은 영우의 귀인 성향으로 보아 ㉡영우에게 바로 적용하기는 어려울 것으로 보여요. 영우의 행동은 누적된 실패 경험에서 비롯된 것일 수 있어요. 그러므로 성공 경험을 통해 ㉢영우의 귀인 성향을 바꿀 수 있도록 지도하는 것이 우선되어야 해요.

1) ㉠에 해당하는 자기 관리 기술을 쓰시오.

78

다음은 4세 통합학급에서 홍 교사의 수업을 관찰한 후, 김 원장과 장학사가 나눈 대화 내용의 일부이다. 물음에 답하시오.

장학사: 오늘 홍 선생님의 수업은 발달지체 유아 준서의 참여가 돋보이는 수업이었습니다.

김 원장: 홍 선생님이 지금까지 많은 노력을 기울여 온 결과라고 볼 수 있습니다. 홍 선생님은 지난해부터 직무연수를 받은 대로 ㉠우수한 여러 연구에서 효과가 있는 것으로 입증된 교육 방법을 적용해 오고 있습니다.

장학사: 선생님들께서 많은 노력을 기울이고 계시는군요. 그런데 이런 방법을 적용할 때 선생님들이 ㉡각각의 교육 방법에서 제시하고 있는 절차, 시간, 적용 지침을 제대로 따르고 있는지 점검하는 것이 중요합니다.

김 원장: 네. 우리 선생님들은 ㉠ 지침을 잘 따르고 있을 뿐만 아니라 유아들이 유치원 생활에 잘 적응할 수 있도록 도와주고 있어요. 예를 들어, 홍 선생님의 경우 준서에게 도움을 요청하는 방법도 알려 주고, 좋아하는 활동 자료를 선택할 수 있게 하며, 차별강화를 사용하기도 합니다. 어제는 활동 중에 쉬는 시간을 자주 제공했더니 준서가 이전보다 적극적으로 활동에 참여했어요. ⎤[A]

장학사: 그렇군요. 오늘은 교사의 교육 역량이 중요하다는 것을 확인할 수 있었던 시간이었습니다. 자, 이제 교수활동에 대한 세부적인 의견을 말씀드릴게요. 이 교수활동은 ㉢여러 가지 물건을 탐색하고 분류해 보는 활동이었지요?

… (하략) …

1) ㉠과 ㉡이 지칭하는 용어를 각각 쓰시오.

㉠:

㉡:

2) [A]는 홍 교사가 실시한 긍정적 행동지원 방법이다. 이 중 선행사건 조절에 해당하는 내용 2가지를 찾아 쓰시오.

①:

②:

79 2017 유아B-1

5세 발달지체 유아 선우의 긍정적 행동지원 계획 수립을 위해 (가)는 통합학급 최 교사가 수집한 일화기록 자료의 일부이고, (나)는 선우의 행동에 대한 영상 분석 자료의 일부이다. 물음에 답하시오.

(가)

장면	점심시간	원아명	정선우
관찰 일자	2016년 ○월 ○일	관찰자	최 교사

㉠ 점심식사 시간에 선우는 기분이 안 좋은지 식사를 하지 않고 앉아 있다. 옆에 앉은 혜미가 선우에게 "밥 먹어, 선우야."라고 하자 반찬 가운데 계란말이만 먹고, 혜미에게 무엇인가 말을 하려고 한다. ㉡ 혜미가 선우에게 "뭐라고? 밥을 먹어야지."라고 이야기한다. 그러자 앞에 앉아 있던 지수도 "맞아! 점심시간에는 밥 먹는 거야."라고 말한다. 김 선생님께서 ㉢ "선우야, 밥 먹고 있니?"라고 묻자 선우는 숟가락을 쥐고 일어난다. ㉣ 선우는 소리를 지르며 숟가락으로 식판을 두드린다. ㉤ 선우의 편식으로 점심식사 시간에 이런 일이 자주 발생하고 있다.

(나)

장면	자유놀이	원아명	정선우
관찰 일자	2016년 △월 △일	분석자	최 교사

블록 놀이 영역에서 3명의 유아들(혜미, 지수, 영석)이 탑을 쌓고 있고, 선우가 블록 놀이 영역으로 간다. 선우는 가장 높은 교구장 위로 기어 올라가 점프하여 뛰어내린다. 선우는 블록 위로 떨어지면서 얼굴을 다쳐 피가 난다. 선우는 벌떡 일어나더니 지수를 밀쳐 넘어뜨리고, 영석의 팔을 문다. 그리고 소리를 지르며 교구장을 밀어서 넘어뜨리려고 한다.

… (하략) …

1) (가)의 ㉠~㉤ 중 일화기록 방법으로 잘못 기술된 것 2가지를 찾아 기호와 그 이유를 각각 쓰시오.

①:

②:

2) (나)에서 최 교사는 선우의 행동이 자신과 타인의 안전을 위협하는 위험한 상황을 초래한다고 판단하였다. 최 교사가 이러한 상황에 대비하여 계획해야 하는 긍정적 행동지원의 요소를 쓰시오.

3) 다음은 선우에게 긍정적 행동지원을 했을 때 수집된 자료이다. ① 그래프에서처럼 문제행동이 일시적으로 증가하는 현상을 지칭하는 용어와 ② 이러한 현상이 나타날 때 최 교사가 취해야 할 적절한 대응 방안 1가지를 쓰시오.

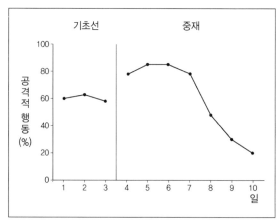

①:

②:

80   2017 초등A-5

(가)는 2011 개정 특수교육 교육과정 중 기본 교육과정 미술과 5~6학년 '소통하고 이해하기' 단원 교수·학습 과정안이고, (나)는 자폐성장애 학생 지혜의 특성을 고려하여 보완·대체 의사소통 체계(AAC)를 활용한 의사소통 지도계획이다. 물음에 답하시오.

(가)

학년	단원	소단원	제재	차시
6	7. 소통하고 이해하기	7.2 생활 속 여러 알림 메시지	1) 우리 주변의 알림 메시지	9/12

	교수·학습 활동	자료(짜) 및 유의점(유)
활동 1	• 여러 가지 픽토그램 살펴보기 • ㉠픽토그램이 갖추어야 할 조건 알아보기	짜 여러 가지 픽토그램 ━[A]━ 예 📖 🤷 유 수업 중 활용한 픽토그램을 의사소통 지도에 활용한다.
활동 2	• (㉡)	
활동 3	• 여러 가지 픽토그램을 보고 느낀 소감 말하기	

(나)

지혜의 특성	의사소통 지도 계획
• 시각적 자극을 선호함 • 소근육이 발달되어 있음 • 태블릿PC의 AAC 애플리케이션을 사용함 • 일상생활과 관련된 어휘를 제한적으로 이해하고 사용할 수 있음 • 질문에 대답은 하지만 자발적으로 의사소통을 시도하지 않음	• 미술시간에 배운 [A]를 ㉢AAC 어휘목록에 추가하고, [A]로 의사소통할 수 있다는 것을 지도한다. • [A]를 사용하여 ㉣대화를 시도하고 대화 주제를 유지할 수 있도록 지도한다. • ㉤'[A]를 사용한 의사소통하기'를 습득한 후, 습득하기까지 필요했던 회기 수의 50%만큼 연습기회를 추가로 제공하여 [A]의 사용을 유지할 수 있게 한다.

4) (나)의 ㉤에 해당하는 전략을 쓰시오.

81

(가)는 특수교사가 일반교사에게 정서·행동 문제를 가진 학생에 대해 자문한 내용이고, (나)는 특수교사가 정서·행동장애 학생 현수를 위해 실시한 행동중재 내용의 일부이다. 물음에 답하시오.

(가)

일반교사 : 우리 반에 또래와 다르게 문제행동을 자주 보이는 학생이 있어요. 이 학생이 혹시 정서·행동장애가 있는 것은 아닌지 궁금합니다.

… (중략) …

일반교사 : 그렇군요. 정서·행동장애로 진단받지는 않았지만 지금 문제행동을 보이는 학생이나 앞으로 보일 가능성이 있는 학생도 도움을 받을 수 있으면 좋겠어요.

특수교사 : 그래서 학교의 모든 학생들에게 질 높은 학습 환경을 제공하고, 문제행동 위험성이 있는 학생에게는 소집단 중재를 하고, 지속적으로 문제행동을 보이는 학생에게는 개별화된 중재를 제공하는 (ⓛ)을(를) 갖추는 것이 필요합니다.

… (하략) …

(나)

표적행동 연필 부러뜨리기

… (중략) …

기록지

수학 시간(40분)에 현수가 부러뜨린 연필의 개수
[자료 1]

회기	조건	부러뜨린 연필의 개수
1	기초선	11
2	기초선	12
3	기초선	11
4	기초선	12
5	기초선	12
6	기초선	12
7	자기점검	9
8	반응대가	12

그래프

[자료 2]

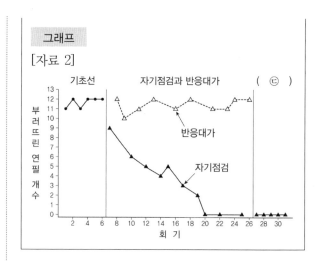

1) (가)의 ⓛ에 들어갈 말을 쓰시오.

2) (나)의 [자료 1]은 현수가 수학 시간에 부러뜨린 연필을 교사가 수업 후 개수를 세어 작성한 기록지의 일부이다. ① 교사가 사용한 기록법이 무엇인지 쓰고, ② 이 기록법의 단점 1가지를 쓰시오.

①:

②:

3) (나)의 ① [자료 2]를 보고 이 설계법의 장점을 반전설계법(ABAB)과 비교하여 쓰고, ② ⓒ에 들어갈 말과 그 이유를 쓰시오.

①:

②:

82

(가)는 특수교육 수학교육연구회에서 계획한 2015 개정 특수교육 교육과정 중 기본 교육과정 수학과 1~2학년 '측정' 영역에 해당하는 수업 개요이고, (나)는 자폐성장애 학생에게 (가)를 적용할 때 예측 가능한 학생 반응을 고려하여 구상한 수업 시나리오의 일부이다. 물음에 답하시오.

(가)

◦ 공부할 문제 : 물의 양이 같은 것을 찾아보아요.
◦ 학습 활동

〈활동 1〉 같은 양의 물이 들어 있는 컵 살펴보기
• 같은 양의 물이 들어 있는 2개의 컵 살펴보기
• 준비물 : 투명하고 ㉠모양과 크기가 같은 컵 2개, 물, 주전자

〈활동 2〉 컵에 같은 양의 불 따르기
• ㉡같은 위치에 표시선이 있는 2개의 컵에 표시선까지 물 따르기
• 준비물 : 투명하고 모양과 크기가 같은 컵 2개, 물, 주전자, 빨간색 테이프, 파란색 테이프, 빨간색 사인펜, 파란색 사인펜

〈활동 3〉 컵에 같은 양의 물이 들어 있는 그림 찾기
• 2개의 그림 자료 중 같은 양의 물이 들어 있는 그림 자료 찾기
• 준비물 :

[그림 자료 1]   [그림 자료 2]

같은 양의 물이 들어 있는   다른 양의 물이 들어 있는
컵 2개가 그려진 자료   컵 2개가 그려진 자료

(나)

〈활동 2〉
교사 : (컵 2개를 학생에게 보여주며) 선생님이 컵에 표시선을 나타낼 거예요. (책상 위에 놓여 있는 빨간색 테이프, 파란색 테이프, 빨간색 사인펜, 파란색 사인펜을 가리키며) ㉢테이프 주세요.
학생 : (색 테이프 하나를 선생님에게 건네준다.)
교사 : (2개의 컵에 색 테이프로 표시선을 만든다.) 이제 표시선까지 물을 채워 봅시다.
… (중략) …

〈활동 3〉
교사 : (학생에게 [그림 자료 1]과 [그림 자료 2]를 제시하며) 물의 양이 같은 것은 어느 것인가요?
학생 : (머뭇거리며 교사를 쳐다본다.)
교사 : (㉣학생에게 [그림 자료 1]과 [그림 자료 2]를 다시 제시하며) 물의 양이 같은 것은 어느 것인가요?

---

3) (나)의 〈활동 3〉에서 교사가 ㉣을 할 때 학생의 정반응을 이끌어 내기 위해 사용할 수 있는 ① 자극 내 촉진의 예와 ② 자극 외 촉진의 예 1가지를 각각 쓰시오.

① :

② :

83

(가)는 수업 시간에 확인하는 질문을 과도하게 하는 정서·행동장애 학생에 대한 행동관찰 기록의 일부이고, (나)는 이 행동을 중재한 결과를 나타낸 그래프이다. (가)의 직접관찰법 명칭과 (나)의 연구설계법 명칭을 순서대로 쓰시오.

(가) 행동관찰 기록

관찰 대상: 학생 B		날짜: 5월 20일	
관찰자: 교사		장소: 미술실	
시간	선행사건	행동	결과
09:05	교사가 학생들에게 수업 자료를 꺼내라고 말한다.	B가 "꺼낼까요?"라고 질문한다.	교사가 "그래요."라고 말한다.
09:12	교사가 준비된 재료들을 하나씩 말해 보라고 한다.	B가 "하나씩요?"라고 질문한다.	교사는 "네."라고 대답한다.
09:16	교사가 책상 위에 준비물을 올려놓으라고 말한다.	B가 "책상 위로 올려요?"라고 질문한다.	교사는 "그래요."라고 답한다.

… (하략) …

(나) 중재 결과

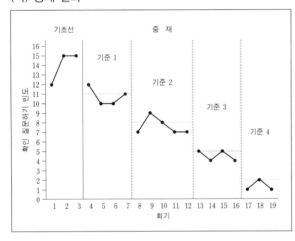

84

다음은 중도·중복장애 학생을 위한 '손 씻기' 지도 계획이다. 촉진 방법 A의 명칭을 쓰고, 촉진 방법 B가 갖는 장점 2가지를 서술하시오. 그리고 촉진 방법 C의 밑줄 친 '자연적 촉진'의 예를 1가지 제시하시오.

(가) 촉진 방법 A

세면대 앞에서 학생의 손을 잡고 '수도꼭지 열기 → 흐르는 물에 손대기 → 비누 사용하기 → 문지르기 → 헹구기 → 수도꼭지 잠그기 → 수건으로 닦기' 순서로 지도한다. 처음에는 손을 잡고 지도하다가, 자발적 의지가 보이면 교사 손의 힘을 풀면서 손목 언저리를 잡고 도와준다. 손목을 잡고 도움을 주다 점차 어깨 쪽에 손만 살짝 접촉하고 지켜보다가, 서서히 그림자(shadowing) 방법으로 가까이에서 언제든 지원할 동작을 취한다.

(나) 촉진 방법 B

교실 내 세면대 앞에 '청결한 손 씻기' 그림을 붙여 놓는다.

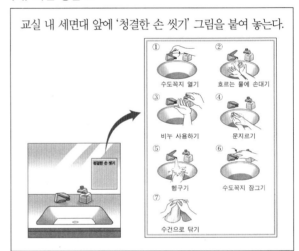

(다) 촉진 방법 C

언제 손을 씻어야 하는지 알도록 <u>자연적 촉진(natural prompts)</u>을 이용하여 지도한다.

85

2017 중등B-2

다음은 정서 · 행동장애 학생 A에 대해 교사들 간에 나눈 대화 내용이다. 최 교사가 A에게 적용하고자 하는 차별강화기법을 쓰고, 이 기법의 장점을 1가지 제시하시오.

김 교사 : A는 생후 13개월 즈음에 위탁 가정에 맡겨져, 4살 때 지금의 가정으로 입양되어 성장했다고 합니다. A는 영아기 때 정서적 박탈을 경험하면서 불안정한 심리와 정서를 갖게 되었고, 유아기 때 안정애착이 형성되지 않아서 수업 시간에 이상한 소리를 내며 주변 사람들의 주의를 끌려고 한 것 같습니다.

박 교사 : A가 영유아기에 자신이 한 행동에 적절한 반응을 받지 못한 것 같아요. 잘 지내고 있을 때보다 부적절한 행동을 했을 때 선생님에게 관심을 더 받는다는 것을 알고, 지금의 부적절한 행동이 계속 유지되고 있는 것 같습니다.

최 교사 : 두 분의 말씀 잘 들었습니다. 이제부터는 교사의 주의를 끌기 위해 A가 소리를 내면 반응해 주기보다, 손을 들도록 가르치고 손드는 행동에 반응을 해 줘야겠어요.

KORSET

86

다음은 유치원 3세반 진수의 개별화교육계획안이다. 물음에 답하시오.

인적사항			
이름	박진수(남)	생년월일	2013. 10. ○○.
시작일	2017. 3. ○○.	종료일	2017. 7. ○○.

… (생략) …

발달 영역	자조 기술

현재 학습수행수준

〈강점〉
• 음식을 골고루 먹을 수 있다.
• 식사 시간에 식탁 의자에 앉아 있을 수 있다.

〈약점〉
• 의존성이 강하여 숟가락을 혼자서 잡지 않고 성인의 도움을 받아 음식을 먹으려고 한다.

교육목표	
장기 목표	숟가락을 사용하여 스스로 식사를 할 수 있다.
단기 목표	1. ㉠ 교사가 숟가락을 잡은 진수의 손을 잡고 입 주위까지 가져가 주면 3일 연속으로 10회 중 8회는 음식을 입에 넣을 수 있다. 2. … (생략) …
교육 내용	… (생략) …
교육 방법	㉡ 처음에는 신체적 촉진으로 시작하고 "숟가락을 잡고 먹어 보세요."라는 언어적 촉진에 스스로 음식을 먹을 수 있도록 점차적으로 개입을 줄인다.

특수교육 관련서비스

… (하략) …

2) 메이거(R. Mager)가 제시하는 목표 진술의 3가지 요소와 ㉠에서 각 요소에 해당하는 진술 내용을 찾아 쓰시오.

①:

②:

③:

3) ㉡에서 적용한 반응 촉진법의 유형은 무엇인지 쓰시오.

87 ━━━━━━━━━━ 2018 유아A-7

다음은 태희의 공격적 행동을 관찰하기 위하여 두 교사가 나눈 대화이다. 물음에 답하시오.

홍 교사: 선생님, 우리 반 태희가 공격적인 행동을 보여요. 아무래도 태희의 공격적 행동을 자세히 관찰해 보아야겠어요.

강 교사: 네, 그게 좋겠네요. 태희의 행동을 정확히 관찰하려면 ㉠먼저 태희의 공격적 행동을 관찰 가능한 구체적인 형태로 명확히 정하셔야 하겠군요.

홍 교사: 그렇죠. 저는 태희가 물건을 던지는 행동과 다른 친구의 물건을 빼앗는 행동을 공격적 행동으로 보려고 해요. 그런데 저 혼자 관찰하기보다는 강 선생님과 함께 관찰했으면 해요.

강 교사: 네, 그러죠. ㉡선생님과 제가 태희의 공격적 행동을 동일한 방법으로 관찰했을 때 결과가 서로 어느 정도 일치하는지를 보는 것도 중요하니까요.

홍 교사: 저는 태희의 공격적 행동특성을 조금 더 지켜본 후에 ㉢전체간격기록법이나 부분간격기록법 중에서 적절한 방법을 선택하려고요.

강 교사: 네. 태희만 관찰할 때는 그럴 수도 있겠네요. 만약 선생님께서 수업을 진행하시면서 여러 유아들의 행동을 동시에 관찰하실 때는 말씀하신 시간간격기록법의 두 가지 방법보다 (   )이/가 효과적일 겁니다.

---

1) 밑줄 친 ㉠과 ㉡에 해당하는 용어를 각각 쓰시오.

　㉠ :

　㉡ :

2) 밑줄 친 ㉢의 행동발생 기록 방법을 쓰시오.

3) ① (   )에 적합한 관찰 기록법의 명칭을 쓰고, ② 해당 기록법의 행동발생 기록 방법을 쓰시오.

　① :

　② :

88

(가)는 유치원 통합학급 5세반 교사의 수업 관찰 기록 일부이고, (나)는 발달지체 유아를 위한 지원 계획이다. 물음에 답하시오.

(가)

관찰 기록(현행 수준)	
선아	• 교사 또는 또래 지원을 받을 때만 정리를 함 • 과제 수행 시 시각적 자료에 관심을 보임
지혜	• 평소에 정리하기 활동에 잘 참여하지 않음 • 교사가 언어적 촉진을 하면 정리하기 과제 일부를 수행할 수 있음 • 교사의 관심을 끌기 위해 정리 활동 시간에 교실 전등 스위치를 껐다 켰다 하는 행동을 반복함

(나)

지원 계획	
선아	• 개인 물건(가방, 실내화/신발)이 있어야 할 두 곳에 선아가 좋아하는 분홍색, 연두색 스티커로 표시해 주고 사물 사진을 붙여 주어 정리하게 함
지혜	• 색 테이프로 구역을 정해 주고 그 안에 놀잇감을 정리하도록 함 • 전등 스위치를 껐다 켰다 하는 행동에 대해 차별강화 방법을 적용하기로 함

1) ① (나)에서 교사가 선아에게 적용한 촉진 방법을 쓰고, ② 그것을 적용한 이유를 (가)에 근거하여 쓰시오.

①:

②:

2) 차별 강화의 하위 유형인 '다른 행동 차별강화'와 '대체행동 차별강화'의 차이점을 ① 강화받는 행동 차원과 ② 목적 차원에서 쓰고, ③ 두 유형 중 지혜의 문제행동 기능에 비추어 효과적인 차별강화 유형과 그 이유를 쓰시오.

①:

②:

③:

89 ▨▨▨▨▨▨▨▨▨▨▨▨▨▨▨▨▨ **2018 초등A-2**

(가)는 정서·행동장애 학생 정우의 행동 특성이고, (나)는 정우의 행동 지원을 위한 통합교사와 특수교사의 대화이다. 물음에 답하시오.

(가)

- 친구들을 자주 때리고 친구들에게 물건을 집어던짐
- 교사의 지시에 대해 소리 지르고 거친 말을 하며 저항함
- 수업 시작종이 울려도 제자리에 앉지 않고 교실을 돌아다님

(나)

통합교사: 저희 학급에서는 ㉠시작종이 울리자마자 제자리에 앉는 학생은 누구나 토큰을 받도록 하는 방법을 쓰고 있는데, 정우에게는 그 방법이 효과가 없는 것 같아요.

… (중략) …

특수교사: 현재 정우가 시작종이 울린 후에 제자리에 앉기까지 걸리는 평균 시간이 어느 정도죠?

통합교사: 대략 5분은 되는 것 같아요.

특수교사: 그렇다면 ㉡처음에는 정우가 시작종이 울린 후 제자리에 앉기까지 걸리는 현재의 평균 시간보다 약간 짧은 시간 내에 자리에 앉으면 토큰을 주고, 그것이 성공하면 그 시간을 단계적으로 단축해 가면서 토큰을 주는 방법을 적용할 수 있어요.

통합교사: 아! 그 방법이 좋겠네요. 한번 사용해 볼게요.

2) ① (나)의 밑줄 친 ㉠과 같은 집단 강화 방법의 명칭을 쓰고, ② 이 방법이 다른 집단 강화 방법들과 구별되는 점을 쓰시오.

　① :

　② :

3) 다음은 통합교사가 (나)의 밑줄 친 ㉡을 수행하는 과정을 보여 주는 기준 변경 설계 그래프이다. 이 설계를 사용할 때 ① 정우의 행동을 측정할 수 있는 관찰 기록 방법 명칭을 쓰고, ② 내적 타당도를 높이기 위해 [A]에서 적용할 수 있는 방법 1가지를 쓰시오.

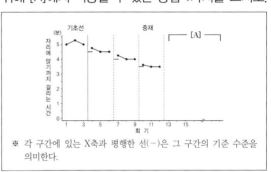

※ 각 구간에 있는 X축과 평행한 선(−)은 그 구간의 기준 수준을 의미한다.

① :

② :

90 2018 초등A-4

(가)는 자폐성장애 학생 지호의 특성이고, (나)는 최 교사가 2015 개정 특수교육 교육과정 중 기본 교육과정 과학과 3~4학년 '지구와 우주' 영역을 주제로 작성한 교수·학습 과정안의 일부이다. 물음에 답하시오.

(가)

- 모방이 가능함
- 낮과 밤을 구분할 수 있음
- 동적 시각 자료에 대한 주의집중이 양호함

(나)

영역	일반화된 지식
지구와 우주	지구와 달의 운동은 생활에 영향을 준다.

단계	활동	자료 및 유의점
탐색 및 문제 파악	• ㉠실험실에서 지켜야 할 일반적인 규칙 상기하기 • 낮과 밤의 모습 살펴보기 • 낮과 밤이 생기는 까닭 예측하기	㉡실험실 수업 규칙 영상
가설 설정	• 가설 수립하기 수립한 가설 (㉢)	다양한 의견을 수렴하고 교사 안내로 가설 수립
실험 설계	• 실험 과정 미리 안내하기 • 실험 설계하기 －같게 할 조건과 다르게 할 조건 알아보기	모형 실험 영상, 지구의, 손전등
실험	• 지구의를 돌리며 모형 실험하기	
가설 검증	• 실험 결과에 따라 가설 검증하기 • ㉣지구 자전 놀이로 알게 된 내용 정리하기	대형 지구의, 손전등
적용	(㉤)	가설 검증 결과와 연결 지을 수 있도록 지도

1) 최 교사는 (가)를 고려하여 (나)의 밑줄 친 ㉠을 습득시키고자 실험실에서 이루어지는 수업을 할 때마다 지호에게 (나)의 밑줄 친 ㉡을 보며 따라 하도록 지도하였다. 이 전략의 명칭을 쓰시오.

91   2018 초등B-5

(나)는 가정 실습형 모형에 따라 자폐성장애 학생을 위해 작성된 '손빨래하기' 수업 활동 개요의 일부이다. 물음에 답하시오.

(나)

차시		5/10	학습 주제	손빨래하기
목표		내용		
장소	단계	교수·학습 활동		
학교	문제 제기	• 손빨래와 관련된 경험 상기 • 손빨래가 필요한 상황에 대하여 이야기하며 학습 목표 제시 및 확인 • 손빨래를 위한 개별화된 과제 제시		
	실습 계획 수립	• 손빨래 실습 계획 수립 • 손빨래에 필요한 준비물(빨랫비누, 빨래통, 빨래판 등) 준비 및 기능 설명 • 손빨래 방법 안내		
	시범 실습	• 손빨래 순서에 따른 시범 • ⓛ시각적 단서를 활용하여 순서에 따라 학생이 직접 손빨래하기 • 손빨래 시 유의할 점 안내		
	ⓒ	• 부모와 함께 학생이 손빨래를 해 보도록 활동 요령 지도		

목표
• 손수건을 빨 수 있다.
• 손걸레를 빨 수 있다.

※ 유의 사항 : ② 학생에게 그림교환의사소통체계(PECS)를 통해 '문장으로 의사소통하기' 지도

4) 다음은 (나)의 밑줄 친 ②에서 사용한 과제분석 내용과 후진형 행동 연쇄(backward chaining) 지도 순서의 예이다. ① [A]의 올바른 지도 순서를 기호로 쓰고, ② 후진형 행동 연쇄의 특징을 학생의 강화제 획득 빈도 측면에서 1가지 쓰시오.

> • 과제분석 내용
>   -1단계 : '빨랫비누' 그림카드를 떼기(스스로 할 수 있음)
>   -2단계 : '빨랫비누' 그림카드를 '주세요' 그림카드 앞에 붙여 문장띠 완성하기
>   -3단계 : 완성된 문장띠를 교사에게 전하기
> • 후진형 행동 연쇄 지도 순서
>   -ⓐ : 2단계를 지도한다.
>   -ⓑ : 2단계까지는 필요한 도움을 주고, 3단계를 지도한다.   [A]
>   -ⓒ : 모든 단계를 학생 혼자 하게 한다.
> ※ 후진형 행동 연쇄를 이용하여 요구하기 반응 기회를 15회 제공함

① :

② :

92 | 2018 중등A-2

다음은 특수교사와 교육실습생이 나눈 대화의 일부이다. ⓒ에 들어갈 내용을 쓰시오.

> 특 수 교 사: 관찰을 할 때에는 관찰자들의 평가 결과가 얼마나 유사한지 관찰자 간 일치도를 파악해야 합니다. 이 자료는 반응기회 기록 방법으로 두 사람이 함께 관찰한 결과예요. 그럼 관찰자 간 일치도를 계산해 볼래요?
>
> | 행동 관찰지 | | | | | | | | | | |
> |---|---|---|---|---|---|---|---|---|---|---|
> | 기회
관찰자 | 1 | 2 | 3 | 4 | 5 | 6 | 7 | 8 | 9 | 10 |
> | 관찰자 1 | × | × | ○ | ○ | × | ○ | × | × | ○ | ○ |
> | 관찰자 2 | × | × | ○ | ○ | ○ | ○ | × | ○ | ○ | ○ |
> | 정반응 = ○, 오반응 = × | | | | | | | | | | |
>
> 교육실습생: 예, 관찰자 간 일치도는 (ⓒ)%입니다.

93 | 2018 중등A-11

(가)는 주의력결핍과잉행동장애 학생 H와 관련하여 특수교사와 통합학급 교사가 나눈 대화이고, (나)는 특수교사가 학생 H의 문제행동을 관찰한 결과이다. 〈작성 방법〉에 따라 서술하시오.

(가) 특수교사와 통합학급 교사의 대화

> 통합학급 교사: 「정신장애의 진단 및 통계 편람 제5판(DSM-5)」에서 주의력결핍과잉행동장애의 진단준거가 바뀌었다면서요?
>
> 특 수 교 사: 예, 주의력결핍과잉행동장애의 진단준거가 「정신 장애의 진단 및 통계 편람 제4판 개정판(DSM-Ⅳ-TR)」에 비해 DSM-5에서는 ㉠ 몇 가지 변화가 있습니다.
>
> … (중략) …
>
> 통합학급 교사: 학생 H가 통합학급에서 수업 중에 자리 이탈 행동을 종종 보입니다. 이에 대한 적절한 지원방법이 없을까요?
>
> 특 수 교 사: 예, 학생 H의 문제행동에 대한 긍정적 행동지원을 할 수 있습니다. 이를 위해 먼저 학생 H의 문제행동을 관찰하는 것이 필요합니다. 이때에는 (나)와 같은 관찰기록 방법을 사용할 수 있습니다.
>
> 통합학급 교사: 그렇다면 (나)의 관찰기록 결과만 살펴보면 될까요?
>
> 특 수 교 사: 아니요. ⓒ (나)의 관찰기록 결과를 분석한 다음에 다른 방식의 직접 관찰을 할 필요가 있습니다.

(나) 학생 H의 문제행동 관찰기록 결과지

> ○이름: 학생 H   ○문제행동: 수업 중 자리이탈 행동
>
> 미발생: □   1회: ◪   2회: ⊠   3회 이상: ▨
>
> | 시간 \ 일자
내용 | 11/13
월 | 11/14
화 | 11/15
수 | 11/16
목 | 11/17
금 | 11/20
월 | 11/21
화 | 11/22
수 | 11/23
목 | 11/24
금 |
> |---|---|---|---|---|---|---|---|---|---|---|
> | 09:00~09:50 1교시 | | | | | | | | | | |
> | 10:00~10:50 2교시 | | | | | | | | | | |
> | 11:00~11:50 3교시 | ▨ | ▨ | ◪ | ▨ | ◪ | ▨ | ◪ | ▨ | | |
> | 12:00~12:50 4교시 | ▨ | ▨ | ▨ | ▨ | ▨ | ◪ | ⊠ | ▨ | ⊠ | |
> | 13:40~14:30 5교시 | ◪ | ▨ | | ◪ | | | | | | |
> | 14:40~15:30 6교시 | ◪ | | | | | | | | | |
> | 15:40~16:30 7교시 | | | | | | | | | | |

〈 작성 방법 〉
- (나)에 제시된 관찰기록 방법의 명칭을 적고, 그 목적을 1가지 쓸 것
- 밑줄 친 ⓒ을 실시하는 이유를 1가지 서술할 것

94

(가)는 중도 · 중복장애 학생 G의 특성 및 이 닦기 지도 시 유의사항이고, (나)는 학생 H의 이 닦기 지도 방법이다. 〈작성 방법〉에 따라 서술하시오.

(가) 학생 G의 특성 및 이 닦기 지도 시 유의사항

특성	지도 시 유의사항
• 입 주변에 사물이 닿으면 깜짝 놀라면서 피함 • 거친 질감의 음식물이나 숟가락 등의 도구가 입에 들어오면 거부하는 반응을 보임	학생의 ㉠감각적 측면과 ㉡도구적 측면을 고려하여 지도할 것

(나) 학생 H의 이 닦기 지도 방법

- 이 닦기를 6단계로 과제분석한 후, 처음부터 마지막 단계까지 수행하도록 지도함
- 전체 6단계 중 독립적인 수행이 어려운 2, 4, 5단계는 촉구 및 교정적 피드백 등을 사용하여 지도함
- 2, 4, 5단계를 스스로 수행할 수 있도록 촉구를 용암시켜 나감
- 처음부터 마지막 단계까지 수행한 후에 자연적 강화(청결함 등)를 경험할 수 있도록 지도함

┌〈 작성 방법 〉
- (나)에 사용된 행동연쇄법은 다른 유형의 행동연쇄법에 비해 어떠한 장점이 있는지 2가지 서술할 것

95

(나)는 최 교사와 김 교사가 적용한 우발 교수(incidental teaching)와 사회적 통합 활동(social integration activities) 계획안이다. 물음에 답하시오.

(나)

- 현수를 위한 '우발 교수' 계획
1. 현수를 놀이 활동 중인 친구들 근처에 있게 한다.
2. 현수가 친구들의 놀이나 놀잇감에 관심을 보일 때까지 기다린다.
3. … (중략) …
4. 현수가 친구들과 같이 놀이에 참여할 때, 긍정적 피드백이나 ㉢칭찬을 제공한다.

- 현수를 위한 '사회적 통합 활동' 계획
[기본 절차]
1. 사회성 및 의사소통 기술이 우수한 두세 명의 친구들을 선정한다.
2. 친구들이 현수와 함께 정해진 구역에서 짧은 시간 동안 놀이 활동을 하게 한다.

[고려 사항 및 유의점]
1. 현수를 사회성이 우수한 친구들과 함께 놀이 활동에 참여하게 한다. ┐
2. 정해진 장소에서 5~15분 정도의 시간 동안 놀이 활동을 하게 한다.
3. 현수에게 긍정적인 놀이 경험이나 또래 간 상호작용을 제공할 수 있는 놀이 활동을 선정한다. │ [A]
4. 놀이 주제를 소개하고 ㉤촉진을 사용하여 또래와의 상호작용을 체계적으로 유도한다.
5. 적극적으로 유아들의 놀이 활동에 같이 참여하여 현수의 놀이 활동을 지원한다. ┘

3) 교사가 ㉣이나 ㉤과 같은 강화나 촉진(prompt)을 용암이나 점진적 감소 전략을 통해 제거하지 않았을 때, 현수에게 나타날 수 있는 행동을 쓰시오.

96 〔2019 유아A-4〕

(가)는 밀가루 탐색활동과 그 과정에서 나타난 지후와 교사의 행동이고, (나)는 발달지체 유아 지후가 가진 행동 문제의 기능을 평가한 자료의 일부이다. 물음에 답하시오.

(가)

활동과정	㉠ 지후 행동/교사 행동
• 밀가루를 관찰하고, 탐색한다. - 밀가루를 만지니 느낌이 어떠니?	• 밀가루를 탐색하며 논다.
• 도구를 사용해 밀가루를 탐색한다.	• 도구를 사용해 밀가루를 탐색한다.
• 밀가루 반죽을 만드는 방법을 이야기 나눈다. - 밀가루와 물을 섞으면 어떻게 될까?	• 밀가루 반죽을 만드는 방법을 이야기하려고 할 때, ㉡ 소리를 지르며 짜증을 낸다. / 소파에 앉아 있도록 한다.
• 밀가루와 물을 섞어 반죽을 만든다. - 밀가루에 물을 섞으니 어떻게 모양이 변하고 있니?	• 반죽 만들기가 시작되자 자리로 돌아와 즐겁게 참여한다.
• 밀가루 반죽을 관찰하고, 탐색한다.	• 밀가루 반죽을 탐색하며 논다.
• 밀가루와 밀가루 반죽의 다른 점을 이야기 나눈다. - 밀가루와 밀가루 반죽의 느낌이 어떻게 다르니?	• 밀가루와 밀가루 반죽의 다른 점을 이야기하려고 하자, 소리를 지르며 짜증을 낸다. / 소파에 앉아 있도록 한다.

… (하략) …

(나)

시간	선행사건	행동	후속결과
11:00	이야기 나누기가 시작된다.	소리를 지르며 짜증을 낸다.	소파에 앉아 있도록 한다.
11:05	반죽 만들기가 시작된다.	자리로 돌아와 즐겁게 참여한다.	—
11:20	이야기 나누기가 시작된다.	소리를 지르며 짜증을 낸다.	소파에 앉아 있도록 한다.

2) ㉠의 내용에 대하여 지후의 행동을 기능 평가한 후, 유아의 삶의 질 향상을 목적으로 제공하는, 행동 문제에 대한 예방과 대처 그리고 대안 행동(alternative behavior) 교수를 포함하는 장기적이고 생태학적인 행동 중재 및 지원은 무엇인지 쓰시오.

3) (나)의 관찰 결과를 볼 때, 지후가 '소리를 지르며 짜증을 내는' 행동의 기능은 무엇인지 쓰시오.

4) (나)의 내용을 고려할 때, (가)의 ㉡을 대신해 교사가 지후에게 가르칠 수 있는 대안 행동(alternative behavior)을 1가지 쓰시오.

97

다음은 통합학급 장 교사가 5세 발달지체 유아 진호가 통합된 교실에서 갈라휴(D. Gallahue)의 동작 교수법을 적용한 교육 활동계획안의 일부이다. 물음에 답하시오.

단계	활동 내용	준비물(•) 유의 사항(※)
탐색	<비, 바람, 눈 내리는 모습 살펴보기> ◦ 비 오고, 바람 불고, 눈 내리는 모습을 PPT로 살펴보고, 손으로 표현한다.	• PPT
발견	<리듬체조 동영상 보기> ◦ 동영상에서 비 오고, 바람 불고, 눈 내리는 모습과 유사한 움직임을 발견한다.	• 리듬체조 동영상
조합	<리본 막대로 표현하기: 비, 바람, 눈에 대한 자신의 느낌을 생각하며> ◦ 리본 막대로 비가 빠르다가 점점 느리게, 부드럽다가 점점 강하게 오는 모습을 표현한다. ◦ 리본 막대로 바람이 ㉠<u>위에서 아래로, 아래에서 위로, 앞에서 뒤로, 뒤에서 앞으로, 옆에서 옆으로 부는 모습을 표현한다.</u>	• 리본 막대 ※ ㉡<u>"비가 빠르다가 점점 느리게 내리는 모습을 리본 막대로 표현해 보자."라고 말한 후, 진호가 스스로 표현할 때까지 5초 동안 기다린다.</u>

3) ㉡에 적용된 교수 전략이 무엇인지 쓰시오.

98

다음은 4세 발달지체 유아 승우의 어머니와 특수학급 민 교사 간 대화의 일부이다. 물음에 답하시오.

> 민 교 사: 승우 어머니, 요즘 승우는 어떻게 지내나요?
> 승우 어머니: 승우가 말로 의사 표현을 하지 못하니 집에서 어려움이 많아요. 간단하게라도 승우가 원하는 것을 알고 상호작용을 할 수 있으면 좋겠는데, 어떻게 해야 할지 모르겠어요. 유치원에서는 승우를 어떻게 지도하시는지요?
> 민 교 사: 유치원에서도 ㉠<u>승우에게는 아직 의도적인 의사소통 행동이 명확하게 잘 나타나지 않아서,</u> 승우의 행동이 뭔가를 의미한다고 생각하고 반응해 주고 있어요. 그리고 ㉡<u>승우가 어떤 사물을 관심을 가지고 바라보고 있을 때, 그것을 함께 바라봐 주는 반응을 해 주고 있어요.</u>
> 승우 어머니: 그렇군요. 저는 항상 저 혼자만 일방적으로 말하고 있는 것 같아서 답답했어요.
> 민 교 사: 집에서도 승우와 대화할 때 어머니의 역할이 중요해요. 그럴 때는 ㉢<u>어머니께서 승우가 의사를 표현할 수 있을 거라는 기대를 가지고 기회를 제공하여, 의사를 표현하는 동안 충분히 기다려 주는 것이</u> 필요하지요. 승우에게 필요한 표현을 ㉣<u>간단한 몸짓이나 표정, 그림 등으로 나타낼 수 있도록 만들어 가면 어떨까요?</u> 예를 들면, ㉤<u>간식 시간마다 승우가 먼저 간식을 달라는 의미로 손을 내미는 행동을 정해서 자신의 의도를 표현할 수 있도록 하는 것이지요.</u>
> 승우 어머니: 아, 그렇군요. 원하는 것을 표현하면 얻을 수 있다는 것도 가르쳐야 하는군요.

3) 다음은 ㉤을 위해 계획한 촉구 전략 절차이다. 어떤 촉구 전략인지 용어를 쓰시오.

> 1. 승우에게 간식을 보여 주고 3초를 기다린다.
> 2. 정반응이 없으면, 승우에게 "주세요 해 봐"라고 말한다.
> 3. 또 정반응이 없으면, 승우에게 "주세요 해 봐"라고 말하면서 간식을 달라고 손을 내미는 시범을 보인다.
> 4. 또다시 정반응이 없으면, 승우에게 "주세요 해 봐"라고 말하면서 승우의 손을 잡아 내밀게 한다.

99   2019 유아B-2

다음은 5세 주의력결핍과잉행동장애 유아 상희에 대해 통합학급 김 교사와 특수학급 박 교사가 나눈 대화의 일부이다. 물음에 답하시오.

> 김 교사: 선생님, 다음 달에 공개 수업을 하려고 하는데 좀 걱정이 됩니다. 상희가 교실에서 자기 자리에 앉지 않고 계속 돌아다니고, 또 ㉠선택적 주의력도 많이 부족합니다.
>
> 박 교사: 그래서 제 생각에는 먼저 상희에게 수업 시간에 지켜야 할 약속이나 규칙을 이해할 수 있도록 지도하는 것이 필요합니다.
>
> 김 교사: 그게 좋겠습니다. 그런데 상희를 자기 자리에 앉게 만드는 좋은 방법은 없을까요?
>
> 박 교사: 네. 그때는 이런 방법이 있는데요. 일단 ㉡'자기 자리에 앉기'라는 목표 행동을 정하고, '책상 근처로 가기, 책상에 가기, 의자를 꺼내기, 의자에 앉기, 의자에 앉아서 의자를 당기기'로 행동을 세분화합니다. 이때 단계별로 목표 행동을 성취했을 때마다 강화를 주는데, ㉢칭찬, 격려, 인정을 강화제로 사용하는 것도 좋겠습니다.
>
> 김 교사: 아, 그리고 상희가 활동 중에 자료를 던지는 공격적인 행동을 하는데 이에 대해서는 어떻게 할까요?
>
> 박 교사: 우선 상희의 행동을 ㉣ABC 서술식 사건표집법이나 ㉤빈도 사건표집법으로 관찰해 보는 것이 좋겠습니다.

2) ① ㉡의 행동 중재 전략을 쓰고, ② ㉢에 해당하는 강화제 유형을 쓰시오.

    ①:

    ②:

3) ㉣과 ㉤의 장점을 각각 1가지 쓰시오.

    ㉣:

    ㉤:

100   2019 유아B-3

(가)는 통합학급 김 교사의 반성적 저널의 일부이고, (나)는 특수학급 박 교사의 수업 장면의 일부이다. 물음에 답하시오.

(가)

> 일자: 2018년 ○○월 ○○일
>
> 박 선생님과 함께 '코끼리의 발걸음' 음악을 듣고 다양한 방법으로 표현하기를 했다. 우리 반은 발달지체 유아 태우를 포함해 25명으로 구성되어 있어 음악과 관련된 활동을 할 때마다 늘 부담이 되었다. 이런 고민을 박 선생님께 말씀드렸더니 (㉠)을/를 제안해 주었다. 유아들은 세 가지 활동에 모둠으로 나누어 참여했다. 나는 음악에 맞추어 리듬 막대로 연주하기를 지도하고, 박 선생님은 음악을 들으며 코끼리처럼 움직이기를 지도해 주었다. 다른 모둠은 원감 선생님께서 유아들끼리 자유롭게 코끼리 그림을 그릴 수 있도록 해 주었다. 그리고 한 활동이 끝나면 유아들끼리 모둠별로 다음 활동으로 이동해 세 가지 활동에 모두 참여할 수 있도록 해주었다. [A]

(나)

> 박 교사: 선생님과 '코끼리의 발걸음' 음악을 들으면서 움직여 볼 거예요.
>
> 유 아 들: 네.
>
> 박 교사: 선생님을 잘 보세요. 한 발로 땅을 딛었다가 가볍고 빠르게 뛰어오르고, 다시 다른 발로 땅을 딛었다가 뛰어오르는 거예요. 한번 해 볼까요?
>
> 시 율: 선생님, 저 보세요. 코끼리가 뛰는 거 같지요?
>
> 박 교사: 아기 코끼리 한 마리가 신나게 뛰고 있네요.
>
> 태 우: (친구들을 따라 ㉡몸을 움직여 본다.)
>
> 박 교사: 태우야, 선생님이 하는 것을 보고 따라 해 볼까요? 이렇게 하는 거예요. 한번 해 [B] 볼까요?
>
> 태 우: (교사의 행동을 보고 따라 한다.)
>
>   … (하략) …

3) (나)의 [B]에서 박 교사가 사용한 교수 전략을 쓰시오.

101 2019 초등A-1

다음은 ○○초등학교 연수자료 「통합교육 실행 안내서」의 일부이다. 물음에 답하시오.

통합교육 실행 안내서

○○초등학교

1. 학교 차원의 긍정적 행동지원
 1.1 학교 차원의 긍정적 행동지원의 개념

… (중략) …

 1.2 학교 차원의 긍정적 행동지원의 연속체

| 1차 지원 단계 : ㉠ 보편적 지원 |

• 학교 차원의 기대 행동 결정하고 정의하기
 − 기대 행동 매트릭스

	기본예절 지키기	안전하게 행동하기	책임감 있게 행동하기
교실	• 발표할 때 손들기 • 바른 자세로 앉기	• 차례 지키기	• 수업 준비물 챙기기

• 학교 차원의 기대 행동과 강화체계 가르치기

… (중략) …

3.4 중재 방법 선정 시 유의 사항
 3.4.1 (㉡) 고려하기
 −중재 목표가 사회적으로 얼마나 중요한가? ⎤
 −중재 과정은 사회적으로 수용 가능하고 합리적 ⎬ [A]
  인가?
 −중재 효과는 개인의 삶을 개선할 수 있는가? ⎦

… (중략) …

5.3.3 검사의 종류
 −(㉢)은/는 피험자가 사전에 설정된 성취 기준에
  도달했는지에 대한 정보를 제공하는 검사
 −(㉣)은/는 피험자 간의 상대적인 위치를 평가하
  며, 상대평가 혹은 상대비교평가라고 부르기도 함.
  상대적 서열에 대한 변환점수의 예로 표준점수, 스테
  나인 점수, (㉤) 등이 있음

… (하략) …

---

1) 다음은 ○○초등학교에서 실시한 학교 차원의 긍정적 행동지원의 ㉠단계 활동이다. 적절하지 <u>않은</u> 것 1가지를 골라 기호와 이유를 쓰시오.

ⓐ 학교 차원의 기대 행동은 '기본예절 지키기', '안전하게 행동하기', '책임감 있게 행동하기'의 3가지로 정하였다.
ⓑ 문제행동이 심한 학생들에게 개별화된 집중 교육을 실시하였다.
ⓒ 학교 차원의 기대 행동을 시각 자료로 제작하여 해당 장소에 게시하였다.
ⓓ 학교 차원의 기대 행동을 가르친 후, 학생들이 지키고 있는지 지속적으로 관찰했고, 이러한 점검이 이루어지고 있음을 학생들에게 알려 주었다.

---

2) [A]를 고려하여 ㉡에 들어갈 말을 쓰시오.

102

(가)는 중복장애 학생 경수의 특성이고, (나)는 특수교사가 작성한 2015 개정 기본 교육과정 수학과 5~6학년 수와 연산영역 교수 · 학습 과정안의 일부이다. 물음에 답하시오.

(가) 경수의 특성

- 경직형 사지 마비로 미세소근육 사용이 매우 어려움
- 의도하는 대로 정확하게 응시하거나 일관된 신체 동작으로 반응하기 어려움
- 발성 수준의 발화만 가능하고, 현재 인공와우를 착용하고 있음
- 받아올림이 없는 두 자리 수 + 한 자리 수의 덧셈을 할 수 있음
- 범주 개념이 형성되어 있음
- 주의집중 시간이 짧고, 시각적 피로도가 높음

(나) 교수 · 학습 과정안

단계	교수 · 학습 활동	자료(困) 및 유의점(㊀)
도입	필요한 의자의 수를 구하는 상황 제시	
새로운 문제 상황 제시	• 교실에 22명의 학생이 있고, 학생 12명이 더 오면 의자는 모두 몇 개가 필요할까요? －필요한 의자의 개수 어림해 보기 －학생들의 인지적 갈등 유도하기	困 그래픽 조직자
수학적 원리의 필요성 인식	• 22 + 12를 계산하는 방법 생각하기 －모든 의자의 수 세기, 22 다음부터 12를 이어 세기 등 • 좀 더 효율적인 방법의 필요성 인식하기	困 구체물
수학적 원리가 내재된 조작 활동	• 수모형으로 22 + 12 나타내기 －십모형과 일모형으로 나타내기 22 ＋ 12 ＝ 34	困 수모형 ㊀ 학생들이 ⊙숫자를 쓸 때, 자리에 따라 숫자가 나타내는 값이 달라지므로 정확한 자리에 쓰게 한다.

수학적 원리의 형식화	• 22 + 12의 계산 방법을 식으로 제시하기 • 22 + 12를 세로식으로 계산하기 $\begin{array}{r} 22 \\ +12 \\ \hline \end{array}$ ➡ $\begin{array}{r} 22 \\ +12 \\ \hline 4 \end{array}$ ➡ $\begin{array}{r} 22 \\ +12 \\ \hline 34 \end{array}$	㊀ ⓛ순서에 따라 더하는 숫자를 진하게 다른 색으로 표시한다.
익히기와 적용하기	• 덧셈 계산 원리를 다양한 문제에 적용하여 풀기 －같은 계산식 유형의 문제 풀기 －문장제 문제 풀기 [A] －문제 조건을 바꾸어 새로운 문제 만들어 보기 －실생활 문제 상황에 적용해 보기	㊀ 경수의 보완 · 대체 의사 소통 (AAC) 도구에 수계열 어휘를 추가한다. ㊀ ⓒ경수의 AAC 디스플레이 형태를 선형 스캐닝에서 행렬 스캐닝으로 변경한다.
정리 및 평가	학습 내용 정리 및 차시 예고하기	

3) (나)의 ⓒ에서 사용한 자극 촉진 유형을 쓰시오.

103
2019 초등A-4

(가)는 정서 · 행동장애 학생 민규의 특성이다. 물음에 답하시오.

(가) 민규의 특성

> • 자주 무단결석을 함
> • 주차된 차에 흠집을 내고 달아남
> • 자주 밤늦게까지 집에 들어오지 않고 동네를 배회함
> • 남의 물건을 함부로 가져간 후, 거짓말을 함
> • 반려동물을 발로 차고 집어던지는 등 잔인한 행동을 함
> • 위와 같은 행동이 12개월 이상 지속되고 있음

4) 다음은 민규의 행동 관찰 기록지이다. 부분간격기록법에 따라 행동 발생률(%)을 구하시오.

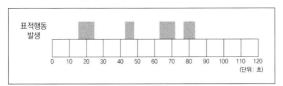

104

(가)는 지적장애 학생 은지의 통합학급 담임인 윤 교사가 특수교사인 최 교사와 실과 수업에 대하여 나눈 대화이고, (나)는 최 교사가 은지의 행동을 관찰한 결과이다. 물음에 답하시오.

(가) 대화 내용

윤 교사: 다음 ㉠<u>실과 수업 시간에는 '생활 속의 동물 돌보기' 수업을 하려고 합니다. 그때 은지에게는 국어과 목표인 '여러 가지 동물의 이름 말하기'를 지도하려고 해요.</u> 은지가 애완동물이나 반려동물뿐만 아니라, ㉡<u>소·돼지·닭과 같이 식품과 생활용품의 재료 등을 얻기 위해 기르는 동물의 이름에 대해서도 알았으면 좋겠습니다.</u> 최 교사: 그렇지 않아도 특수학급에서 은지에게 '여러 가지 동물의 이름 말하기'를 지도하고 있어요. 지난 시간에는 ㉢<u>햄스터가 그려진 카드를 은지에게 보여주면서 이름을 물어보며 '햄'이라고 언어적으로 즉시 촉진해 주었더니</u> '햄스터'라고 곧잘 말하더라고요. … (중략) … 윤 교사: 선생님, 은지가 수업 중에 보이는 문제행동을 어떻게 해야 할지 고민입니다. 최 교사: 마침 제가 통합학급 수업 시간에 나타나는 은지의 문제행동 기능을 알아보기 위해서 관찰 결과를 요약해 보았습니다.

(나) 행동 기록 및 관찰 결과

학생	○은지	관찰 장소	통합학급
관찰자	최 교사	관찰 기간	3월 첫째 주

㉣<u>주간 행동 관찰 기록</u>	☐ 1회 ☒ 2회 ▦ 3회 이상 <table><tr><th>시간</th><th>요일</th><th>월</th><th>화</th><th>수</th><th>목</th><th>금</th></tr><tr><td>8:30~ 9:00</td><td>수업준비</td><td></td><td></td><td></td><td></td><td></td></tr><tr><td>9:00~ 9:40</td><td>1교시</td><td></td><td>☐</td><td></td><td></td><td></td></tr><tr><td>9:50~10:30</td><td>2교시</td><td></td><td></td><td></td><td></td><td></td></tr><tr><td>10:40~11:20</td><td>3교시</td><td></td><td></td><td></td><td>☒</td><td></td></tr><tr><td>11:30~12:10</td><td>4교시</td><td>☒</td><td>▦</td><td></td><td></td><td></td></tr><tr><td>12:10~13:00</td><td>점심시간</td><td></td><td></td><td></td><td></td><td></td></tr><tr><td>13:00~13:40</td><td>5교시</td><td></td><td></td><td></td><td></td><td>▦</td></tr></table> • 행동 관찰 결과: 실과 시간에 문제행동이 자주 발생함
㉤<u>행동 관찰 결과 (실과 시간)</u>	• 다른 학생들이 앉아 있는 동안에도 자주 교실 안을 돌아다님 • 교사가 주의를 주지 않으면 계속 돌아다니는 행동을 보임 • 교사가 은지의 이름을 부르면서 지적을 해야 자리에 앉음 • 교사가 다른 학생을 지도하는 동안에 돌아다니는 행동이 잦음

3) (가)의 ㉢과 같이 변별자극과 반응촉진을 함께 제시하는 촉진 방법의 명칭을 쓰시오.

4) 은지의 행동을 관찰·분석하기 위하여 (나)의 ㉣과 같은 방법을 사용하는 목적을 1가지 쓰시오.

5) (나)의 ㉤의 내용에 근거하여 다음의 행동 가설을 수립하였다. ⓐ와 ⓑ에 들어갈 내용을 각각 쓰시오.

학생	은지는
배경/선행사건	(ⓐ)
추정되는 행동의 기능	(ⓑ)
문제행동	교실 안을 돌아다닌다.

ⓐ:

ⓑ:

105

다음은 정서 · 행동장애 학생 S를 위해 작성한 긍정적 행동지원 내용의 일부이다. 〈작성 방법〉에 따라 서술하시오.

- **문제행동**
  - 학급에서 컴퓨터 게임을 하기 위해 욕을 하는 행동
- **기능적 행동평가 실시**
  - 동기평가척도(MAS)와 ABC 관찰을 실시함
- **가설 설정**
  - 학급에서 컴퓨터 게임을 하기 위해 또래나 교사에게 욕을 한다.
- **지원 계획**
  - 학생 S의 문제행동을 대신할 수 있는 ㉠교체기술, (㉡), 일반적 적응기술을 지도함
  - 교체기술을 사용하더라도 컴퓨터 게임을 할 수 없는 상황에서 사용할 수 있는 (㉡)을/를 지도함 (**예** 스트레스 상황 속에서 안정을 취하는 방법)

  … (중략) …

- **평가 계획**: 단일대상연구설계(AB 설계) 사용
  - 행동 발생량을 시각화한 그래프를 이용하여 기초선과 중재선(긍정적 행동지원 적용) 간 문제행동 발생 ㉢수준의 변화, 경향의 변화, 변동성의 변화, ㉣변화의 즉각성 정도를 분석함

---〈 작성 방법 〉---
- 밑줄 친 ㉠의 특성을 행동 기능 측면에서 서술하고, 괄호 안의 ㉡에 해당하는 기술의 명칭을 쓸 것
- 밑줄 친 ㉢을 분석하는 방법 1가지를 서술할 것
- 밑줄 친 ㉣의 방법을 기초선과 중재선의 자료점 비교 측면에서 서술할 것

106

(가)는 자폐성장애 학생 J를 위한 기본 교육과정 고등학교 과학과 '주방의 전기 기구' 수업 지도 계획의 일부이다. 〈작성 방법〉에 따라 서술하시오.

(가) '주방의 전기 기구' 수업 지도 계획

학습 목표	주방에서 사용하는 전열기의 이름을 안다.	
〈비연속 시행 훈련(DTT) 적용〉	〈유의 사항〉	
• ㉠수업 차시마다 주방 전열기 사진 5장을 3번씩 무작위 순서로 제시하여 총 15번의 질문에 학생이 바르게 답하는 빈도를 기록함 - ㉡점진적 시간 지연법을 이용함	• 학생이 선호하는 강화제 사용 • 학생에게 익숙한 주방 전열기 사진 제시	

---〈 작성 방법 〉---
- 밑줄 친 ㉠에서 사용한 사건(빈도)기록법의 유형을 쓰고, '촉진의 형태가 바뀌는 용암 체계'에 비해 밑줄 친 ㉡이 갖는 특성 1가지를 서술할 것

107

다음은 통합유치원 4세반 교사들의 대화이다. 물음에 답하시오.

> 김 교사 : 지난주에는 북소리에 맞추어 ㉠ 걷기, 구부리기, 뻗기, 한 발 뛰기, 두 발 모아 뛰기, 뛰어넘기, 회전하기, 흔들기를 했는데 주하가 잘 참여했어요. 주하가 선을 따라 걷는 활동도 잘 하는 것으로 보아 ㉡ 움직이거나 정지한 상태에서 몸의 균형을 유지하는 능력이 발달한 것 같아요. 이렇게 쉬운 활동은 잘 참여하는데 자기가 어려워하는 활동은 안 하려고 해요. 내일은 공 던지기 활동을 할 예정인데 주하가 걱정이네요. 어떻게 하면 잘 가르칠 수 있을까요?
>
> 송 교사 : 먼저 공을 던지는데 필요한 단위행동을 생각해 보세요. ㉢ 첫 번째 단계에서는 공을 두 손으로 잡고, 두 번째 단계에서는 공을 가슴까지 들어 올리고, 세 번째 단계는 팔을 뻗고, 마지막으로 공을 놓는 단계로 나눌 수 있어요. 이와 같이 나눈 기술들은 행동연쇄로 가르칠 수 있어요.
>
> 김 교사 : ㉣ 행동연쇄도 여러 가지 방법이 있지요?
>
> ··· (중략) ···
>
> 김 교사 : 공 주고받기할 때 짝을 어떻게 정할지 걱정이에요. 친구들은 주하랑 짝이 되는 것을 꺼려해요. 평소 주하가 활동에 잘 참여하지 않고 돌아다녀서 친구들은 주하가 왜 그러는지 궁금해 해요.
>
> 송 교사 : 그러면 이렇게 해 보세요. 예를 들면 ㉤ 아이들이 좋아하는 과일을 모두 물어보고, 같은 과일을 좋아하는 유아들끼리 모둠을 이루어 그 과일에 대해 이야기를 나누도록 해 보세요. 주하도 자연스럽게 그 속에서 어울릴 수 있을 거예요. 활동 이후에 아이들은 주하와 자신들이 같은 것을 좋아한다는 것을 깨닫게 되겠지요.
>
> 김 교사 : 알겠습니다. 해 볼게요.
>
> 송 교사 : 다음에는 과일 말고도 좋아하는 만화 캐릭터 등을 활용해 다양하게 모둠을 정해보세요.

2) ① ㉢에 해당하는 용어를 쓰고, ② ㉣의 중재를 할 때, 중재 단계의 시작점이나 방향에 따른 중재방법의 유형을 2가지 쓰시오.

① :

② :

108   2020 유아A-7

(가)는 ○○유치원의 1차 교직원협의회 내용이다. 물음에 답하시오.

(가)

> 양 원장 : 요즘 우리 유치원의 유아들이 차례 지키기를 잘 하지 않는 것 같아요. 차례 지키기를 하도록 가르칠 수 있는 방법이 없을까요?
>
> 신 교사 : 네. 그렇지 않아도 유아들이 차례를 지키지 않는 행동을 자주 보이는 것 같아 ㉠3단계로 구성된 유치원 차원의 긍정적 행동지원을 해 보자고 건의하려고 했어요.
>
> 김 교사 : 유치원 차원의 긍정적 행동지원은 모든 유아들에게 규칙을 잘 지킬 수 있도록 보편적 중재를 제공하는 것이 우선이에요.
>
> 민 교사 : 구체적으로 어떻게 하면 될까요?
>
> 김 교사 : 우리 유치원에서 지켜야 할 약속을 정하는 거예요. 원장 선생님께서 말씀하신 '차례 지키기'가 해당되겠죠.
>
> 임 교사 : 지켜야 할 약속을 몇 가지 더 정해도 좋겠네요.
>
> 김 교사 : 네, 맞아요. 우리 유치원 모든 유아들에게 차례 지키기를 하자고 약속하고, 차례 지키는 행동을 구체적으로 가르쳐요. 예를 들어, 차례 지키기를 해야 하는 공간에 발자국 스티커 같은 단서를 제공해서 차례를 잘 지킬 수 있도록 해요.
>
> 신 교사 : 유아들이 차례를 잘 지켰을 때 강화를 해주어요. 이때 모든 교직원이 차례를 지킨 유아를 보면 칭찬을 해주는 거예요. 부모님도 함께 해야 해요.
>
> 김 교사 : 전체 유아들의 차례 지키기 행동의 변화를 유치원 차원의 긍정적 행동지원 실시 전후로 비교해서 그 다음 단계를 결정해요.
>
> ··· (중략) ···
>
> 신 교사 : 여전히 차례 지키기가 안 되는 유아들은 소집단으로 릴레이 게임을 연습시켜요. 예를 들면 '말 전하기', '줄서서 공 전달하기', '이어달리기' 등의 활동으로 차례 지키기를 연습하게 할 수 있어요.
>
> ··· (하략) ···

1) ㉠을 실시할 때, ① 1단계의 중재 대상과 ② 2단계의 중재 방법을 (가)에서 찾아 쓰시오.

① :

② :

109

다음은 5세 발달지체 유아 민수의 통합학급 김 교사와 유아특수교사 박 교사의 대화이다. 물음에 답하시오.

김 교사 : 선생님, 자유선택활동 시간에 난타 놀이를 하는데 아이들이 웃으며 재미있게 하고 있어요. 난타 도구를 서로 바꾸면서 상호작용했어요.

박 교사 : 아이들이 참 재미있어 했겠네요. 민수는 어떻게 하고 있나요?

김 교사 : 민수는 난타 놀이를 재미있어 해요. 민수가 좋아하는 가영이, 정호, 진아와 한 모둠이 되어 난타를 했어요. 그런데 다른 아이들만큼 잘 안 될 때는 무척 속상해 했어요.

박 교사 : 생각만큼 난타가 잘 안 돼서 민수가 많이 속상했겠네요.

김 교사 : 민수를 관찰하려고 표본기록이 아니라 ㉠<u>일화기록</u>을 해 보았어요. 제가 일주일간 자유선택활동 시간에 기록한 일화기록을 한번 보시겠어요?

박 교사 : 이게 민수의 일화기록이군요. 민수가 난타를 잘하는 가영이 옆에서 따라 했네요. 그런데 그 정도로는 난타 실력이 많이 늘지는 않았나 봐요.

김 교사 : 맞아요. 그래서 저도 걱정이에요.

… (중략) …

김 교사 : 아까 말한 것처럼 민수는 난타 놀이를 더 잘하고 싶어 해요. 민수가 연습할 시간이 더 많았으면 좋겠는데, 현실적으로 힘든 점이 있네요. 이럴 때는 어떻게 하면 좋을까요?

박 교사 : 시간이나 비용 면에서 경제적이고 반복해서 연습할 수 있는 비디오 모델링을 추천해드려요. 민수는 컴퓨터로 학습하는 것을 좋아하니 더 주의집중해서 잘 할 거예요. 일화기록을 보니 ㉡<u>가영이를 모델로 하면 좋겠네요.</u>

---

1) 표본기록에 비해 ㉠이 실시 방법 측면에서 갖는 장점을 2가지 쓰시오.

2) 대화에서 ㉡의 이유를 2가지 찾아 쓰시오.

3) 다음의 ⓐ에 해당하는 개념을 쓰시오.

> 이후 민수는 비디오 모델링으로 난타 놀이를 연습하였으며, 점점 더 잘 하게 되었다. ⓐ<u>민수는 통합학급에서 친구들과 함께 다양한 도구로 재미있게 난타 놀이를 할 수 있게 되었다. 뿐만 아니라 집이나 놀이터에서도 동네 친구들과 난타 놀이를 하였다.</u>

110

2020 유아B-2

다음은 통합학급 4세반 교사들이 협의회에서 나눈 대화이다. 물음에 답하시오.

김 교사 : 요즘 준우가 자유선택활동 시간에 너무 자주 "아" 하고 짧게 소리 질러요. 제가 준우에게 가서 "쉿"이라고 할 때만 멈추고 제가 다른 영역으로 가면 또 소리 질 [A] 러요. 소리를 길게 지르지는 않지만, 오늘도 스무 번은 지른 것 같아요. 소리 지르는 횟수가 줄었으면 좋겠어요.

이 교사 : 그럼 제가 자유선택활동 시간에 준우가 ㉠몇 번이나 소리 지르는지 관찰하면서 기록할게요.

… (중략) …

박 교사 : 준우가 ㉡소리 지르지 않고 친구와 이야기하거나 노래 부르면, 제가 관심을 보이며 칭찬해 주는 것이 어떨까요?

김 교사 : 네. 알겠습니다.

이 교사 : 그런데 준우가 넷까지 수를 알고 세는 거예요? 얼마 전에 준우가 수·조작 영역에서 자동차를 세 개 들고 있어서 모두 몇 개인지 물어보았더니 대답을 못하더라고요.

김 교사 : 준우는 자동차와 수 이름을 하나씩 대응하면서 수 세기를 하고, 항상 동일한 순서로 안정적으로 수를 셀 수 있어요. 그런데 넷까지 세고 난 후 모두 몇 개인지 물어보면 세 개라고 할 때도 있고, 두 개라고 할 때도 있어요. 준우의 개별화교육계획 목표가 "다섯 개의 사물을 보고 다섯까지 수를 정확하게 센다."인데 어떻게 지도하는 것이 좋을지 고민하고 있어요.

이 교사 : ㉢수를 셀 때 준우와 같이 끝까지 세고, 교사가 "모두 몇 개네."라고 말한 후 준우에게 "모두 몇 개지?"라고 물어요. 예를 들어 자동차를 셀 때 준우와 같이 하나, 둘, 셋, 넷, 다섯까지 세고, 교사가 "자동차가 모두 다섯 개네."라고 말한 후 준우에게 "자동차가 모두 몇 개지?"라고 물어요.

김 교사 : 수 세기를 다양한 활동에서도 가르치고 싶은데 어떻게 할까요?

이 교사 : 준우에게 ㉣간식시간, 자유선택활동 시간, 미술활동 시간에 사물을 세게 한 후 모두 몇 개인지 묻고 답하게 하여 준우의 개별화교육계획 목표가 달성될 수 있도록 해보세요.

1) [A]에 근거하여 ① ㉠에 해당하는 관찰기록 방법이 측정하고자 하는 행동의 측면을 쓰고, ② 그 행동의 특성을 1가지 찾아 쓰시오.

① :

② :

2) ㉡에 해당하는 차별강화 전략을 쓰시오.

111

(가)는 통합학급 5세반 특수교육대상 유아들의 특성이고, (나)는 활동계획안이다. 물음에 답하시오.

(가)

민지	• 자신감이 부족함 • 지혜를 좋아하고 지혜의 행동을 모방함 • 워커를 이용하여 이동함
경민	• 1세 때 선천성 백내장 수술로 인공수정체를 삽입하였음 • 가까운 사물은 잘 보이지만 5m 이상 떨어진 사물은 흐릿하게 보임 • 눈이 쉽게 피로하며 안구건조증이 심함
정우	• 자발적으로 활동에 참여하려고 하지 않음 • 다른 사람과 눈맞춤은 하지 않지만 상대방의 말을 듣고 이해함 • 불편한 점이 있을 때 '아' 소리만 내고 아직 말을 못함

(나)

활동명	동물들의 움직임 표현하기
활동 목표	… (생략) …
활동 자료	생상스의 '동물의 사육제' 중 제 1~3곡의 음원, 광택이 없는 동물 사진자료(사자, 닭, 당나귀), 스카프
활동 방법	• 생상스의 '동물의 사육제'를 듣는다. • 동물 사진자료를 보며 이야기를 나눈다. • 음악을 들으며 자신이 표현하고 싶은 동물들의 움직임을 자유롭게 표현한다. … (중략) …
활동상의 유의점	ⓐ 동물들의 움직임을 표현하는 활동 시 민지를 지혜와 짝지어준다. ⓑ 민지에게 수시로 잘할 수 있다는 격려와 응원을 해준다. ⓒ 경민이가 눈을 깜빡이거나 비비는 등 힘든 모습을 보이면, 인공 눈물을 넣어주고 잠시 쉬게 한 후 활동에 참여하게 한다. ⓓ 동물의 움직임을 표현할 때, 촉진을 준 후 정우가 반응하기까지의 시간을 점차 늘린다. ⓔ 정우가 활동에 대한 생각과 느낌을 그림카드로 표현할 수 있도록 해준다.
연계 활동	• 동물 머리띠 만들기 • '사자 왕의 생일잔치' 동극하기

1) (가)에 근거하여 (나)의 활동상의 유의점 ⓐ~ⓔ 중 적절하지 않은 것을 1가지 찾아 그 기호를 쓰고, 바르게 고쳐 쓰시오.

112　　　2020 유아B-4

다음은 통합학급 김 교사와 유아특수교사 강 교사가
나눈 대화이다. 물음에 답하시오.

김 교사: 다음 주에 학부모 공개 수업을 하는데 특수
　　　　교육대상인 수희와 시우가 수업에 잘 참여할
　　　　지 걱정이 되네요.

강 교사: 그래서 저희는 또래주도 전략을 사용해 보
　　　　려고 해요. 모둠별로 '경단 만들기' 요리 수업
　　　　을 할 거예요. ㉠수희와 시우가 참여하여 경
　　　　단을 완성했을 때, 모둠 전체를 강화하려고
　　　　해요. 또 수희의 상호작용 증진을 위해서 자유
　　　　선택활동 시간에 ㉡훈련받은 민수가 수희에
　　　　게 "블록쌓기 놀이 하자."라고 하면서 먼저
　　　　블록을 한 개 놓으면, 수희가 그 위에 블록을
　　　　쌓아요. 그러면서 둘이 계속 블록쌓기 놀이
　　　　를 하게 하려고요.

김 교사: 선생님, 시우는 자기도 참여하고 싶은 것이
　　　　있으면 큰 소리를 질러요. 시우를 어떻게 도울
　　　　수 있을까요?

강 교사: 선생님, 우선 시우에게 ㉢대체행동 교수를
　　　　실시하면 어떨까요?

김 교사: 네. 좋은 생각이네요. 그럼 혹시 시우가 집에
　　　　서는 어떤지 좀 아세요?

강 교사: 네. 시우 어머니와 면담 시간을 가졌어요. 시우
　　　　부모님은 시우가 갓난아기 때부터 맞벌
　　　　이를 하였고 주 양육자도 자주 바뀌었대요.
　　　　그래서 ㉣시우가 평소에 엄마랑 떨어지지
　　　　않고 꼭 붙어 있으려고 했대요. 엄마가 자리
　　　　를 비우면 심하게 불안해하면서 울지만, 막
　　　　상 엄마가 다시 돌아오면 반가워하기보다는
　　　　화를 냈대요. 그리고 엄마가 달래려 하면 엄
　　　　마를 밀어내서 잘 달래지지 않았다고 해요.

　　　　　　… (하략) …

---

2) ㉢을 선택할 때 고려해야 할 점을 2가지 쓰시오.

113   2020 유아B-5

(가)는 5세 발달지체 유아들의 행동특성이고, (나)는 음악활동 자료이며, (다)는 활동계획안이다. 물음에 답하시오.

(가)

민정	• 활동 시 교사의 말에 집중하는 시간이 짧음 • 대집단 활동 시 활동영역을 떠나 돌아다니는 경우가 많음
주하	• 음악활동은 좋아하나 활동 참여시간이 짧음 • 일상생활에서 자주 사용하는 3음절의 단어(사람, 사물 이름)로 말함
소미	• 수줍음이 많고 활동 참여에 소극적임 • 수업 중 앉아 있는 시간이 짧음

(나)

(다)

활동 목표	… (생략) …	
활동 방법		**자료(자) 및 유의점(유)**
활동 1	• '○○○ 옆에 누가 있나요?' 노래를 듣는다. －노래 전체 듣기 －노랫말 알아보기	자 '○○○ 옆에 누가 있나요?' 노래 음원, 그림 악보 유 ㉠ 민정, 주하, 소미가 일정 시간 동안 활동에 참여하면 각자 원하는 놀이를 하게 해준다.
활동 2	• 다양한 방법으로 노래를 부른다. －한 가지 소리(아아아~)로 불러 보기 －친구 이름 넣어서 노래해 보기 －유아들을 나누어 불러 보기 －다함께 불러 보기 … (중략) …	유 민정이는 좋아하는 또래들과 어깨동무를 하고 노래 부르게 한다. 유 주하는 ○○○에만 친구 이름을 넣어 부르게 한다. 유 바닥에 원형 스티커를 붙여 놓고 자리를 이동하며 노래 부르게 한다.
활동 3	• 리듬악기를 연주해 본다. －리듬패턴 그림을 보며 리듬 알아보기 －리듬에 맞추어 손뼉 치기 －리듬에 맞추어 리듬악기 연주하기 … (하략) …	유 리듬패턴은 그림악보로 제공한다. 유 유아가 익숙하게 다룰 수 있는 리듬악기를 제공한다. 유 소미가 친구들에게 리듬악기를 나누어 주도록 한다.

2) ① 프리맥(D. Premack)의 원리를 적용한 (다)의 ㉠에서 고빈도 행동을 찾아 쓰고, ② 물리적 특성(강화 형태)에 근거하여 ㉠에 제시된 강화제의 유형은 무엇인지 쓰시오.

① :

② :

114

(가)는 초등학교 6학년 자폐성장애 학생 민호의 특성이고, (나)는 '지폐 변별하기' 지도 계획의 일부이다. 물음에 답하시오.

(가) 민호의 특성

> - 물건 사기와 같은 일상생활의 문제를 해결하기 위해 스스로 계획하고 수행하는 데 어려움이 있음
> - 점심시간과 같이 일상적으로 반복되던 시간에 작은 변화가 생기면 유연하게 대처하기보다 우 [A] 는 행동을 보임
> - 수업시간 중 과자를 먹고 싶을 때 충동적으로 과자를 요구하거나 자리이탈 행동을 자주 보임
> - 다른 사람의 감정과 사고를 파악하는 데 어려움이 있음
> - 시각적 자극으로 이루어진 교수 자료에 관심을 보임
> - 지폐의 구분과 사용에 어려움이 있음

(나) '지폐 변별하기' 지도 계획

> - 표적 학습 기술: 지폐 변별하기
> - 준비물: 1,000원짜리 지폐, 5,000원짜리 지폐
> - 학습 단계 1
>   - 교사가 민호에게 "천 원 주세요."라고 말했을 때, 1,000원짜리 지폐를 찾아 교사에게 주도록 지도함
>   - 교사가 민호에게 "오천 원 주세요."라고 말했을 때, 5,000원짜리 지폐를 찾아 교사에게 주도록 지도함
>   - 민호가 정반응을 보일 때마다 칭찬으로 강화함
>   - 민호가 정해진 수행 기준에 따라 '지폐 변별하기'를 습득하면 다음 학습 단계로 넘어감
> - 학습 단계 2
>   - ㉠민호가 '지폐 변별하기' 반응을 5분 내에 15번 정확하게 수행할 수 있도록 지도한 다음, 더 짧은 시간 내에 15번 정확하게 수행할 수 있도록 연습하게 함
>
>   … (중략) …
>
> - 유의 사항
>   - ㉡민호가 습득한 '지폐 변별하기' 기술을 시간이 지난 뒤에도 수행할 수 있도록 '학습 단계 1'의 강화 계획(스케줄)을 조정함
>   - 민호가 ㉢습득한 '지폐 변별하기' 기술을 일상생활에서 사용할 수 있도록 다양한 실제 상황(편의점, 학교 매점, 문구점 등)에서 1,000원짜리 지폐와 5,000원짜리 지폐를 변별하여 민호가 좋아하는 과자를 구입하도록 지도함

3) ① (나)의 ㉡을 위한 강화 계획(스케줄) 종류를 쓰고, ② ㉢의 이유를 강화제 측면에서 쓰시오.

① :

② :

115

다음은 준수를 위해 작성한 문제행동중재 내용의 일부이다. 물음에 답하시오.

- 표적행동: 수업 시간에 소리를 지르는 행동
- 기능적 행동평가 및 가설 설정
  - ABC 관찰을 통해 가설을 설정함
- 가설 검증
  - ㉠ <u>명확한 가설 검증과 구체적인 표적행동 기능 파악을 위해 표적행동에 대한 선행사건과 후속결과를 실험적이고 체계적으로 조작하는 기능적 행동평가 절차를 실시함</u>
  - 이 절차에 대한 '결과 그래프 및 내용'은 다음과 같음

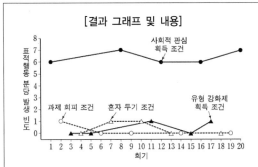

[결과 그래프 및 내용]

- 각 회기를 15분으로 구성하고, 불필요한 자극이 제거된 교실에서 하루 4회기씩 평가를 실시함
- 4가지 실험 조건을 각 5회기씩 무작위 순서로 적용함
- 각 실험 조건에서 발생하는 표적행동의 분당 발생 빈도를 기록하고 그래프로 시각화하여 분석함

… (중략) …

- 중재 계획
  - 표적행동 감소 전략: 표적행동 발생을 예방하기 위해 ㉡ <u>비유관 강화</u>(Noncontingent Reinforcement ; NCR)를 사용함
  - 대체행동 지도 전략: '반응 효율성 점검표'를 이용하여 표적행동을 대신할 수 있는 교체기술을 선택하여 지도함

〈반응 효율성 점검표〉

교체기술 선택 기준	반응 효율성 점검 내용	점검 결과
노력	(㉢)	예 / 아니오
결과의 일관성	표적행동을 할 때보다 더 일관되게 사회적 관심을 얻을 수 있는 교체기술인가?	예 / 아니오
결과의 질	표적행동을 할 때 얻을 수 있는 사회적 관심보다 준수가 더 좋아하는 사회적 관심을 얻을 수 있는 교체기술인가?	예 / 아니오

… (하략) …

---

1) ① ㉠에 해당하는 방법의 명칭을 쓰고, ② [결과 그래프 및 내용]에 해당하는 단일대상연구 방법의 설계 명칭을 쓰시오.

　①:

　②:

2) 준수의 표적행동과 관련하여 ㉡의 방법을 쓰시오.

3) ㉢에 들어갈 반응 효율성 점검 내용을 쓰시오.

116

(가)는 자폐성장애 학생 K의 특성이고, (나)는 고확률 (high-p)요구연속 방법에 사용할 과제 목록이다. (다) 는 이것을 적용한 사례이다. 〈작성 방법〉에 따라 서술 하시오.

(가) 학생 K의 특성

- 일반적인 지시 따르기가 가능함
- 선생님과 친구들을 만나면 하이파이브나 악수하기 를 좋아함
- 의자에 앉기 싫어해서 주로 교실 바닥에 앉아 생활 하려고 함

(나) 과제 목록

회기 과제 목록	1	2	9	10
고확률	손뼉치기	하이파이브	점프하기	손뼉치기
	하이파이브	점프하기	하이파이브	악수하기
	악수하기	손뼉치기	손뼉치기	하이파이브
	점프하기	악수하기	악수하기	점프하기
저확률	의자에 앉기	의자에 앉기	의자에 앉기	의자에 앉기

- 고확률: 고확률(high-p)요구, 순응하는 과제
- 저확률: 저확률(low-p)요구, 거부하는 과제

(다) 고확률요구연속 적용 사례(10회기)

이 교사: K야, 손뼉 치자.
학생 K: (손뼉 친다.)
이 교사: 잘했어. (손 내밀며) 악수할까?
학생 K: (악수한다.)
이 교사: 참 잘했어! (손을 들어) 하이파이브!
학생 K: (하이파이브 한다.)
이 교사: 좋아요. 이제 점프!
학생 K: (점프한다.)
이 교사: 멋지다. 의자에 앉자.
학생 K: (의자에 앉는다.)
이 교사: 우와! 멋지다. 최고!

─〈 작성 방법 〉─
- 고확률요구연속 방법의 장점을 1가지 서술할 것
- 고확률요구연속 방법에 사용되는 과제의 조건을 2가 지 쓸 것
- 고확률요구연속 방법 적용 시, 학생 K가 저확률요구 에 계속해서 순응하는 행동을 보일 때, 교사가 변경 해야 할 사항을 1가지 서술할 것

117

(가)는 자폐성장애 학생 C를 위한 행동지원 계획안의 일부이고, (나)는 목표 행동을 관찰 기록한 결과이다. 〈작성 방법〉에 따라 서술하시오.

(가) 행동지원 계획안

목표 행동	ⓐ 수업시간에 15분 동안 계속해서 의자에 앉아 있기	
중재 방법	(㉠)	
중재 단계 및 내용	고려 사항	

- 목표 행동의 조작적 정의
- 목표 행동의 시작 행동 정의
- 목표 행동에 근접한 단기 목표(중간 행동) 결정
  - 1분 30초 동안 계속해서 의자에 앉아 있기
  - 2분 동안 계속해서 의자에 앉아 있기
  - 2분 30초 동안 계속해서 의자에 앉아 있기
  … (중략) …
  - 14분 동안 계속해서 의자에 앉아 있기
  - 15분 동안 계속해서 의자에 앉아 있기
- 강화제 선택
  - 효과적인 강화제 파악 및 선택

고려 사항:
- 시작 행동: 관찰 기록 결과에 근거하여 설정함
- 단기 목표 변경 기준: 3번 연속 단기 목표 달성
- 강화 계획: 초기에는 ㉡ 의자에 1분 30초 동안 지속해서 앉아 있을 때마다 강화를 제공하고, 이후에는 강화 계획에 변화를 줌
- 강화제: 단기 목표에 도달하면 학생 C가 선호하는 활동을 할 수 있게 함
- 토큰 강화 등과의 연계 방안을 모색함

(나) 관찰 기록 결과

대상 학생 : 학생 C					관 찰 자 : 교육실습생	
관찰 행동 : 의자에 앉아 있기					관찰 장소 : 중학교 2-1 교실	

날짜	시간	행동 발생					관찰 결과 요약	
5/6 (월)	13:05 ~ 13:35	#1 1분 40초	#2 1분 30초	#3 1분 50초	#4 1분 30초	#5 1분 40초	전체 관찰시간	30분
							전체 지속시간	8분 10초
		#6	#7	#8	#9	#10	지속시간 백분율	27.2%
							평균 지속시간	1분 38초

─〈 작성 방법 〉─
- (가)의 괄호 안의 ㉠에 해당하는 행동중재 방법을 쓸 것
- (가)의 밑줄 친 ㉡에 해당하는 강화 계획을 쓸 것
- (나)에서 사용한 관찰기록법의 유형을 쓰고, 이 방법이 적절한 이유를 (가)의 밑줄 친 ⓐ의 목표 행동 특성과 관련하여 1가지 서술할 것

118 | 2020 중등B-6

(가)는 지적장애 학생 G의 학부모가 특수교사와 상담한 내용의 일부이고, (나)는 기본 교육과정 중학교 사회과 '마트에서 물건 구입하기'를 주제로 지역사회 중심 교수에 기반하여 작성한 수업 지도 계획의 일부이다. 〈작성 방법〉에 따라 서술하시오.

(가) 상담

학 부 모 :	안녕하세요. 학생 G의 엄마입니다. 우리 아이와 같은 증후군의 아이들은 15번 염색체 이상이 원인인데, 가장 큰 특징은 과도한 식욕으로 인한 비만이라고 해요. 그래서 저는 늘 우리 아이의 비만과 합병증이 염려됩니다. ⓐ
특수교사 :	가정에서도 식단 관리와 꾸준한 운동으로 체중 조절을 해 주시면 좋겠어요. 학교에서도 학생 G를 위해 급식 지도와 체육 활동에 신경 쓰겠습니다.
학 부 모 :	네, 그리고 교과 공부도 중요하지만 학생 G가 성인기에 지역사회에서 살아가기 위해 필요한 실제적인 기술을 지도해 주시면 좋겠어요.
특수교사 :	알겠습니다. 학급에서 배운 기술을 지역사회 환경에 적용할 수 있도록 ⓑ'영수준 추측'과 '최소위험가정기준'을 바탕으로 지역사회 중심 교수를 하려고 합니다.

(나) 수업 지도 계획

학습 주제	마트에서 물건 구입하기
지역사회 모의수업	• 과제분석하기 필요한 물건 말하기 → 구입할 물건 정하기 → 메모하기 … (중략) … → 거스름 돈 확인하기 → 영수증과 구매 물건 비교하기 → 장바구니에 물건 담기 • 과제분석에 따라 ⓒ전진형 행동연쇄법으로 지도하기 • 교실에서 모의수업하기
(ⓓ)	• 학교 매점에서 과제 실행하기 ─학교 매점에서 판매하는 물건 알아보기 ─학교 매점에서 구입할 물건 정하기 ─학교 매점에서 물건 구입하기
지역사회 중심 교수	• 마트에서 과제 실행하기

─〈 작성 방법 〉─
• (나)의 밑줄 친 ⓒ의 지도 방법을 서술할 것

119 | 2020 중등B-9

(가)는 정서·행동장애 학생 I, J, K에 대한 김 교사의 행동 중재 지도 내용이다. (나)는 학생 I의 행동계약서 예시이고, (다)는 행동계약 규칙이다. 〈작성 방법〉에 따라 서술하시오.

(가) 행동 중재 지도 내용

• 표적행동 선정
 ─학생 I: 지시 따르기 행동
 ─학생 J: 지시 따르기 행동
 ─학생 K: 지시 따르기 행동
• 표적행동 수행률

회기 학생	기초선			중 재												
	1	2	3	4	5	6	7	8	9	10	11	12	13	14	15
학생 I	10	10	10	70	80	90	90	90	90	90	90	90	90	90	90
학생 J	10	10	10	10	10	70	80	90	90	90	90	90	90	90	90
학생 K	10	10	10	10	10	10	10	70	80	90	90	90	90	90	90

… (하략) …

(나) 학생 I의 행동계약서 예시

우리의 약속

학생 I는 수학 수업 시간에 지시 따르기 행동을 하면, 김 교사는 학생 I에게 점심시간에 5분 동안 컴퓨터 게임을 하게 해준다.

(기간 : 2019. ○○. ○○. ~ 2019. ○○. ○○.)

학생	학생 I	서명	날짜	2019. ○○. ○○.
교사	김 교사	서명	날짜	2019. ○○. ○○.

〈과제 수행 기록〉

회기	1	2	3	4	5	6	7	8	9	10	11	12	13	14	15
학생															
교사															

(다) 행동계약 규칙

ⓐ 계약조건은 계약 당사자 모두에게 공정해야 한다.
ⓑ 계약 초기에는 높은 기준을 설정하여 목표가 달성되도록 한다.
ⓒ 표적행동이 수행된 후에 보상한다.
ⓓ 계약서는 비공개적으로 보관한다.

─〈 작성 방법 〉─
• (가)에서 사용된 단일대상설계를 1가지 쓸 것
• (나)에서 제시되지 않은 행동계약의 구성 요소를 1가지 쓸 것
• (다)에서 잘못된 내용을 2가지 찾아 기호를 쓰고, 바르게 고쳐 쓸 것

120

다음은 유아특수교사 최 교사가 통합학급 김 교사와 나눈 대화의 일부이다. 물음에 답하시오.

최 교사: 오늘 활동은 어땠어요?

김 교사: 발달지체 유아 나은이가 언어발달이 늦어 활동에 잘 참여하지 못했어요.

최 교사: 동물 이름 말하기 활동은 보편적 학습 설계를 적용하여 계획하면 어떤가요?

김 교사: 네, 좋아요.

최 교사: 유아들이 동물 인형을 좋아하니까, 각자 좋아하는 동물 인형으로 놀아요. ㉠나은이뿐만 아니라 유아들의 관심과 흥미를 유도할 수 있도록 유아들이 좋아하는 동물 인형을 준비하고, 유아들이 직접 골라서 놀이를 하게 하면 좋을 것 같아요.

김 교사: 다른 유의 사항이 있을까요?

최 교사: 네, 모든 문제를 해결하기는 어렵겠지만 나은이가 재미있게 놀이 활동을 할 수 있게 하면 될 것 같아요. 그리고 ㉡나은이의 개별화교육목표는 선생님이 모든 일과 과정 중에 포함시켜 지도할 수 있어요. 자유놀이 시간에 유아들이 동물 인형에 관심을 보이고 놀이 활동에 열중할 때 나은이에게 동물 이름을 말하게 하는 거예요. 예를 들어, "이건 뭐야?"라고 물어보고 "호랑이"라고 대답하면 잘 했다고 칭찬을 해요. 만약, 이름을 말하지 못하면 ㉢"어흥"이라고 말하고 ㉣호랑이 동작을 보여주면, 호랑이라고 대답할 거예요.

---

3) ㉢과 ㉣의 촉구 유형을 쓰시오.

　㉢ :

　㉣ :

121

다음은 유치원 초임 유아특수교사 김 교사와 동료 유아특수교사 박 교사가 나눈 대화 내용의 일부이다. 물음에 답하시오.

박 교사: 선생님, 우현이의 1학기 개별화교육지원팀 협의회 준비는 잘 되고 있나요?

김 교사: 네, 등원에서 하원까지의 전체 일과에서 우현이의 적응 정도를 잘 살펴보고 있어요.

박 교사: 요즘 우현이는 등원할 때 울지 않고 엄마와 잘 헤어지던데, 우현이의 IEP 목표는 무엇이 좋을까요?

김 교사: 우현이는 교사가 제시하는 놀잇감에는 1~2분 정도 관심을 보이지만, 또래가 같이 놀자고 해도 반응을 잘 보이지 않아요. 그리고 스스로 놀잇감을 선택하지는 않지만, 친구들이 노는 것을 바라보고 있는 시간이 많아요. 그래서 ㉠'우현이는 제시된 2가지의 놀잇감 중 1가지를 스스로 선택하여 친구 옆에서 3분 이상 놀 수 있다.'를 우선적인 목표로 설정하려고 해요.

박 교사: 우현이가 목표 행동을 습득했다는 것을 확인하려면 평가 기준을 구체적으로 세워야 하는데, 어떻게 할 계획인가요?

김 교사: ㉡1시간 동안의 자유놀이 시간 중 선택하는 기회를 제공하였을 때 스스로 몇 번 선택했는지 빈도를 기록하여 비율을 측정하려고 해요. ㉢이 목표 행동 습득을 확인할 수 있는 또 다른 측정 차원으로 무엇이 있을까요?

---

2) ㉠의 목표를 평가할 때 ㉡을 고려하여 ㉢을 2가지 쓰시오.

122 2021 유아A-3

(가)는 유아특수교사 박 교사와 최 교사, 통합학급 김 교사가 5세 발달지체 유아 지호에 대해 나눈 대화이고, (나)는 지호의 울음 행동 원인을 알기 위해 실시한 실험적 기능평가 결과이다. 물음에 답하시오.

(가)

[9월 7일]

김 교사: 신입 원아 지호가 일과 중에 갑자기 울음을 터뜨리는 일이 많은데 기질상의 문제일까요?

박 교사: 글쎄요. 지호가 울기 전과 후에 어떤 일이 있었는지 자세히 살펴봐야 할 것 같아요.

최 교사: 지호를 둘러싼 사회적 맥락과의 상호작용도 중요한 것 같아요. 지호가 다녔던 기관은 소규모이고 굉장히 허용적인 곳이었다니, 지호에게 요구하는 것이 크게 달라진 것이죠. 지호뿐만 아니라 ㉠지호 어머니도 새 선생님들과 관계를 맺고 소통하는 것이 큰 부담이시래요. 이런 점도 영향이 있겠지요? [A]

박 교사: 네, 다양한 관점을 통합하여 봐야 할 것 같습니다. 다음 회의 때까지 울음 행동 자료를 직접 관찰 방법으로 수집해 볼게요.

[9월 14일]

김 교사: 박 선생님, 지호의 울음 행동이 주로 어떤 시간에 발생하던가요?

박 교사: 어느 시간에 많이 발생하는지, 또 혹시 발생하지 않는 시간은 있는지 시간대별로 알아본 결과 큰 책 읽기 시간에 울음 행동이 가장 많이 발생하고, 실외 활동 시간에 가장 적었어요. [B]

최 교사: 큰 책 읽기 시간에는 아마도 유아들이 붙어 앉다 보니 신체적 접촉이 생겨서 그러는 것 같아요.

김 교사: 지호가 좋아하는 박 선생님이 앞에서 책 읽어주시느라 지호와 멀어지게 되는 것도 이유인 것 같아요.

박 교사: 그럼, 두 가지 이유 중 어떤 것이 맞는지 가설로 설정하여 검증해 봐야겠어요.

(나)

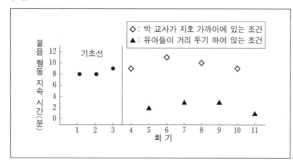

2) ① [B]에서 박 교사가 사용한 직접 관찰 방법은 무엇인지 쓰고, ② 지호의 울음 행동 기능은 무엇인지 (나)에 근거하여 쓰시오.

①:

②:

123   2021 유아A-5

(가)는 통합학급 박 교사와 최 교사, 유아특수교사 김 교사가 지적장애 유아 은미와 민수의 행동에 대해 협의한 내용의 일부이고, (나)는 민수의 관찰 기록지이다. 물음에 답하시오.

(가)

[3월 23일]

김 교사 : 은미와 민수가 통합학급에서 또래들과 잘 어울리고 있는지 궁금해요.

박 교사 : 은미는 혼자 있는 걸 좋아하고 자기표현이 거의 없어요. 그래서인지 친구들도 은미와 놀이를 안 하려고 해요. 오늘은 우리 반 현지가 자기 장난감을 은미가 가져갔다고 하는데 은미가 아무 말도 하지 않아서 오해를 받았어요. 나중에 찾아보니 현지 사물함에 있었어요.

김 교사 : 은미가 많이 속상해 했겠네요. ㉠은미가 자신에게 억울한 상황을 자신의 입장에서 분명하게 이야기할 수 있도록 지도해야겠어요. 최 선생님, 민수는 어떤가요?

최 교사 : 민수가 활동 중에 갑자기 자리를 이탈해서 아이들이 놀라는 경우가 많아요. 그래서 친구들이 민수 옆에 앉지 않으려고 해요. 민수의 이런 행동은 이야기 나누기 활동에서 많이 나타나는 것 같아요.

김 교사 : 선생님들의 말씀을 듣고 보니, 은미와 민수가 속해 있는 통합학급 유아들을 대상으로 ㉡또래지명법부터 해 봐야겠다는 생각이 들어요.

박 교사 : 네, 좋은 생각이네요.

최 교사 : 그런데 김 선생님, 요즘 민수가 자리이탈 행동을 더 많이 하는 것 같아서 걱정이 되네요.

김 교사 : 그러면 제가 민수의 행동을 관찰해 보고 다음 주에 다시 협의하는 건 어떨까요?

최 교사 : 네, 그렇게 하는 것이 좋겠어요.

[4월 3일]

최 교사 : 선생님, 지난주에 민수의 행동을 관찰하기 위해 이야기 나누기 활동을 촬영하셨잖아요. 결과가 궁금해요.

김 교사 : 네, ㉢민수의 자리이탈 행동의 원인이 선생님의 관심을 얻기 위한 것으로 확인되었어요.

최 교사 : 그렇군요. 그러면 민수의 자리이탈 행동을 줄이려면 어떻게 해야 할까요?

김 교사 : ㉣자리이탈을 하지 않고도 원하는 강화를 받을 수 있게 하여 문제 행동의 동기를 제거할 수 있는 전략을 적용해 보는 것도 좋을 것 같아요.

(나)

- 아동 : 김민수
- 관찰자 : 김○○
- 관찰 장면 : 이야기 나누기 활동
- 관찰 행동 : 자리이탈 행동

날짜	시간	행동 발생	계	관찰 시간	분석
3/26	10:00~10:15	✓✓✓✓	5	15분	약 3분마다 1회씩 발생함
3/27	10:00~10:14	✓✓✓	4	14분	
3/30	10:00~10:16	✓✓✓✓✓	6	16분	
3/31	10:00~10:15	✓✓✓✓	5	15분	

3) ① ㉢과 (나)를 활용하여 ㉣의 구체적인 방법을 쓰고, ② ㉣을 사용할 때 나타날 수 있는 문제점을 1가지 쓰시오.

① :

② :

124

(가)는 5세 통합학급 박 교사와 유아특수교사 윤 교사의 대화 내용이고, (나)는 토큰 경제를 활용하여 발달지체 유아 건우의 행동을 중재하기 위한 자료이다. 물음에 답하시오.

(가)

박 교사 : 오늘 술래잡기 놀이에 다른 유아들은 재미있게 참여했는데, 수지는 잘 참여하지 못하더라고요. 왜 그랬을까요? 윤 교사 : ㉠ 수지가 또래에 비해 체력이 약해서 달리기를 조금만 하면 금방 힘들어 해요. ··· (중략) ··· 박 교사 : 윤 선생님, 건우가 자동차나 좋아하는 물건을 차지하기 위해 또래를 밀쳐서 다툼이 잦아요. 윤 교사 : 그래요?　　　　　　　　　　　　　　　　 [A] 박 교사 : 친구를 아프게 하려고 일부러 그러는 것 같지는 않아요. 윤 교사 : 그렇군요. 그런 공격성은 유아가 성장하면서 타협이라는 것을 알게 되면 감소한다고 해요. 그런데 연령이 많아짐에 따라 점차 ㉡ 적대적 공격성이 나타날 수 있어요.

(나)

3) ① (나)와 ② ㉢은 어떤 행동중재전략인지 각각 쓰시오.

①:

②:

125

다음은 5세 발달지체 유아 슬비의 통합학급 박 교사와
유아특수 교사 최 교사의 대화이다. 물음에 답하시오.

박 교사: 선생님, '과일'이 놀이 주제인데 어떤 활동이 좋을
까요?
최 교사: 네, '과일 꼬치 만들기'를 하면 어떨까요?
박 교사: 재미있겠네요. 활동 과정을 이야기해 주시겠어요?
최 교사: 우선 사과와 배의 맛을 보며 동기 유발을 해요. 그
러고 나서 깍두기 모양의 조각난 사과와 배를 가
지고 자유롭게 과일 꼬치를 만들게 하면 좋을 것
같아요.
박 교사: 그런데 저는 수학적 탐구 활동도 경험하게 해 주
고 싶은데요. 이와 관련된 활동은 어떤 것이 있을
까요?
최 교사: 슬비와 유아들이 자유롭게 과일 꼬치를 만들어 봤
으니까 이번에는 규칙성을 경험할 수 있게 패턴
꼬치를 만들어 보게 하면 되겠지요. 예를 들면,
㉠'사과-배/사과-배/사과-배'와 같은 과일 꼬치
를 만들어 보는 거예요. 그 다음에 긴 꼬챙이를 가
지고 ㉡'사과-배/사과-배-배/사과-배-배-배/사
과…'와 같은 형태의 패턴을 만들게 해 주세요. 그
러면 유아들이 여러 가지 패턴을 경험할 거예요.
박 교사: 선생님, 그런데 슬비는 협응과 힘 조절에 어려움
이 있어서 과일을 꼬챙이에 끼울 때 많이 힘들어
할 것 같아요. 어떻게 하면 슬비가 활동에 보다 더
쉽게 참여할 수 있을까요?
최 교사: 선생님께서 ㉢반응촉구로 지원하면 좋겠네요.
박 교사: 선생님, '과일 꼬치 만들기'와 관련해서 확장 활동
으로 추천할 만한 과학적 탐구 활동이 있을까요?
최 교사: 그러면 확장 활동은 사과를 활용해서 ㉣물리적 변
화와 ㉤화학적 변화를 경험할 수 있게 하면 좋겠네
요. ㉥필요한 준비물은 믹서와 강판 그리고 과일
깎는 칼과 그릇이에요. 이 활동을 할 때 슬비가 활
동 도우미로 참여하면 좋겠고요 활동이 2개이니 저
와 함께 진행해요.

2) 슬비의 특성을 고려하여 ㉢의 유형을 쓰시오.

126

다음은 5세 통합학급 발달지체 유아 민지와 또래들의
바깥놀이 중 대화이다. 물음에 답하시오.

(유아들이 바깥 놀이터에서 모래에 물을 섞어서 공 모양의
아이스크림 만들기 놀이를 하고 있다.)
지우: 아이스크림이 열 개나 돼. 더 많이 만들어서 아이스크
림으로 성을 만들자.
서준: 그럼 문부터 만들자.
민지: 응. 문 하자.
지우: 그래. (손으로 문을 가리키며) 문 앞에 연결해서 ┐
만들자. 민지야, 여기 문 앞에 놓아. │
민지: 응. (민지는 자기 앞에 놓는다.) │
서준: 아니. 민지야, 문 앞에 놓는 거야. │ [A]
지우: 선생님, 민지가 아이스크림을 자꾸 자기 앞에만 │
놓아요. │
교사: 그래요? 민지는 문 앞에 놓는 걸 자기 앞에서부 ┘
터 놓기 시작하는 줄 알았나 보네요.
문 앞에 놓는 것을 누가 보여 줄까요? ┐
지우: 제가 보여 줄게요. 민지야, 여기야 여기. 여기에 │
다 놓아. │ [B]
교사: 민지야, 지우가 아이스크림을 어디에 놓고 있어 │
요? 지우가 놓는 것을 보고 민지도 놓아 봐. │
민지: (아이스크림을 문 앞에 놓고) 됐다! ┘
교사: 잘했어요. 민지야, 잘할 때마다 선생님이랑 어떻 ┐
게 하기로 약속했지요? │ [C]
민지: (엄지를 추켜세우며) 민지 최고! 민지 잘했다! ┘
… (중략) …
지우: 아, 이제 집에 갈 시간이야. 우리 다 못 만들었는 ┐
데, 내일 계속해서 성을 완성하자. │
서준: 비가 와서 망가지거나 다른 애들이 부수면 어떻 │
게 하지? │
교사: 다 부서져도 다시 만들 수 있도록 선생님이 사진 │ [D]
을 찍어 놓으면 어떨까요? │
민지: 네, 찍어요. │
서준: 선생님, 여기 좀 잘 찍어 주세요. │
지우: ㉠얘들아, 내일 계속 또 만들자. ┘

2) [C]에서 나타난 자기관리 유형을 쓰시오.

127

(가)는 사회과 수업 설계 노트의 일부이고, (나)는 상황 간 중다기초선설계 그래프이다. 물음에 답하시오.

(가) 수업 설계 노트

○ 기본 교육과정 사회과 분석
  • 내용 영역: 시민의 삶
  • 내용 요소: 생활 속의 질서와 규칙, 생활 속의 규범
  • 내용 조직: ㉠나선형 계열구조
○ 은수의 특성
  • 3어절 수준의 말과 글을 이해함
  • 말이나 글보다는 그림이나 사진 자료의 이해도가 높음 [A]
  • 통학버스 승하차 시, 급식실, 화장실에서 차례를 지키지 않음
○ 목표
  • 순서를 기다려 차례를 지킬 수 있다.
○ 교수·학습 방법
  • '사회 상황 이야기'

문제 상황
은수는 수업을 마치고 통학버스를 타러 달려간다. 학생들이 통학버스를 타려고 줄을 서서 기다리고 있을 때 맨 앞으로 끼어든다.

[B]

○ 평가 방법
  • 자기평가
    – 교사에 의해 설정된 준거와 비교하기
    – (㉡)와/과 비교하기
    – 다른 학생들의 수준과 비교하기
  • 교사 관찰: ㉢상황 간 중다기초선설계
  • 부모 면접

(나) 상황 간 중다기초선설계 그래프

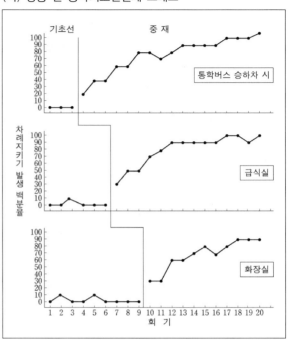

3) ① ㉡에 들어갈 비교 준거의 예를 1가지 쓰고, ② ㉢과 대상자 간 중다기초선설계를 비교하여 차이점을 1가지 쓰며, ③ (나)에서 첫 번째 중재 후 두 번째 중재의 투입 시점을 결정하는 기준을 1가지 쓰시오.

①:

②:

③:

128 ▨▨▨▨▨▨▨▨▨▨ 2021 초등B-5

(가)는 중도중복장애 학생 건우의 현재 담임 김 교사와 전년도 담임 이 교사가 나눈 대화이고, (나)는 김 교사가 작성한 수업 계획안의 일부이다. 물음에 답하시오.

(가) 김 교사와 이 교사의 대화

김 교사 :	건우를 위한 실과 수업은 어떤 방향으로 지도하면 좋을까요?
이 교사 :	건우에게 어릴 때부터 지역사회 기술을 직접 가르치는 것이 좋습니다. 이번 마트 이용하기 활동부터 계획해 보세요.
김 교사 :	네, 좋아요. 그런데 요즘 ㉠코로나 19 때문에 밖에 나가기 어렵고, 그렇다고 학교에 마트가 있는 것도 아니에요.
이 교사 :	지난번 구입한 머리 착용 디스플레이(Head Mounted Display ; HMD)를 활용하는 것이 좋을 것 같아요
김 교사 :	그 방법으로는 부족하지 않을까요?
이 교사 :	맞아요. ㉡최대한 지역사회 기술 수행 환경과 유사하도록 학습 환경을 구성해야 해요. 그리고 다양한 사례를 가르쳐 배우지 않은 환경에서도 수행할 수 있도록 계획해야 해요.

… (중략) …

김 교사 :	건우가 실습수업에 잘 참여하지 않아서 걱정이에요.
이 교사 :	초등학교 저학년 때부터 매번 실패를 경험하다 보니 이제는 할 수 있는 것조차 하지 않으려 한답니다.
김 교사 :	그렇다면 성공 경험을 주는 것이 필요하겠군요.
이 교사 :	과제를 잘게 쪼갠 후, ㉢일의 순서와 절차에 따라 수행하도록 지도하는 것이 도움이 될 겁니다.

(나) 수업 계획안

활동주제	쇼핑 카트에 물건 담기
단계	내용
활동 1	○신체적 도움으로 연습하기 1. 교사는 힘을 주어 학생의 손을 잡고, 학생은 교사의 도움을 받아 카트에 물건을 담는다. ↓ 2. 교사는 힘을 주어 학생의 손목을 잡고, 학생은 교사의 도움을 받아 카트에 물건을 담는다. [A] ↓ 3. 교사는 힘을 주어 학생의 팔꿈치를 잡고, 학생은 교사의 도움을 받아 카트에 물건을 담는다. ↓ 4. (　　㉣　　)
활동 2	○독립적으로 연습하기

3) (나)의 [A]에서 적용한 용암법(fading)의 유형을 쓰고, [A]의 마지막 단계인 ㉣에 들어갈 교사와 학생의 행동을 각각 1가지씩 쓰시오.

① 유형 :

② 교사 행동 :

③ 학생 행동 :

129

다음은 정서·행동장애 학생 A에게 '책상 닦기' 기술을 지도하기 위해 두 교사가 나눈 대화이다. 괄호 안의 ㉠, ㉡에 해당하는 내용을 순서대로 쓰시오.

> 김 교사: 학생 A는 산업체 현장실습 기간 중에 '책상 닦기' 과제를 잘 수행하지 못했습니다.
>
> 박 교사: 네, 그런데 학생 A는 '책상 닦기'를 할 때, 하위 과제 대부분을 습득하여 새로 가르칠 내용이 없는데도 전체적인 업무 완성도가 다소 부족합니다.
>
> 김 교사: 그렇다면 과제 분석을 통해 하위 과제들을 일련의 순서대로 수행할 수 있게 (㉠)을/를 적용하는 것이 좋을 것 같습니다. 하위 과제의 수가 많지도 않고 비교적 단순한 과제여서 적용하기 적합한 방법입니다.
>
> 박 교사: 그렇군요. 이뿐만 아니라 학생 A는 '책상 닦기'를 언제 시작해야 할지 잘 모르고 있습니다.
>
> 김 교사: 그와 같은 경우에는 선생님이 손뼉을 쳐서 신호를 주는 방법이 있습니다. '책상 닦기' 행동에 앞서 '손뼉 치기'라는 일정한 행동을 지속적으로 반복해 '손뼉 치기'가 '책상 닦기' 행동 시작에 관한 단서임을 제공하는 것입니다.
>
> 박 교사: '손뼉 치기'가 '책상 닦기'를 시작하게 하는 (㉡)이군요.

130

다음은 자폐성장애 학생 B에게 저비율행동 차별강화(DRL)를 적용하기 위해 두 교사가 나눈 대화이다. 밑줄 친 ㉠과 ㉡에 해당하는 DRL의 유형을 순서대로 쓰시오.

> 백 교사: 선생님, 학생 B가 수업 시간에 질문을 너무 많이 합니다.
>
> 천 교사: 수업 시간에 평균 몇 번 정도 질문을 합니까?
>
> 백 교사: 약 20번 정도 합니다.
>
> 천 교사: 그렇다면 백 선생님은 학생 B가 수업 시간에 몇 번 정도 질문하는 것이 적당하다고 생각하십니까?
>
> 백 교사: 저는 전체 수업 시간 동안 약 5회 정도면 적당하다고 생각합니다.
>
> 천 교사: 그러면 학생 B에게 ㉠전체 수업 시간 45분 동안에 평균 5회 또는 그 이하로 질문을 하면, 수업을 마친 후에 강화를 해 준다고 말하십시오. 학생 B에게 이런 기법이 잘 적용될 것 같습니다.
>
> 백 교사: 제 생각에는 전체 수업을 마친 후에 강화를 하는 것보다 ㉡학생 B가 한 번 질문을 한 후, 8분이 지나고 질문을 하면 즉시 강화하는 것이 좋겠습니다.

131

2021 중등A-10

(가)는 ABC 분석 방법으로 학생 F의 문제행동을 수집한 자료의 일부이고, (나)는 학생 F에 대하여 두 교사가 나눈 대화이다. 〈작성 방법〉에 따라 서술하시오.

(가) 문제행동 수집 자료

피관찰자: 학생 F
관찰자: 김 교사
관찰일시: 2020. 11. 20.

시간	선행 사건(A)	학생 행동(B)	후속 결과(C)
13:00	"누가 발표해 볼까요?"	(큰 소리로) "저요, 저요."	"그래, F가 발표해 보자."
13:01		"어… 어…" (머뭇거린다.)	"다음에는 대답을 제대로 해 보자, F야."
13:02		(웃으며 자리에 앉는다.)	
13:20	"이번에는 조별로 발표를 해 봅시다."	(큰 소리로) "저요, 저요."	(F에게 다가가서) "지금은 다른 조에서 발표할 시간이에요."
13:21		(교사를 바라보며 미소 짓는다.)	
13:40	"오늘의 주제는 …."	(교사의 말이 끝나기도 전에) "저요, 저요." (자리에서 일어난다.)	"지금은 선생님이 말하는 시간이에요."
13:41		(교사를 바라보며 미소 짓는다.)	

(나) 대화

김 교사: 선생님, 지난 수업에서 학생 F의 문제행동을 평가해 보니 그 기능이 (㉠)(으)로 분석되었습니다.

박 교사: 그렇다면 문제행동을 줄이기 위해 어떻게 하면 될까요?

김 교사: 몇 가지 방법 중 하나는 ㉡학생 F가 그 행동을 하더라도 반응하지 않는 것입니다. 그렇지만 이 방법은 ㉢문제행동이 일시적으로 더 심해지는 현상이 나타날 수 있기 때문에 예방적 차원의 접근이 필요합니다.

박 교사: 예방적 차원의 행동 중재 방법으로는 무엇이 있나요?

김 교사: ㉣문제행동을 예방하기 위해 학생 F의 문제행동을 유지시키는 요인을 미리 제공하는 방법입니다.

〈작성 방법〉

• (나)의 괄호 안의 ㉠에 해당하는 내용을 (가)를 참고하여 쓸 것
• (나)의 밑줄 친 ㉡에 해당하는 중재 방법을 쓰고, ㉢의 상황이 발생하는 이유를 1가지 서술할 것
• (나)의 밑줄 친 ㉣에 해당하는 중재 방법의 명칭을 쓸 것

132

(가)는 지적장애 학생 F에 대한 지도 중점 사항이고, (다)는 학생 F의 문제 행동 중재 결과이다. 〈작성 방법〉에 따라 서술하시오.

(가) 지도 중점 사항

> • 독립적인 자립생활을 위해 적응행동 기술 교수
> • 수업 중 소리 지르기 행동에 대해 지원

(다) 문제행동 중재 결과

> • 문제행동: 소리 지르기
> • 중재 방법: ㉠타행동 차별강화(DRO)
> • 결과 그래프

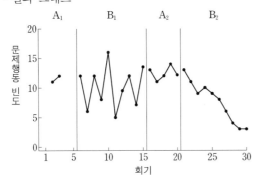

〈 작성 방법 〉
> • 학생 F의 문제행동에 근거하여 (다)의 밑줄 친 ㉠이 적용된 예시를 1가지 서술할 것
> • (다)의 ABAB 설계 적용 과정에서 나타난 오류를 2가지 서술할 것

133

(가)는 교사가 학생 I의 부모에게 요청한 내용을 메모한 것이며, (나)는 학생 I의 부모가 3일 동안 작성한 행동 관찰 결과이다. 〈작성 방법〉에 따라 서술하시오.

(가) 메모

> 〈주요 내용〉
> • 표적 행동: 지시에 대한 반응 지연 시간 줄이기
> • 선행 사건: 컴퓨터 사용을 중지하라는 지시
> • 학생 행동 목표: 컴퓨터 *끄기*
> • 유의 사항
>   ㉠ 의도하지 않은 측정 방법의 오류 또는 기준이 변경되지 않도록 유의함
>   ㉡ 관찰자 반응성에 유의함

(나) 행동 관찰 결과

반응 관찰자	반응 지연 시간(분)		
	11월 1일	11월 2일	11월 3일
아버지	6	10	9
어머니	6	8	10

〈 작성 방법 〉
> • (가)의 밑줄 친 ㉠에 해당하는 용어를 쓰고, (가)의 밑줄 친 ㉡의 의미를 1가지 서술할 것
> • (나)에서 알 수 있는 '총지연 시간 관찰자 일치도'와 '평균 발생당 지연 시간 관찰자 일치도'를 각각 계산하여 쓸 것

134

(가)는 지적장애를 동반한 건강장애 학생 K의 특성이고, (나)는 학생 K에 대한 건강관리 지도 계획이다. 〈작성 방법〉에 따라 서술하시오.

(가) 학생 K의 특성

- 의사소통에 어려움이 있음
- 지속성 경도 천식 증상이 있음
- 흡입기 사용 시 도움이 필요함

(나) 지도 계획

○ ㉠ 최대호기량측정기 사용 지도
  • 매일 일정한 시간에 측정하고 결과를 기록하도록 지도

○ '도움카드' 사용 지도
  • '도움카드' 사용 방법을 학습하기 위해 '1:1 집중시도' 연습 지도
  • 일반화를 위해 다음과 같이 자연스러운 환경에서 '도움카드' 사용하기 연습 지도

  ┌─────────────────────────────┐
  - 환기가 필요할 때 '도움카드'를 이용하여 도움 요청하기
  - 체육 활동 시 '도움카드'를 이용하여 휴식 시간 요청하기   ㉡
  - 수업 시간에 갈증을 느낄 때 '도움카드'를 이용하여 물 마시기 요청하기
  - 흡입기 사용 시 '도움카드'를 이용하여 교사에게 도움 요청하기
  └─────────────────────────────┘

○ 기타 교육적 지원
  ㉢ 교실에 천식 유발인자가 재투입되지 않는 특수 필터가 장착된 공기청정기를 사용한다.
  ㉣ 학생이 천식 발작의 징후인 흉부 압박, 연속적으로 터져 나오는 기침 등의 증상을 자각할 수 있도록 지도한다.
  ㉤ 천식 발작이 나타나면 증상이 잠잠해질 때까지 기다린 후에 조치를 취하도록 한다.
  ㉥ 학교의 모든 사람이 천식에 대한 지식을 갖출 수 있도록 교육을 실시한다.
  ㉦ 천식 발작이 일어났을 때 대개는 앉은 자세보다 누운 자세를 취하도록 하는 것이 바람직하다.
  ㉧ 일반적으로 적절한 운동은 도움이 되므로 준비 운동 후 운동에 참여하도록 한다.

〈 작성 방법 〉
• (나)의 ㉡에 해당하는 목표 기술 연습 방법을 1가지 쓸 것

135

다음은 통합학급 김 교사와 유아특수교사 박 교사가 나눈 대화의 일부이다. 물음에 답하시오.

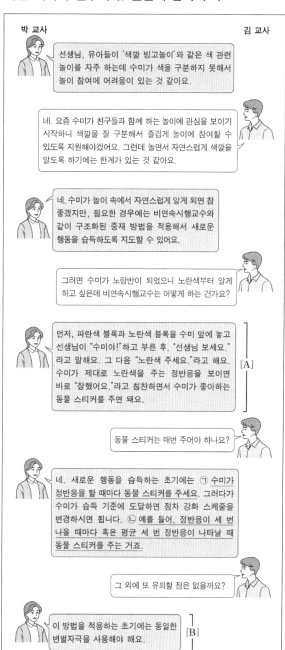

2) ① ㉠에 해당하는 강화 스케줄이 무엇인지 쓰고, ② ㉡과 같은 강화 스케줄을 사용하는 이유를 1가지 쓰시오.

① :

② :

136 2022 유아A-2

(가)와 (나)는 유아특수교사가 윤희와 경호에게 실행한 중재 기록의 일부이다. 물음에 답하시오.

(가) 윤희

- 친구와의 상호작용 향상을 위해 3가지 목표행동을 선정하여 또래교수를 실시함
- ㉠중재 종료 한달 후 각각의 목표행동 빈도를 측정함
- ㉡도움 요청하기는 기초선 단계에서 목표행동이 증가함

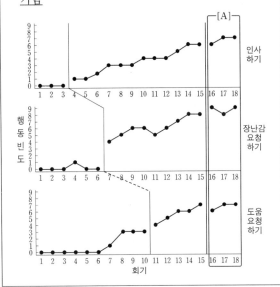

(나) 경호

- 경호가 자유놀이 시간에 음성출력기기를 사용하여 "같이 놀자"라고 말하도록 지도함
- 경호가 "같이 놀자"라고 말하면 또래들이 같이 놀이하도록 지도함
- 음성출력기기 사용 기술은 아래와 같이 지도함

활동 시간	자유놀이	날짜	2021년 ○월 ○일	
목표 행동	음성출력기기 스위치를 눌러 또래에게 놀이 요청하기			
지도 내용	신체적 도움	시각적 도움	언어적 도움	단서
	경호의 손을 잡고 스위치를 함께 누름	(생략)	(㉢)	스위치를 가리킴

- 중재 결과, 경호가 또래에게 놀이를 요청하는 행동이 증가함
- 바깥놀이 시간에도 경호가 음성출력기기를 자발적으로 사용하여 또래와 놀이하는 행동이 관찰됨

1) (가)에서 ① 중재를 위해 사용한 설계 방법을 쓰고, ② ㉠에 해당하는 [A]단계의 목적을 쓰시오. ③ 그래프에 근거하여 ㉡의 이유를 쓰시오.

①:

②:

③:

2) (나)에서 ① ㉢에 해당하는 지도내용을 쓰고, ② 경호의 목표 행동을 증가시킨 자연적 강화 요인이 무엇인지 쓰시오.

①:

②:

137 ━━━━━━

(가)는 자폐성장애 유아 재우의 행동 특성이고, (나)는 유아특수 교사 최 교사와 홍 교사가 나눈 대화 내용이다. 물음에 답하시오.

(가)

ⓐ 매일 다니던 길로 가지 않으면 울면서 주저앉는다.

ⓑ 이 닦기, 손 씻기, 마스크 쓰기를 할 수 있지만 성인의 지시가 있어야만 수행한다.

ⓒ 이 닦기 시간에 "이게 뭐야?"라고 물으면 칫솔을 아는데도 칫솔에 있는 안경 쓴 펭귄을 보고 "안경"이라고 대답한다.

ⓓ 1가지 속성(예 색깔 또는 모양)만 요구하면 정확히 반응하는데 2가지 속성(예 색깔과 모양)이 포함된 지시에는 오반응이 많다.

(나)

최 교사: 선생님, 재우에 대한 가족진단 내용을 보면서 지원 방안을 협의해 봐요.

홍 교사: 네. 재우 부모님은 재우의 교육목표에 대해 다양한 요구가 있으신데, 그중에서도 재우가 혼자 할 수 있는 일은 시키지 않아도 스스로 하기를 가장 원한다는 의견을 주셨어요. [A]
그리고 교육에도 적극적이셔서 가정에서 사용할 수 있는 지도방법에 관심이 많으세요.

최 교사: 그럼, 부모님의 의견을 반영해서 개별화교육계획 목표를 '성인의 지시 없이 스스로 하기'로 정해요. 재우의 행동특성을 고려해 보면 중심축반응훈련을 적용해서 지도하면 좋을 것 같아요.

홍 교사: 네. 지시가 있어야만 행동하는 특성에는 중심(축)반응 중에서 자기관리 기술을 습득하도록 지도해야겠지요?

최 교사: 네. 먼저 이 닦기부터 적용해 보죠. 재우가 이 닦기 그림을 보고 이를 닦고 난 후, 스티커를 붙여서 수행 여부를 확인하는 시각적 자료를 활용하면 좋을 것 같아요. [B]

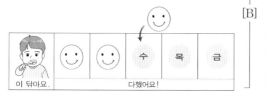

홍 교사: 이 자료를 재우 어머니에게 보내 드려서 가정에서도 지도할 수 있게 해야겠어요.

최 교사: 좋아요. 그리고 재우는 ㉠ 제한적인 자극이나 관련 없는 자극에 반응하는 특성이 있기 때문에 중심(축) 반응 중 (㉡)을/를 증진시켜야겠어요.

··· (하략) ···

2) ① (나)의 [B]에서 재우에게 적용하고자 하는 자기관리 전략의 유형을 쓰고, ② 이 전략의 지도 목적을 재우의 행동 특성에 근거하여 1가지 쓰시오.

①:

②:

138 　　　　　　　　　　　　　2022 유아A-6

(나)는 교사들이 통합교육협의회에서 나눈 대화의 일부이다. 물음에 답하시오.

(나)

> 김 교사 : 선생님, 연우가 신체활동에 더 많이 참여하면 좋겠어요. 어떻게 하면 좋을까요?
>
> 최 교사 : ⑩ 연우가 점토를 가지고 노는 것을 좋아하니까 프리맥 원리를 적용해 보는 것이 적절할 것 같은데요.
>
> 김 교사 : 네, 알겠습니다. 그리고 연우가 음식을 먹기 전에 손을 씻었으면 좋겠는데 어떻게 지도하면 좋을까요?
>
> 최 교사 : 연우의 여러 특성을 고려해 볼 때 토큰강화 방법이 적절할 것 같은데요. 토큰강화를 하려면 먼저 연우가 수행해야 할 (ㅂ)을/를 알려주셔야 해요. 그리고 토큰을 모았을 때 무엇으로 교환하고 싶은지 연우와 함께 정하면 됩니다. 그 다음에 몇 개의 토큰을 모아야 교환할 수 있는지와 교환 시기를 알려 주세요.

3) (나)에서 ① ⑩을 고려하여 연우를 신체활동에 참여시키는 방법의 예를 쓰고, ② ㅂ에 들어갈 토큰강화체계의 구성요소를 쓰시오.

　　①:

　　②:

139 　　　　　　　　　　　　　2022 유아B-1

다음은 통합학급 김 교사와 유아특수교사 박 교사가 나눈 대화의 일부이다. 물음에 답하시오.

> 박 교사 : 선생님, 우리 아이들의 노는 모습이 참 다양하죠?
>
> 김 교사 : 오늘 수희와 영미는 병원놀이를 했고, 재우와 인호는 퍼즐놀이를 했어요. 민우는 혼자서 종이 블록을 가지고 쌓기놀이를 하고 있었어요. 마침 지수가 그 옆을 지나다가 민우 옆에 앉더니 자기도 민우처럼 종이 블록을 가지고 쌓기놀이를 하더라고요. 그런데 지수와 민우는 서로 상호작용을 하지는 않았어요.　[A]
>
> … (중략) …
>
> 김 교사 : 지수가 '같은 그림 찾기' 놀이를 할 때에 좀 어려워하던데, 이런 경우에는 어떻게 가르칠 수 있을까요?
>
> 박 교사 : 네, 촉구법을 사용할 수 있어요. ㉠ 지수가 '같은 그림 찾기' 놀이를 할 때, 찾아야 하는 그림 카드는 지수가 잘 볼 수 있도록 가까이에 두고 다른 그림 카드는 조금 멀리 두는 거예요.
>
> 김 교사 : 아, 그렇군요. 전에 태호가 좀 충동적이고 산만했었는데, 최근에는 ㉡ 태호가 속삭이듯 혼잣말로 "나는 조용히 그림책을 볼 거야."라고 말하며 그림책을 꽤 오랫동안 잘 보더라고요.
>
> 박 교사 : 네. 사실은 얼마 전부터 태호에게 자기교수법으로 가르치고 있었어요. 자기교수법은 충동적이고 주의 산만한 아이에게 효과가 있다고 해요.
>
> 김 교사 : 그럼 자기교수법은 어떻게 가르치나요?
>
> 박 교사 : 자기교수법에는 5단계가 있어요. 첫 번째 인지적 모델링 단계에서는 교사가 유아 앞에서 "나는 조용히 그림책을 볼 거야."라고 말하며 책을 보는 거예요. 두 번째 외적 모방 단계에서는 교사가 말하는 자기 교수 내용을 유아가 그대로 따라 말하면서 그림책을 보는 것입니다. … (중략) … 마지막으로 다섯 번째는 ㉢ 내적 자기교수 단계가 있어요.

2) ㉠에 해당하는 촉구(촉진, prompt) 유형을 쓰시오.

140

(나)는 유아특수 교사가 작성한 일지의 일부이다. 물음에 답하시오.

(나)

현장체험학습 사전답사를 가 보니, '미션! 지도에 도장 찍기' 코너가 인기가 있었다. 도장 찍기에 어려움이 있는 현서를 위해 아래와 같이 도장 찍기 기술을 세분화하고 연쇄법을 적용하여 지도하였다.

지도 꺼내기 → 지도 펼치기 → 도장 찍을 곳 확인하기 → 도장에 잉크 묻히기 → 도장 찍기 → 지도 접기 → 지도 넣기 ⎤ [B]

현장체험학습에 필요한 기술을 연습할 수 있도록 교실 환경을 꽃 축제의 코너와 유사하게 꾸몄다. 그리고 '미션! 지도에 도장 찍기' 활동에 필요한 자료를 구비하여 현서가 연습할 수 있게 하였다. ⎤ [C]

3) (나)에서 교사가 실시한 [B]가 무엇인지 쓰시오.

141

(나)는 김 교사와 통합학급 최 교사가 나눈 대화의 일부이다. 물음에 답하시오.

(나)

김 교사 : 선생님, 오늘 동그라미 모둠은 나이 구슬 목걸이를 만들었어요.

최 교사 : 맞아요, 예쁘게 잘 만들었더라고요. 그런데 목걸이를 만들던 자리가 정리되지 않았어요. 어떻게 하면 동그라미 모둠 친구들이 놀던 자리를 정리할 수 있을까요?

김 교사 : 음, 그러면 ⓒ모둠의 모든 유아가 정해진 기준에 도달했을 때, 모둠 전체를 강화하는 방법을 적용해서 유아들과 약속해 보세요. 혹시 동그라미 모둠 친구들 모두가 좋아하는 것이 있을까요?

최 교사 : 네, 요즘 터널놀이를 너무너무 좋아해요. 그러면 ⓒ유아들과 어떤 약속을 하면 좋을까요?

2) (나)의 ① ⓒ에 해당하는 강화 방법이 무엇인지 쓰고, ② ⓒ을 적용하여 ⓒ에서 최 교사가 동그라미 모둠 유아들과 약속할 내용을 쓰시오.

① :

② :

142

(가)는 특수학교 독서 교육 교사 학습 공동체 협의회에 참여한 교사들의 대화 내용의 일부이고, (나)는 지수의 행동 관찰 기록이다. 물음에 답하시오.

(가) 대화 내용

김 교사: 우리 반 학생들의 생활지도를 위해서 저는 그림책을 활용해 볼 계획이에요. 학생들 수준과 상황에 맞는 그림책을 선정하고 교육과정을 재구성하려고 해요.

박 교사: 독서 활동을 통해서 생활지도를 교과 지도와 연계 하는 것은 좋은 시도예요. 그림책을 교과 지도에 활용하면 ㉠학생들이 글을 재미있게 읽으면서 문학이 주는 즐거움을 경험할 수 있어요.

김 교사: 그런데 우리 반 지수가 요즘 놀이실에서 친구들을 자주 괴롭혀서 어떻게 생활지도를 해야 할지 고민이에요.

이 교사: 그러면 현재 지수의 행동이 어느 정도 수준인지를 알아보기 위해서 놀이 상황에서 관찰해 보세요.

김 교사: 아, 그럼 관찰 결과를 보고 지수를 어떻게 지도할지 구체적인 계획을 세우는 게 좋겠네요.
(며칠 뒤)

박 교사: 선생님이 지수와 함께 그림책을 읽으면서 선생님의 사과하는 말을 따라해 보게 하는 식으로 ㉡비계를 제공(scaffolding) 하는 건 어때요?

김 교사: 좋은 방법인 것 같아요. 문장 완성 카드 같은 전략도 활용해 봐야겠어요.

이 교사: 그리고 ㉢학생들의 생활 속에서 일어나는 다양한 경험을 중심으로 주제를 선정하고 교과를 연결해서 수업을 해 보면 어떨까요?
…(하략)…

(나) 지수의 행동 관찰 기록

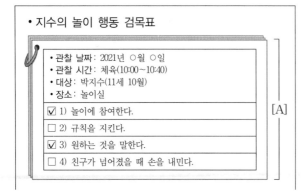

2) (나)의 [A]와 [B]를 통해서 지수에 대해 수집한 행동 정보의 기록 방식이 어떻게 다른지 차이점을 쓰시오.

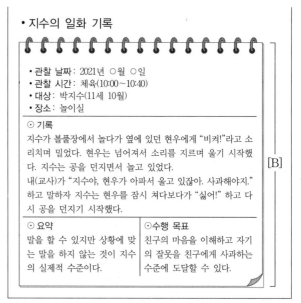

143 2022 초등A-5

다음은 4학년 자폐성 장애 학생 성규의 통합학급 수업 지원을 위한 통합학급 교사와 특수교사의 협의록 일부이다. 물음에 답하시오.

〈통합교육 지원 협의록〉
··· (중략) ···

❑ 교과: 사회
　단원명: 지역의 위치와 특성

가. 통합학급 수업 운영 및 지원
　○이번 주 수업 중 행동 관찰

학습 활동	• 지도의 기본 요소 알아보기
성규의 수업 중 수행특성	－ 지도 그리기에 관심이 없고 자신 　이 좋아하는 위치에만 스티커를 　붙이려고 고집함 － 함께 사용하는 스티커를 친구가 　가져가면 소리를 지름 [A] － 친구들의 농담에 무표정하고 별다 　른 반응이 없음 － 활동 안내를 그림 카드로 제시했 　을 때 활동의 참여도가 높아짐

　○다음 주 수업지원 계획

학습 활동	• 우리 생활에서 지도를 어떻게 활용하는 　지 알아보기 • 우리 지역의 중심지 알아보기 　－ ㉠3학년 사회과에서 다루는 학교 주 　　변의 '우리 고장'에서 범위를 넓혀, 4 　　학년 때는 '시·도' 규모의 지역 중심 　　지를 탐색하고 답사하기
성규를 위한 수정계획	• 지도의 주요 위치에 스티커로 표시해주기 • 시각적 일과표와 방문하게 될 장소에 　대한 안내도 제시하기 • 현장학습 시, 친구들과의 상호작용을 돕 　고 지켜야 할 규칙을 알 수 있도록 ㉡상 　황이야기 또는 좋아하는 캐릭터를 삽입 　한 파워카드 적용하기

나. 수업 참여를 위한 행동지원
　○사회과 수업 중 소리 지르기 행동에 대한 행동지원 계획 수립
　○성규의 소리 지르기 행동 기능분석

㉢ ABC 분석

선행사건	행동	후속 결과
수업 중 제공된 스티커를 모두 사용해버림	소리 지르기	스티커 제공
스티커를 사용하지 않는 다음 활동을 위해 스티커를 회수함	소리 지르기	계속 수업 진행

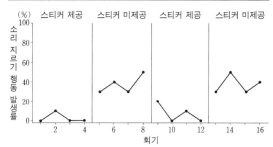

〈성규의 소리 지르기 행동 기능분석 그래프〉

　○중재 내용
　　－ 선행사건 중재: 스티커의 일일 사용량을 미리 정함
　　　스티커를 사용하는 활동을 사전에 안내함
　　－ ㉣대체행동 중재
　　－ 강화 계획: ㉤대체행동의 교수 초기에는 변동간격강화를 사용함

3) ① ㉢에 근거하여 성규에게 적용한 ㉣의 기능을 쓰고, ② 반응 효율성을 고려하여 ㉤이 적절하지 <u>않은</u> 이유를 쓰시오.

①:

②:

144 | 2022 초등B-3

다음은 특수학교에 근무하는 최 교사의 수학 수업에 대한 성찰 일지이다. 물음에 답하시오.

성찰 일지	
성취기준	[4수학04-03] 반복되는 물체 배열을 보고, 다음에 올 것을 추측하여 배열한다.
단원	㉠ 9. 규칙 찾기
학습목표	ABAB 규칙에 따라 물건을 놓을 수 있다.

　　오늘은 모양을 ABAB 규칙에 따라 배열하고 규칙성을 찾는 수업을 하였다.
　　㉡규칙성이라는 추상적 개념 지도를 위해 구조적으로 동형이면서 다양한 구체물을 활용하는 수업이었다.

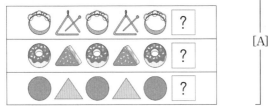

[A]

　　구체물을 이용한 수업이라서 그런지 학생들이 흥미 있게 참여하였다.
　　오늘 연습 문제에서 대부분의 학생들은 물건을 잘 배열하는 것으로 보아 이제 ABAB 규칙을 익숙하게 다룰 수 있는 것으로 판단된다. 그런데 나영이는 ㉢ABAB 규칙을 습득하였으나 가끔 순서가 틀리고, 모양을 찾는 데 시간이 오래 걸렸다. 나영이도 ABAB 규칙에 익숙해지려면 많은 연습이 필요할 것 같다.
　　하지만 나영이는 주의 집중력이 부족하여 오래 연습하기가 어렵다. 그래서 ㉣나영이가 좋아하는 스티커를 활용하여 나영이에게 고정비율강화 계획을 적용하면 좀 더 적극적으로 수업에 참여할 수 있을 것 같다.
　　내일은 다양한 규칙에 대해 배우게 되는데 학생들의 흥미를 높이고 학생들이 다양한 자극에 반응할 수 있도록 여러 가지자료를 사용해야겠다. 이렇게 하면 우리 학생들이 ㉤수업 시간에 사용한 상황과 자료가 아닌 다른 상황과 자료에서도 규칙대로 배열할 수 있지 않을까 생각해 본다.

2) ㉣을 적용한 예를 쓰시오.

3) ㉤에 해당하는 일반화의 유형을 쓰시오.

145 | 2022 중등A-4

다음은 중도중복장애 학생 A에게 신발 신기 및 신발 정리하기를 지도하기 위해 특수 교사가 작성한 지도 계획의 일부이다. ㉠에 해당하는 지도 전략을 쓰고, 밑줄 친 ㉡의 촉진 유형을 쓰시오.

□ 신발 신기
• 과제분석 : 찍찍이가 부착된 신발 신기

1단계	신발장에서 신발 가져오기
2단계	신발의 찍찍이 떼기
3단계	신발에 발 넣기
4단계	신발의 뒷부분을 잡고 발꿈치를 신발 안에 넣기
5단계	신발의 찍찍이 붙이기

• 지도 방법

교사가 1단계에서 4단계까지 미리 해 준 상태에서 학생 A에게 5단계의 과제를 제시하여 지도함

⇩

학생 A가 5단계의 행동을 습득하면, 교사가 3단계까지를 미리 해 준 상태에서 4단계의 과제를 지도하고, 학생 A가 5단계를 수행하도록 함

⇩

학생 A가 4단계의 행동을 습득하면, 교사가 2단계까지를 미리 해 준 상태에서 3단계의 과제를 지도하고, 학생 A가 4단계와 5단계를 수행하도록 함

… (중략) …

학생 A가 2단계의 행동을 습득하면, 교사가 1단계의 과제를 지도하고, 학생 A가 2단계부터 5단계까지를 수행하도록 함

⇩

최종적으로 학생 A가 모든 단계를 스스로 할 수 있도록 함

㉠

… (중략) …

□ 신발 정리하기
• 학생 A가 신발장에 자신의 신발을 넣을 수 있도록 신발장 위 벽에 ㉡신발을 넣는 순서를 나타내는 그림을 붙여 놓음

146

다음은 품행장애 학생 D에 관해 통합 교사와 특수 교사가 나눈 대화의 일부이다. 〈작성 방법〉에 따라 서술하시오.

통합 교사: 선생님, 우리 반에 전학 온 학생 D에게 품행장애가 있다고 합니다. 품행장애는 어떤 건가요?

특수 교사: 품행장애는 다른 사람의 기본 권리를 침해하고 나이에 맞는 규범과 규칙을 지속적이고 반복적으로 위반하는 행동을 하는 것을 말합니다.

통합 교사: 품행장애로 진단하기 위한 구체적인 기준이 있나요?

특수 교사: 예, 품행장애로 진단하려면 (㉠), 재산 파괴, 사기 또는 절도, 심각한 규칙 위반에 포함된 하위 15가지 항목 중에서 3가지 이상의 행동을 12개월 동안 보이고, 이로 인해 학업적·사회적으로 현저한 손상이 있어야 합니다.

통합 교사: 그렇군요. 품행장애는 아동기 발병형이 청소년기 발병형보다 예후가 더 안 좋다고 하던데요. 그 둘은 어떻게 구분하나요?

특수 교사: 예, 이 둘은 증상이 나타나는 시기로 구분할 수 있습니다. 아동기 발병형은 (㉡)에 품행장애의 특징적인 증상을 한 가지 이상 보이는 경우를 말합니다.

… (중략) …

통합 교사: 선생님, 학생 D가 보이는 문제행동의 원인이 ㉢부모의 부적절한 양육 태도나 또래와의 부정적 경험과 관련이 있나요?

… (중략) …

특수 교사: 그리고 학급에서 학생 D가 모둠별 활동에 참여할 때에는 ㉣독립적 집단유관을 사용하는 것이 좋을 것 같습니다.

─〈 작성 방법 〉─
• 밑줄 친 ㉣과 '종속적 집단유관'과의 차이점을 성취 기준 측면에서 1가지 서술할 것

147

(가)는 지적장애 학생 D에 관해 통합 교사와 특수 교사가 나눈 대화의 일부이고, (나)는 행동지원 계획의 일부이다. 〈작성 방법〉에 따라 서술하시오.

(가) 대화

통합 교사	선생님, 요즘 학생 D가 책상에 머리를 부딪치는 행동을 자주 하고, 또 자기 자리에서 일어서서 교실을 돌아다녀요.
특수 교사	책상에 머리를 부딪치는 행동은 (㉠)에 해당하고요, 교실을 돌아다니는 행동은 방해 행동에 해당합니다.
통합 교사	그럴 땐 어떤 것을 먼저 중재해야 할까요?
특수 교사	(㉠)을/를 우선적으로 중재해야 합니다.
통합 교사	그렇군요. 그러면 학생 D의 문제행동은 '책상에 머리를 부딪친다.'가 되는 건가요?
특수 교사	아닙니다. 문제행동은 ㉡조작적 정의의 방법으로 진술해야 합니다. 예를 들어, 학생 D가 '책상에 머리를 부딪치는 행동'을 조작적으로 정의하면, (㉢)와/과 같이 표현할 수 있습니다.
	… (중략) …
통합 교사	선생님, 학생 D는 수학 학습지를 받으면 문제행동을 하는 것 같아요.
특수 교사	그것을 정확히 알기 위해서 기능 평가를 실시할 필요가 있어요.
	… (중략) …
특수 교사	기능 평가 결과, 수학 학습지가 어려워서 과제를 회피하기 위하여 그런 문제행동이 나타나는 것으로 보입니다. 우선, 문제행동을 촉발하는 요인을 변화시키거나 제거하는 (㉣) 중재를 계획할 필요가 있습니다.

(나) 행동지원 계획

〈행동지원 계획〉	
배경사건 중재	• 충분한 휴식 시간 부여
(㉣) 중재	• 과제 난이도 조정 • 과제 선택 기회 부여
대체행동 교수	• 기능적 의사소통 훈련 실시
후속결과 중재	• 타행동 차별강화 실시

〈작성 방법〉
- (가)의 괄호 안 ㉠에 공통으로 들어갈 문제행동 유형을 쓸 것
- (가)의 밑줄 친 ㉡의 개념을 서술하고, 괄호 안의 ㉢에 해당하는 예를 1가지 서술할 것
- (가), (나)의 괄호 안 ㉣에 공통으로 들어갈 용어를 쓸 것

148

(가)는 지적장애 학생 E의 문제행동에 관해 초임 교사와 경력 교사가 나눈 대화의 일부이고, (나)는 학생 E의 표적행동을 관찰한 결과이다. 〈작성 방법〉에 따라 서술하시오.

(가) 대화

초임 교사: 선생님, 학생 E가 수업 시간에 앉아 있지 못하고, 교실을 돌아다니거나 산만하게 행동하더라고요. 학생 E의 문제행동 변화를 위해 관찰 결과표를 작성하여 먼저 기초선을 측정해야 할 것 같은데요.

… (중략) …

경력 교사: 학생 E에게 그 중재 방법이 효과가 있을 것 같아요. 그렇다면 표적행동에 대한 중재 효과는 어떻게 평가해 볼 계획인가요?

초임 교사: 중재를 실시하면서 착석행동 시간이 얼마나 증가하는지 지속해서 측정해 볼까 해요. 그런데 목표수준은 어떻게 잡으면 좋을까요? 지금은 착석행동 시간이 매우 짧아요.

경력 교사: 그렇게 표적행동이 지나치게 낮은 비율이나 짧은 지속시간을 보이는 경우에는 최종 목표를 정하고, 이에 도달하기 위한 중간 목표들을 세우고 단계적으로 성취하도록 하여 중재 효과를 극대화하는 방법을 사용할 수 있어요.

초임 교사: (㉠)을/를 말씀하시는 건가요?

경력 교사: 네, 맞아요. 성취수행 수준의 단계적 변화에 맞게 일관성 있게 표적행동이 [A] 변화한다면, 행동의 변화는 중재 때문이라고 볼 수 있겠지요.

초임 교사: 착석 행동을 보이기는 하지만, 자세의 정확도가 떨어지고 지속시간이 짧은 학생 E에게는 유용하겠네요. 처음부터 90~100%를 목표 수준으로 잡지 않고 단계별로 목표달성 수준을 점차적으로 늘려 간다면, 학생 E도 성취감을 느낄 수 있을 것 같아요.

(나) 관찰 결과

관찰 대상자	학생 E		관찰자	초임 교사
관찰 환경	• 특수학교 중학교 2학년 3반 교실, 교탁을 정면으로 바라보는 자리 • 국어 시간			
표적행동	• 착석행동: 자신의 등을 의자에 붙이고 다리를 아래로 내린 상태로, 교탁 방향으로 책상과 의자를 정렬하여 앉아 있는 행동			

시간	행동 발생			지속 시간
	횟수	시작 시간	종료 시간	
09:30 ~ 10:00 (30분)	1	9시 35분 25초	9시 36분 15초	50초
	2	9시 42분 05초	9시 42분 45초	40초
	3	9시 50분 20초	9시 51분 05초	45초
	4	9시 55분 40초	9시 56분 25초	45초
관찰 결과 요약			지속시간 백분율 (㉡)	

─〈 작성 방법 〉─

• (가)의 괄호 안 ㉠에 해당하는 단일대상설계 방법의 명칭을 [A]에 근거하여 쓸 것
• 괄호 안 ㉠의 장점을 반전설계(reversal design)와 비교하여 윤리적 측면에서 이로운 이유를 1가지 설명할 것
• (나)에서 사용한 관찰 기록법 명칭을 쓰고, 괄호 안의 ㉡에 해당하는 지속시간 백분율을 쓸 것

149

다음은 발달지체 유아 서우를 위한 행동지원계획서의 일부이다. 물음에 답하시오.

• 기본정보

이름	서우	생년월일	2017. ○. ○.
기능평가	2022. 4. 4.~4. 15.	행동지원계획	2022. 4. 18.
의사소통 특성	• 간단한 단어로 표현 가능함 • 일상적인 말을 이해하고 간단한 지시 따르기가 가능함		

… (하략) …

• ABC 관찰 요약

A	B	C
교사가 다른 유아와 상호작용 하고 있음	소리 내어 울기	교사가 서우를 타이르고 안아 줌

• 문제행동 동기평가척도(MAS) 결과

구분	감각	회피	관심 끌기	선호물건/ 활동
문항점수	1. 1 5. 1 9. 2 13. 1	2. 1 6. 2 10. 1 14. 4	3. 5 7. 4 11. 5 15. 5	4. 1 8. 3 12. 3 16. 2
전체점수	5	8	19	9
평균점수	1.25	2	4.75	2.25

* 평정척도: 전혀 그렇지 않다 0점 ~ 항상 그렇다 6점

• 기능평가 결과를 토대로 설정한 가설

가설	㉠

• 기능분석 결과: 변인 간 기능적 관계가 입증됨

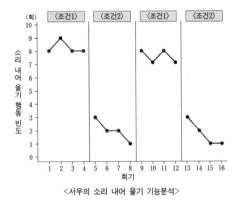

<서우의 소리 내어 울기 기능분석>

• 행동지원계획

…(하략)…

1) 가설 설정의 구성 요소를 포함하여 ㉠에 들어갈 가설을 쓰시오.

2) '서우의 소리 내어 울기 기능분석' 그래프를 보고, ① 기능 분석을 위해 사용한 연구 설계 방법을 쓰고, ② 〈조건2〉는 무엇인지 쓰시오.

①:

②:

3) 서우를 위한 행동지원계획 수립 시, ① 중재과정 중 서우의 소리 내어 울기 행동이 나타날 때 적용해야 하는 행동지원 방법의 명칭을 쓰고, ② 서우에게 지도할 교체기술(replacement skills)의 예를 1가지 쓰시오.

①:

②:

150   2023 유아A-4

(가)는 유아특수교사가 자폐성장애 유아 지수를 위해 작성한 지원 계획이며, (나)와 (다)는 교사가 제작한 그림책이다. 물음에 답하시오.

(가)

- 지수의 특성
  - 그림책 읽기를 좋아함
  - 공룡을 좋아하여 혼자만 독차지하려고 함
  - 얼굴 표정(사진, 그림, 도식)을 보고 기본 정서를 말할 수 있음
- 지원 계획
  - 상황이야기 그림책과 마음읽기 그림책으로 제작하여 지도하기
  - 교사가 제작한 그림책을 ㉠ 매일 지수가 등원한 직후와 놀이 시간 직전에 함께 읽기
  - 참여도를 높이기 위해 지수가 그림책을 읽을 때마다 공룡 스티커를 주어 5개를 모으면 ㉡ 공룡 딱지로 바꾸어 주기

1) (가)의 ① ㉠에서 교사가 적용한 중재 방법의 장점을 집중 시행과 비교하여 1가지 쓰고, ② ㉡은 토큰 강화체계의 구성 요소 중 무엇에 해당하는지 쓰시오.

　①:

　②:

151   2023 유아A-7

(나)는 유아특수교사 강 교사와 통합학급 최 교사가 나눈 대화의 일부이다. 물음에 답하시오.

(나)

최 교사 : 선생님, 놀이 참여도가 낮은 유아를 위해 강화 방법을 적용해 봐요.

강 교사 : 그러면 좋겠어요.

최 교사 : 먼저, 강화에 대해 정리해 볼게요. ㉡ 정적강화는 행동 결과로 원하는 것을 주어 그 행동이 증가되거나 유지되게 하는 것을 말해요. ㉢ 부적강화는 행동 결과로 싫어하는 자극을 피하게 되어 행동이 감소하는 것을 말해요. 그리고 ㉣ 강화제를 제공할 때 유아가 포만 상태이면 효과를 높일 수 있어요. 마지막으로 ㉤ 강화제를 효과적으로 사용하기 위해서는 주기적으로 강화제를 재평가하면 좋아요.

　… (하략) …

3) (나)의 ㉡~㉤ 중 잘못된 내용을 2가지 찾아 그 기호를 쓰고, 각각을 바르게 고쳐 쓰시오.

　①:

　②:

152 　2023 유아A-8

(다)는 병설유치원 개별화교육지원팀 협의 내용의 일부이다. 물음에 답하시오.

(다)

> 임 교사 : 동호에게 좋아하는 자동차를 보여 주면, 동호는 '주세요'라는 의미로 양손을 내미는 동작을 하였어요. 그리고 "이에"라는 음성을 내는 모습이 자주 관찰되었어요.
> 　　　　최근 교사가 들려주는 "주세요" 소리의 입 모양을 동호가 모방하면 강화하고, 양손을 내미는 행동만 할 때는 강화하지 않았더니 점차 "주세요"를 '주'라는 한 음절 [A] 로 표현하기 시작했어요. 차별강화를 통해 동호가 점차 "주세요"를 2음절을 거쳐 한 단어로 표현하게 하려고 해요.
> 권 교사 : 유치원에서 입 모양을 따라 하도록 보여 주면 동호가 모방하려고 애쓰는 모습이 보여서 대견해요.

3) [A]의 행동지원 방법이 무엇인지 쓰시오.

KORSET

153　　　　　2023 유아B-1

(나)는 통합학급 김 교사와 순회교육을 담당한 유아특수교사 박 교사의 대화 내용이며, (다)는 인공와우를 한 청각장애 유아 현우에 대한 관찰 기록의 일부이다. 물음에 답하시오.

(나)

김 교사: 선생님, 이전에는 유아들이 현우의 인공와우를 궁금해하고, 현우가 뭐라고 하는지 잘 몰라서 저에게 물어보곤 했었거든요. 요즘은 서로 표정이나 손짓, 몸짓 등에도 관심을 가지면서 보다 수월하게 소통하고 있어요.
박 교사: 네, 모든 유아가 현우와 의사소통하는 모습을 보이니 좋은 변화입니다. '단짝친구기술훈련(Buddy Skills Training)'을 받은 상미도 친구 역할을 참 잘하고 있네요.
김 교사: 그렇죠. 모든 유아에게 현우 특성과 현우와 의사소통할 수 있는 다양한 방법이 있다는 것을 알려주고, 평소에 현우를 좋아하는 상미에게 단짝친구기술을 훈련시킨 것이 효과적이었어요. 선생님이 순회교육을 나오셔서 함께 고민하고 제시했던 지원 방법이 아이들의 변화에 긍정적으로 작용했어요.
박 교사: 네, 단짝친구기술과 같은 또래 지원 방법은 유아의 행동 변화 측면에서도 의미 있고, 유치원 일과 중에 자연스럽게 적용할 수 있기 때문에 방법적으로도 타당하지요. 그러면 '또래 상호작용 행동 관찰표'도 한번 살펴볼까요?
김 교사: 네, 원감 선생님과 제가 현우의 또래 상호작용 행동을 관찰했어요. 그런데 우리 둘의 관찰 결과에 차이가 있어요.
박 교사: 아, 행동 관찰 시에는 관찰해야 할 행동의 명칭뿐 아니라, 행동에 대한 구체적인 (ⓒ)을/를 해야 합니다.

(다)

또래 상호작용 행동 관찰표			
유아명	현우	생년월일	2017.○.○.
관찰자	김 교사, 원감	관찰 기간	2022.4.11.~4.15.
관찰 시간	10:00~10:30	관찰 장소	통합학급
관찰 행동	또래 상호작용 행동	관찰 방법	빈도 기록

관찰 결과 요약		
관찰 행동	평균 행동 발생 빈도(회)	
	김 교사	원감
시작행동	4	7
반응행동	11	15
확장된 상호작용	3	8

3) (나)와 (다)에 근거하여 ① ⓒ에 제시되어야 하는 내용이 무엇인지 쓰고, ② ⓒ이 필요한 이유를 1가지 쓰시오.

①:

②:

154

(가)는 유아특수교사 강 교사가 발달지체 유아 예지의 통합학급 놀이를 지원하는 모습이고, (나)는 강 교사와 통합학급 박 교사가 나눈 대화의 일부이다. 물음에 답하시오.

(가)

(예지와 또래들이 바깥놀이터에서 물모래 놀이를 하고 있다.)

유아들: 생일 축하합니다~♪ 생일 축하합니다~♪

강 교사: 무슨 놀이 하고 있어요?

현　지: 생일 파티 하고 있어요.

예　지: 나 아기 때 생일 파티 했어.

다　은: 내 생일은 3월 7일이에요.

현　지: 선생님, 바깥놀이가 끝나면 밥 먹어요?

다　은: 오늘은 바깥놀이가 끝나고 책 놀이 하고 나서 밥 먹을 거야.   [A]

강 교사: 맞아요. (물모래 반죽을 가리키며) 이건 뭐예요?

현　지: 예지가 좋아하는 초코 케이크예요. 예지 거랑 내 거랑 두 개 만들었어요.

강 교사: (물모래 반죽 위에 꽂힌 나뭇가지를 가리키며) 그럼, 이건 뭐예요?

예　지: 촛불.

강 교사: 촛불이 예지 케이크에는 두 개, 현지 케이크에는 네 개가 있네요. 촛불은 전부 몇 개예요?

다　은: ⊙ 네 개, 다섯 개, 여섯 개, 그러니까 전부 여섯 개예요.

강 교사: (물모래 반죽 위에 기울어져 있는 나뭇가지를 더 길고 두꺼운 나뭇가지로 바꾸어 꽂아 주며) 이번에는 예지가 촛불이 전부 몇 개인지 말해줄래요?

예　지: ⓛ 하나, 둘, 셋, 넷, 다섯, 여섯, 여섯 개. 전부 여섯 개.

강 교사: 여섯 개. 딩동댕.   [B]

현　지: 자, 이제 다 같이 '후~' 하고 촛불 끄자. 하나, 둘, 셋!

유아들: (나뭇가지를 불면서) 후~

현　지: (접시 위에 물모래 반죽을 담아 주며) 내가 케이크를 나누어 줄게. (야외 테이블을 가리키며) 저기 위에 접시 올려 줘.

강 교사: (야외 테이블 위에 붙어 있는 접시 스티커를 가리키며) 예지도 올려 주세요.

다　은: 짠, 케이크 접시 다 올렸다.

현　지: 자, 그럼 이제 케이크 먹기 시작! 냠냠 맛있다.

예　지: 냠냠 맛있다. (양말을 만지며) 축축해.

다　은: 선생님, 그런데 나도 양말 축축해요.

강 교사: 그러면 바깥놀이 정리하고 교실에 가서 양말을 갈아 신을까요?

(나)

박 교사: 선생님, 오늘 물모래 놀이 하고 나서 양말을 갈아 신었잖아요. 예지가 양말 벗기는 잘했는데 양말 신기는 어려워했어요. 어떻게 지도하면 좋을까요?

강 교사: 네, 선생님. 처음에는 예지의 손을 힘주어 잡고 양말 신기를 지도해 주세요. 그러다가 예지가 혼자서 양말 신기를 시작하면, 점차적으로 손에 힘을 빼면서 손으로 제공하는 물리적 도움을 줄여 주세요. 다음으로는 예지 가까운 곳에서 가벼운 접촉으로 지도해 주다가 마지막에는 예지 몸에서 손을 떼고 예지 가까이에서 지켜보면서 예지가 도움이 필요하면 언제든지 도움을 제공해 주는 방법을 사용해서 예지의 양말 신기를 지도해 주시면 좋을 것 같아요.

3) ⓛ (가)의 [B]에서 가외자극 촉구(extrastimulus prompt)에 해당하는 내용을 찾아 쓰고, ② (나)에서 신체적 촉구의 용암(fading)을 위해 강 교사가 설명한 지도 방법이 무엇인지 쓰시오.

　①:

　②:

155   2023 초등B-3

(나)는 교사들이 나눈 대화 내용의 일부이다. 물음에 답하시오.

(나) 대화 내용

> 김 교사 : 학기 초라서 그런지 동호가 학교생활에 적응을 잘 못 하네요.
>
> 최 교사 : 예를 들면, 어떤 문제가 있나요?
>
> 김 교사 : 교실도 못 찾고, 자기 책상도 못 찾고, 신발도 제자리에 못 넣습니다.
>
> 최 교사 : 그러면 동호에게 가외자극 촉구를 적용해서 ⓐ 신발장에 신발을 제자리에 놓을 수 있도록 도와주는 방법을 한번 써 보면 좋을 것 같아요.
>
> 김 교사 : 감사합니다.
>
> … (중략) …
>
> 김 교사 : 다음 주 슬기로운 생활 수업 주제는 '학교에서 보내는 하루'예요. 어떤 방식으로 수업을 하면 좋을까요?
>
> 최 교사 : 제 경험에 비춰 보면, 그 수업에서 ⓑ 학생들이 자신의 주변 장소나 사람, 환경과 같은 주변의 모습에 관심을 가지고 이해하도록 학교에서의 일과를 사진 찍는 활동으로 하니 참 좋아했습니다.
>
> 김 교사 : 그렇군요. 그리고 ⓒ 동호는 수업이 끝나고 쉬는 시간마다 가방을 메고 집에 가겠다고 해요.
>
> … (중략) …
>
> ⓓ 급식실에서 밥을 먹고 나면 어디로 가야 할지 몰라 복도를 서성거려요.
>
> 최 교사 : 그럼, 동호에게 시각적 일과표를 한번 활용해 보는 건 어떨까요?
>
> 김 교사 : 좋은 생각이네요. 동호는 시각적인 자료를 사용하면 더 쉽게 이해하니까요.

2) (나)의 ⓐ에 해당하는 가외자극 촉구의 예를 1가지 쓰시오.

156   2023 초등B-4

(나)는 수업 설계 노트이다. 물음에 답하시오.

(나) 수업 설계 노트

> • 수업 개요
>   – 단원(제재)명 : 소중한 생명(반려견 돌보기)
>   – 수업 목표 : ⓐ 반려견 돌보기 활동을 통해 생명의 소중함을 알고 실천한다.
>   – 수업 활동
>
> > [활동 1] 반려견 돌보는 방법 알기
> > [활동 2] 반려견 돌보기 사회상황 이야기(social story) 스크립트 만들기
> >
> > 〈반려견 돌보기 사회상황 이야기 스크립트 초안 일부〉
> >
> > > 우리 집에는 강아지가 살고 있다. 학교에서 돌아오면 강아지가 반갑다고 꼬리 치며 자꾸 나에게 다가온다.
> >
> > | | 강아지가 내 앞에 앉아 있고, 나는 강아지를 쓰다듬고 있다. | (ⓑ) |
> > | --- | --- | --- |
> > | | 내가 강아지를 쓰다듬으면 강아지의 기분이 좋아진다. | 조망문 |
> >
> > [활동 3] 스크립트를 통해 반려견 돌보기 실천하기
>
> • 가정과의 수업 연계 및 협조 사항
>   – 가정통신문을 통한 사전 동의 및 안내
>   – ⓒ 가정으로 학습의 장소를 확대하여 실생활에서 적용·실천할 수 있는 관찰, 실습, 조사 등의 활동으로 구성
>   – 사회상황 이야기 자료를 활용하여 지우가 반려견 돌보기 행동을 실천하도록 안내
>   – 행동계약서를 만들고 규칙을 실천할 때마다 (ⓓ)을/를 제공하면 효과적임을 안내

3) ⓓ에 들어갈 말을 쓰시오.

157 2023 중등A-2

다음은 학생 A의 행동을 위해 특수 교사와 통합학급 교사가 나눈 대화이다. 밑줄 친 ㉠에 해당하는 전략의 명칭을 쓰고, 괄호 안의 ㉡에 공통으로 해당하는 강화 계획의 명칭을 순서대로 쓰시오.

통합학급 교사
학생 A가 수업 시간에 선생님의 관심을 얻기 위해 책상을 긁는 행동을 자주 해요. 어떻게 지도 하는 것이 좋을까요?

㉠문제행동과 동시에 발생할 수 없는 행동을 할 때, 선생님이 관심을 주며 강화하는 방법을 사용할 수 있어요.
특수 교사

통합학급 교사
그럼, 학생 A가 '무릎 위에 손을 가지런히 두고 있는 행동'을 할 때마다 관심을 주며 강화해 주면 되나요?

네. 처음에는 '무릎 위에 손을 가지런히 두고 있는 행동'을 할 때마다 강화할 수 있어요. '무릎 위에 손을 가지런히 두고 있는 행동'이 충분히 증가했을 때 점차 간헐적인 강화계획인 (㉡)(으)로 강화 계획을 변경할 수 있어요.
(㉡)의 예를 들어보면, 학생 A가 '무릎 위에 손을 가지런히 두고 있는 행동'을 처음 했을 때 교사는 이 행동을 강화합니다. 이후 평균 5분의 시간이 지난 후 학생 A가 '무릎 위에 손을 가지런히 두고 있는 행동'을 처음 했을 때 교사는 이 행동을 다시 강화합니다.
특수 교사

158 2023 중등A-5

(나)는 학생 A의 행동에 대한 관찰 기록 자료의 일부이 고, (다)는 부분간격기록법을 사용한 관찰자 A와 B의 자료를 비교한 결과이다. 〈작성 방법〉에 따라 서술하 시오.

(나) 학생 A의 행동 관찰 기록 자료

- 목표행동: 갑자기 손목을 꺾으면서 앞·뒤로 빨리 반복적으로 파닥거리는 행동
- 관찰 기록 방법: 전체간격기록법, 부분간격기록법
(실제 행동 발생: ▨)

실제 행동 발생	▨	▨	▨			▨	▨		▨		▨	▨
간격	1	2	3	4	5	6	7	8	9	10	11	12

- 전체간격기록법 사용 시 행동발생비율: 25% ㉠
- 부분간격기록법 사용 시 행동발생비율: 100%

(다) 부분간격기록법을 사용한 관찰자 A와 B의 자료 비교

- 기록 자료

관찰자 \ 간격	1	2	3	4	5	6	7	8	9	10	11	12
관찰자 A	+	+	+	−	+	+	+	+	−	+	+	+
관찰자 B	+	+	+	+	+	+	+	+	+	+	+	+

※ 행동 발생: +, 행동 비발생: −

- 관찰자 간 자료 비교를 위한 계산식과 결과

$$\frac{관찰\ 일치\ 간격\ 수}{관찰\ 일치\ 간격\ 수 + 관찰\ 불일치\ 간격\ 수} \times 100 = 83.33\%$$

〈 작성 방법 〉

- (나)의 ㉠에서 사용한 2가지 기록법의 특성을 순서대로 서술할 것[단, 실제 행동 발생과 비교한 기록의 정확성 측면에서 쓸 것]
- (다)의 과정이 필요한 이유를 1가지 서술할 것

159 | 2023 중등B-10

다음은 자폐성장애 학생 A에게 일상생활 활동 기술을 지도하기 위해 특수 교사가 작성한 수업 구상 메모의 일부이다. 〈작성 방법〉에 따라 서술하시오.

〈수업 구상 메모〉

○ 목적 : 일상생활 활동 기술 지도
○ 수업 시간에 사용할 전략과 유의사항
　－ 전략 : 중심축 반응 훈련(PRT)
　－ 유의사항
　　• 학생의 특성과 흥미를 고려하여 다양한 수업 자료를 준비함
　　• ㉠PRT의 중심축 반응 중 '동기(motivation)'를 향상시키기 위해 준비한 수업 자료를 사용함
　　• PRT의 중심축 반응 중 '동기'를 향상시키기 위해 수업 활동 중 다음 요소를 고려하여 지도함

요소	지도 중점
(㉡)	• 질문에 응답하기 위한 모든 노력에 칭찬하기 • 질문에 응답하기 위한 비언어적 행동에도 긍정적으로 반응하기 • 틀린 반응이더라도 학생의 노력에 긍정적으로 반응하기

○ 촉진 감소 방법 : (㉢)
　－ 학생이 정반응만 보일 수 있는 자극 촉진을 사용함
　－ 반복된 오반응으로 인한 학생의 좌절감 발생을 예방하도록 자극 촉진을 사용함
　－ 최대－최소 촉진을 이용한 용암법을 통해 촉진을 제거함
○ 최대－최소 촉진 적용 시 (㉣)을/를 예방하기 위한 고려사항
　－ 촉진은 가능한 빨리 제거함
　－ 촉진의 수준과 양을 너무 빠르거나 느리지 않게 점진적으로 감소시킴
　－ 촉진을 필요 이상으로 제공하지 않음
　　　　　　　… (하략) …

┌〈 작성 방법 〉
• 괄호 안의 ㉢과 ㉣에 해당하는 용어를 순서대로 쓸 것

160

(가)는 자폐성장애 유아 동주의 특성이고, (나)와 (다)는 유아특수교사 임 교사와 유아교사 배 교사가 동주의 놀이를 지원하는 장면과 임 교사의 지도 노트이다. 물음에 답하시오.

(가)

- 곤충을 좋아함
- 동영상 보기를 좋아함
- 상호작용을 위한 말을 거의 하지 않음
- 상호작용 중 상대방이 가리키거나 쳐다보는 사물, 사람, 혹은 사건을 함께 쳐다볼 수 있음

(나)

동　주: (배 교사를 쳐다보지만 통을 보여 주지는 않는다.)
배 교사: 동주 왔구나.
동　주: (반응하지 않는다.)
임 교사: 동주야, 무당벌레 보여 드리자.
동　주: (반응하지 않는다.)
임 교사: (통을 든 동주의 팔꿈치를 살짝 밀어 주며) 보여 드리자.
동　주: (반응하지 않는다.)
임 교사: (동주의 손을 겹쳐 잡아 통에 든 무당벌레를 배 교사에게 보여주며) 보여 드리자.
배 교사: 와, 동주가 좋아하는 무당벌레구나!
동　주: (교사를 쳐다보며 환하게 웃는다.)

동주의 손을 잡아 곤충을 보여 주도록 지도한 날로부터 2주가 지났다. 촉구가 성공적으로 용암되고 있다. 오늘 내가 팔꿈치를 살짝 밀어 주며 "보여 드리자."라고 말해 주는 단계까지 진행했을 때 동주가 배 선생님에게 곤충을 보여 주었다. 마지막 단계가 용암되어 기뻤다. 나와 배 선생님이 일과 중 자연스럽게 대화 상대자와 촉구 제공자의 역할을 바꾸어 가며 지도해 온 결과이다.

(다)

동　주: (배 교사의 손을 잡아 그림책에 있는 곤충에 갖다 댄다.)
배 교사: 무당벌레.
동　주: (책장을 넘겨 배 교사의 손을 잡아 곤충 그림에 갖다 댄다.)
임 교사: 뭐예요?
동　주: 뭐예요?
배 교사: 사슴벌레.
동　주: (책장을 넘긴다.)
임 교사: 뭐예요?
동　주: 뭐예요?
배 교사: 애벌레.
동　주: (책장을 넘긴다.)

동주에게 제공하고 있는 구어 시범을 용암시키기 위해 며칠 전 놀이시간에 찍어 둔 동영상을 편집했다. 동영상 내용 중에서 내가 구어 시범을 제공하는 장면만 삭제하여 동주가 독립적이고 성공적으로 수행하는 모습이 되도록 했다. 동영상은 동주가 곤충 그림책을 보며 책장을 넘길 때마다 스스로 교사에게 "뭐예요?"라고 묻고 배 선생님이 대답해 주는 장면으로 구성되었다. 내일부터 놀이시간 직전에 동주와 이 동영상을 함께 시청하며 지도해야겠다.

[A]

1) (나)에서 교사들이 실시하고 있는 촉구 용암 절차가 무엇인지 쓰시오.

2) (나)에서 두 교사가 서로 역할을 바꿔 지도함으로써 얻을 수 있는 효과를 유아 측면에서 쓰시오.

3) (다)의 [A]에서 임 교사가 사용할 중재기법이 무엇인지 쓰시오.

161 ▓▓▓▓▓

다음은 유아특수교사 최 교사와 박 교사가 나눈 대화이다. 물음에 답하시오.

[11월 ○○일]

최 교사: 다음 달에 진행할 카드 만들기는 잘 준비되고 있나요?

박 교사: 네. 다양한 재료와 도구를 활용하여 크리스마스 카드를 꾸미려고 해요. 그래서 소윤이가 모양펀치를 활용하여 스티커를 만들어 붙이는 방법을 미리 연습하고 있는데 어려움이 있어요.

최 교사: 어떤 어려움인가요?

박 교사: 단계를 나누어서 관찰해 보니 각각의 단계는 잘 수행하지만 순서대로 수행하는 걸 계속 어려워해요.

최 교사: 소윤이가 단계를 순서대로 수행하는 데만 어려움을 보이고 과제도 복잡하지 않으니 연쇄법 중에서 (㉠)을/를 적용해 보면 좋을 것 같아요. 이 연쇄법은 매 회기마다 모든 단계를 수행하도록 하면서 어려움을 보이면 촉구를 제공하여 지도하는 방법이에요. 모든 단계를 다 수행했을 때는 강화하면 돼요. — [A]

[12월 □□일]

최 교사: 이번 크리스마스 카드 만들기는 어땠어요?

박 교사: 유아들이 정말 즐거워했어요. 특히 소윤이가 모양 스티커를 활용해 카드를 잘 꾸몄어요. 그동안 소윤이의 자율성이 향상된 것이 더 도움이 된 것 같아요.

최 교사: 어떤 방법을 사용하셨어요?

박 교사: 먼저 순서에 따라 카드를 완성하면 좋아하는 트램펄린 타는 것을 약속했어요. 활동 중에는 각 단계마다 그림과제분석표에 동그라미를 그려 점검하게 했고요. ㉡ 활동이 끝난 후에는 스스로 그림과제 분석표를 보고, 사전에 정한 기준대로 모든 단계에 동그라미가 있으면 웃는 강아지 얼굴에 스탬프를 찍게 했어요. 그랬더니 카드 만들기 활동 후 소윤이가 웃는 강아지 얼굴에 표시한 걸 가지고 와서 "소윤이 트램펄린 탈래."라고 말하더라고요.

최 교사: 정말 기특하네요.

박 교사: 네. 그리고 ㉢ 소윤이가 친구들에게 "이것 봐, 이거 내가 했어. 혼자 만든 거야. 많이 연습했어. 잘했지? 예쁘지?"라고 자랑했어요. 소윤이가 자신의 노력 덕분에 잘 완성했다고 생각하더라고요.

최 교사: 소윤이의 자신감이 높아진 것 같아 기쁘네요.

… (중략) …

박 교사: 마지막으로 말씀드릴 내용은 진우 이야기예요. 진우가 ㉣ 어른에게 '안녕하세요'라고 인사를 해야 한다고 배웠잖아요. 그런데 또래나 어린 동생에게도 '안녕하세요'라고 인사를 하더라고요.

최 교사: 그럼 ㉤ 또래나 어린 동생에게 적절히 인사를 할 수 있도록 변별훈련을 하면 되겠어요.

---

1) [A]의 ㉠에 해당하는 용어를 쓰시오.

2) ㉡에서 박 교사가 지도한 자기관리 기술을 쓰시오.

3) ㉤의 예를 1가지 쓰시오.

162 　　　　　　　　　　　　　　　2024 유아A-8

(가)는 유아특수교사 김 교사가 쓴 반성적 저널의 일부
이다. 물음에 답하시오.

(가)

[4월 ○○일]

한 달 동안 연우의 대화를 관찰한 결과, 어휘와 문법에
서는 연령에 적합한 발달을 보였다. 그러나 연우는
㉠ 상황과 목적에 맞게 말을 하는 데 어려움을 보였다.
또한 친구들과 대화할 때 대화 순서를 지키거나 적절
한 몸짓과 얼굴 표정을 나타내는 것에도 어려움을 보
였다.
연우의 의사소통 능력의 향상을 위하여 유치원과 가정
에서 보다 체계적인 지원이 필요하다고 생각했다. 이를
위해 ㉡ 연우의 의사소통 장면을 주의 깊게 관찰하여
그 내용을 간결하고 객관적인 글로 기록하려 한다. 이
자료는 연우의 의사소통 발달 정도를 파악하고 중재를
계획하는 데 도움이 될 것이다. 그리고 연우가 가정에
서 보이는 의사소통의 특징을 파악하기 위해 보호자와
㉢ 비구조화된 면담을 실시하려고 한다.

---

2) (가)에서 ㉡에 해당하는 관찰 기록법을 쓰시오.

163

2024 유아B-2

(가)는 유아특수교사 강 교사와 박 교사가 나눈 대화의 일부이고, (나)는 강 교사가 발달지체 유아 현수의 놀이행동을 관찰 기록한 자료이다. 물음에 답하시오.

(가)

강 교사: 선생님, 우리 반 현수가 매일 작은 포클레인 장난감만 가지고 놀아요.
박 교사: 그런 것 같더라고요.
강 교사: 그래서 다른 놀이나 놀잇감을 제안해 보았는데 전혀 관심을 갖지 않네요.
박 교사: 가끔이라도 가지고 노는 놀잇감이 있나요?
강 교사: 드물지만 탈 수 있는 자동차를 타기는 해요.
박 교사: 그럼 자동차를 좀 더 자주 타고 놀게 하면 좋겠네요.
강 교사: 어떤 방법으로 지도할 수 있을까요?
박 교사: 현수가 좋아하는 작은 포클레인과 탈 수 있는 자동차를 이용해 ㉠ 프리맥 원리(Premack principle)로 지도하면 좋을 거 같아요.
강 교사: 이 두 가지 놀이의 순서를 안내해 주는 시각적 자료를 만들어서 사용하면 현수에게 도움이 되겠네요.

㉡		
먼저	➡	다음

〈놀이 순서 안내 자료〉

(나)

아동	현수	관찰자	강○○
중재 시작	4월 7일	중재 종료	4월 25일
목표 행동	탈 수 있는 자동차를 스스로 선택하여 타면서 논다.		
종료 준거	㉢		
관찰 행동	P(촉진), I(독립적 수행)		

날짜 기회	4/7	4/8	4/9	4/10	4/21	4/22	4/23	4/24	4/25	%*
10	I	I	P	P	I	I	P	I	I	100
9	P	P	P	I	I	P	I	I	P	90
8	P	P	P	P	I	I	I	I	I	80
7	P	P	P	P	I	I	I	I	I	70
6	P	P	I	P	P	I	I	I	I	60
5	P	I	P	I	I	I	P	I	I	50
4	P	P	P	I	I	P	I	I	I	40
3	P	P	I	P	P	I	I	P	I	30
2	P	P	P	P	I	I	I	I	P	20
1	P	P	P	I	I	I	I	I	I	10

[A] 는 4/23, 4/24, 4/25 열 위에 표시됨

➡●➡ 독립적 수행 비율   *날짜별 독립적 수행 비율

1) (가)에서 ① 박 교사가 ㉠을 제안한 이유를 쓰고, ② ㉡에 들어갈 시각적 자료의 내용을 쓰시오.

   ① :

   ② :

2) (가)에서 강 교사가 사용할 강화제 유형을 쓰시오.

3) (나)에서 ① 교사가 사용한 관찰 기록 방법이 무엇인지 쓰고, ② 목표행동과 [A]에 근거하여 ㉢에 들어갈 내용을 쓰시오.

   ① :

   ② :

164

(다)는 지적장애 학생 수아에 대한 담임 교사의 수업 성찰지의 일부이다. 물음에 답하시오.

(다)

> 오늘 '낱말을 말해요' 단원을 마무리했다. 처음에는 수아가 낱말 읽기를 많이 어려워했다. 그래서 국어 시간에 일대일 상황에서 낱말 읽기를 집중적으로 연습했더니 낱말을 술술 읽었다. 그런데 ⓒ 다른 교과의 교과서 지문에 나온 동일한 낱말은 읽지 못했다.
>
> 수아의 일과 내에서 낱말을 읽을 기회를 나누어 제시하는 것이 필요할 것 같다. 수아가 국어 시간에만 낱말 읽기를 집중적으로 연습하기보다는 하루 동안 여러 번에 걸쳐 낱말을 읽을 수 있도록 지도해야겠다.   [D]

3) ① (다)의 [D]에서 적용하고자 하는 교수 방법의 명칭을 쓰고, ② (다)의 ⓒ을 고려하여 [D]에 해당하는 교수 방법이 가지는 장점을 1가지 쓰시오.

    ① :

    ② :

165

(가)는 학습 공동체에서 정서·행동장애 학생 영지에 대해 두 교사가 나눈 대화의 일부이고, (나)는 담임 교사가 실시한 중재의 결과 그래프이다. 물음에 답하시오.

(가)

〈중재 실시 전〉

담임 교사 : 우리 반의 영지는 과제를 제시하면 다른 사람을 때리거나 침을 뱉고, 교실 밖으로 이탈 하는 행동을 하곤 해요.

요즘 들어서 자리 이탈이 점점 더 심해지고 수업 방해와 다른 갈등 상황으로 이어져서 긍정적 행동 지원 계획을 세워야 할 것 같아요. 교실 밖으로 뛰쳐나가는 돌발적인 행동으로 인해 위험한 상황이 발생할 수도 있어서 급히 대응할 수 있도록 (㉠) 계획도 수립해야 되겠어요. [A]

수석 교사 : 영지가 나타내는 행동의 원인이 무엇인지 살펴보셨나요?

담임 교사 : 네, 행동과 관련된 다양한 정보를 수집하고, 수업 시간에 영지의 행동 관찰을 통해 행동과 전후 상황과의 상관관계를 파악했어요. 그리고 과제 난이도를 조작하거나 관심을 적게 두는 조건 등을 설정하여 (㉡)을/를 실시한 결과, 영지가 과제를 회피하고자 할 때 문제 행동을 나타낸다는 것을 알 수 있었어요. [B]

수석 교사 : 그렇군요. 그러면 어떤 중재를 사용하실 건가요?

담임 교사 : ㉢ 지금까지의 강화 요인을 즉시 제거하는 비처벌적 접근을 통해 영지의 문제 행동을 줄일 생각이에요.

수석 교사 : 어떤 연구 설계를 적용하실 건가요?

담임 교사 : AB 연구 설계로 중재할 계획이에요.

수석 교사 : AB 연구 설계는 중재 효과의 입증에 어려움이 있어요. 영지의 세 가지 문제 행동에 동일한 중재를 실시할 때, 기초선 기간이 길 어지거나 문제 행동이 고착되지 않도록 (㉣) 설계로 계획하는 것이 좋지 않을까요? [C]

담임 교사 : 네, 반영하여 실시할게요.

〈중재 실시 후〉

담임 교사 : 선생님, 영지의 때리기와 침 뱉기 행동이 감소했어요. 그런데 자리 이탈 행동에 대해서는 중재효과가 나타나지 않았어요.

(나)

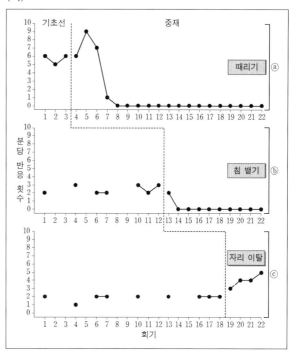

1) ① (가)의 [A]를 근거로 ㉠에 들어갈 긍정적 행동 지원의 요소를 쓰고, ② (가)의 [B]를 근거로 ㉡에 해당하는 용어를 쓰시오.

   ① :

   ② :

2) ① (가)의 [C]와 (나)를 근거로 ㉣에 해당하는 용어를 쓰고, ② (나)의 ⓐ를 근거로 (가)의 ㉢에 해당하는 용어를 쓰시오.

   ① :

   ② :

3) (나)의 ⓒ에서 중재 효과가 나타나지 않은 이유를 (나)의 ⓐ, ⓑ와 비교하여 행동의 기능 측면에서 1가지 쓰시오.

166   2024 초등B-5

(가)는 특수교사와 통합학급 교사가 실과 6학년 수업 계획에 대해 나눈 대화의 일부이고, (나)는 특수교사가 민우의 '프로그래밍 요소와 구조' 수업을 위해 만든 수업 자료의 일부이다. 물음에 답하시오.

(가)

> 통합학급 교사 : 이번 수업에서는 간단한 음식 만드는 순서를 알고리즘과 함께 지도하고, 학생들이 코딩 연습을 해 보게 하려고요.
>
> 특 수 교 사 : 좋은 생각입니다. 학생들이 재미있어 하겠어요.
>
> 통합학급 교사 : 전자레인지로 간단한 음식 만들기 활동을 하려니 ㉠ 교차 오염이 걱정되어서, 학생들이 수업 전 자기점검법을 사용하도록 해야겠어요.

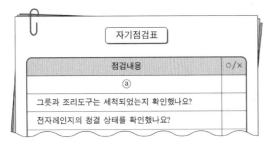

자기점검표

점검내용	○/×
ⓐ	
그릇과 조리도구는 세척되었는지 확인했나요?	
전자레인지의 청결 상태를 확인했나요?	

… (중략) …

> 통합학급 교사 : 민우가 움직임에 제한이 많아서 간단한 음식 만들기 활동에 참여할 수 있을지 고민이에요.
>
> 특 수 교 사 : ㉡ 과제분석이 된 각 단계를 '완료되면 음식 꺼내기'부터 하나씩 배울 수 있도록 지도하면 될 거예요.
> 　　　　　　　 그리고 민우가 전체 활동에 항상 ⎫
> 　　　　　　　 동일하게 참여해야 하는 것은 아 ｜
> 　　　　　　　 니에요. 민우가 최대한 독립적으 ｜
> 　　　　　　　 로 참여할 수 있도록 각 단계를 조 ｜
> 　　　　　　　 정해 주면, 민우가 적극적으로 참 ⎬ [A]
> 　　　　　　　 여할 수 있을 거예요. 민우가 전자 ｜
> 　　　　　　　 레인지에 시간 설정하는 방법을 ｜
> 　　　　　　　 배우는 것은 의미 있을 것 같아요. ⎭
>
> 통합학급 교사 : 그럼 ㉢ 다른 학생들이 간단한 음식 만들기를 하는 동안 민우는 시간 설정을 하기 위해 숫자 쓰기를 연습할 수 있도록 해야겠어요.
>
> 특 수 교 사 : 선생님, 그것은 적절한 활동이 아닌 것 같아요.

(나)

> • 전자레인지로 간단한 음식 만들기 활동 속에서 프로그램의 구조 익히기
>
> | ① 전자레인지 문을 연다. | ④ 시간을 설정한다. | ⎫ |
> |---|---|---|
> | ② 음식을 넣는다. | ⑤ 시작 버튼을 누른다. | [B] |
> | ③ 전자레인지 문을 닫는다. | ⑥ 완료되면 음식을 꺼낸다. | ⎭ |
>
> • 전자레인지로 간단한 음식 만들기 순서 나열하기
>
> … (중략) …
>
> • 음식 만들기 로봇이 다음과 같이 움직이도록 블록을 조립하고 실행하기

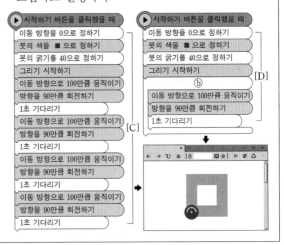

1) (나)의 [B]를 고려하여 (가)의 ㉡에 해당하는 행동지도 방법의 명칭을 쓰시오.

167

(가)는 2015 개정 특수교육 기본 교육과정 미술과 5~6학년군 '눈이 즐거운 평면 표현' 수업 활동에 대한 아이디어 노트의 일부이다.

(가)

○ 자폐성장애 학생 희주의 특성

> • 촉감을 느끼기 위해서 책상 모서리를 계속 문지름
> • 장난감 자동차 바퀴의 회전하는 모습을 보려고 바퀴를 지속적으로 돌림   [A]
> • 끈적임을 느끼기 위해 풀의 표면을 손으로 계속 문지름

○ 수업 방향

> • ㉠ 미술 수업 시간에 물감을 감각적으로 탐색하는 다양한 미술 활동을 지도하고자 함

○ 수업 활동 계획

> • 활동 1: ㉡ 물감 표면의 촉각적인 느낌 탐색하기
>   ↳ ㉢ 물감을 손으로 만지는 활동하기
>
>   … (중략) …
>
> • 활동 2: ㉣ 실그림 기법으로 작품 완성하기
> • 활동 3: (㉤) 기법으로 작품 완성하기

2) (가)의 ㉢을 후속 강화제로 사용한 프리맥의 원리(Premack principle)를 적용해서 ㉣을 지도할 때, ㉢과 ㉣로 활동을 구성하여 쓰시오.

168

다음은 정서·행동장애 학생 A에 대한 특수 교사 A와 B의 대화이다. 〈작성 방법〉에 따라 서술하시오.

> 특수 교사 A: 선생님, 우리 학교에 재학 중인 학생 A가 최근 운동장에서 흙을 입에 넣는 모습을 봤어요. 바로 뛰어갔는데, 벌써 삼켜서 말릴 수가 없었어요. 그런 행동을 예전에도 여러 번 봤어요. ㉠ 학생 A와 같은 행동이 나타나면 의사와 먼저 상담을 하고 진단을 받아 봐야 할 것 같아요. 혹시 특정 영양소가 결핍되어 그런 행동이 발생할 수도 있지 않나 싶습니다.
>
> 특수 교사 B: 그럴 수도 있겠네요. 일전에 학생 A의 담임 선생님과 이야기 나눌 기회가 있었는데 ㉡ 학생 A가 2개월 전부터 갑자기 그런 행동을 했다고 하더라고요. 담임 선생님도 걱정이 많아요. 혹시 학생 A가 그 행동을 했을 때 누군가 관심을 줬고, 그 행동이 계속 관심을 받아서 지속되는 건 아닐까 하는 생각도 들어요. 일단 그 행동의 기능을 파악하는 것이 좋겠습니다.
>
> 특수 교사 A: 일단 원인이 파악되면 시급하게 중재를 시작해야 할 것 같아요.
>
> 특수 교사 B: 네, 그런데 아무리 시급한 상황이라 할지라도 어떤 중재를 도입하고 실행할 때에는 중재 목표의 중요성, ㉢ 중재 절차의 적절성, (㉣) 측면에서 사회적 타당도를 살펴보는 것이 필요하지요.

─〈 작성 방법 〉─
• 교사가 학생 A의 행동 특성을 고려하여 밑줄 친 ㉢의 측면에서 점검해야 할 내용을 1가지 서술하고, 괄호 안의 ㉣에 해당하는 내용을 순서대로 쓸 것

169 　　　　　　　　　　　　　　2024 중등B-5

(가)는 ○○특수학교 고등학교 과정에 재학 중인 자폐성장애 학생 A의 특성이고, (나)는 교감과 담임 교사의 대화이다. 〈작성 방법〉에 따라 서술하시오.

(가) 학생 A의 특성

- 모방이 가능함
- 시각적 자료 처리에 강점을 보임
- 동영상 보는 것을 좋아하고, 영상에 자신이 나오면 흥미를 보임

(나) 교감과 담임 교사의 대화

담임 교사: 교감 선생님, 제가 요즘 학생 A에게 비디오 모델링 중재법으로 '진공청소기로 청소하기'를 가르치고 있습니다. ㉠우선 제가 모델이 되어 우리 교실에서 교실에 있는 진공청소기로 청소하는 과정을 동영상으로 제작했습니다. 그리고 학생에게 그것을 시청하게 한 후 우리 교실에서 그 진공청소기로 청소를 하도록 연습시켰습니다. 학생이 청소를 완료하면 매번 좋아하는 활동을 하게 했고요. ㉡중재 단계를 사전에 계획한 대로 실시한 정도도 확인했습니다.

교　　감: 학생의 행동에 변화가 있나요?

담임 교사: 교실에서는 진공청소기로 청소합니다. 얼마 전 학생 A의 학부모와 상담을 해 보니 ㉢집에서는 진공청소기를 사용하여 청소하지 못한다고 하시더라고요. 왜 일반화가 일어나지 않는 걸까요?

교　　감: 학생 A의 '진공청소기로 청소하기' 행동의 일반화를 촉진하기 위해서는 여러 요소를 고려해 봐야 합니다. 먼저 비디오 모델링에는 선생님께서 모델을 보여 주신 것처럼 ㉣성인 비디오 모델링 중재법도 있지만, ㉤비디오 자기 모델링 중재법이라는 것도 있어요. 학생 A의 특성을 보니 비디오 자기 모델링 중재법의 활용도 고려해 보면 좋겠네요.

─〈 작성 방법 〉─
- (나)의 밑줄 친 ㉡의 개념에 해당하는 용어를 쓸 것
- (나)의 밑줄 친 ㉢의 이유를 밑줄 친 ㉠에서 2가지 찾고, 그에 대한 일반화 촉진 방안을 각각 서술할 것 [단, '이유-방안' 형식으로 쓸 것]
- (나)의 밑줄 친 ㉣과 비교하여 밑줄 친 ㉤의 장점을 심리·정서적 측면에서 1가지 서술할 것

170 　　　　　　　　　　　　　　2024 중등B-10

(가)는 학생 A에 대한 교육 실습생의 관찰 기록이고, (나)는 학생 A에 대한 행동 중재 계획의 일부이다. 〈작성 방법〉에 따라 서술하시오.

(가) 학생 A에 대한 교육 실습생의 관찰 기록

- 관찰 행동: 자리 이탈 행동
  수업 시간에 선생님의 허락 없이 일어나서 엉덩이가 의자에서 떨어진 상태(예 다른 자리로 이동하기, 서서 돌아다니기)
- ㉠ 관찰 기록지

날짜	관찰 시간	행동 발생				합계
		1	2	3	4	
5/16	10:00~10:40	/	//	//	//	7
5/17	10:00~10:40	//	/	/	//	6
5/18	10:00~10:40	/	//	/	/	5
5/19	10:00~10:40	/	/	/	/	4

* note : ㉡ 관찰 기록 결과를 보니 행동 발생이 줄어드는 것처럼 보이나, 학생 A는 여전히 자리에 앉아 있지 않고 돌아다님. 수업 시간 중 자리 이탈 행동이 얼마나 개선되었는지 정확히 파악해야 함

(나) 학생 A에 대한 행동 중재 계획

- 행동 목표: ㉢ 학생 A는 수업 시간에 자리에 앉아 있을 수 있다.
- 중재 계획:
  - 상반 행동 차별 강화
  - 토큰 강화

─〈 작성 방법 〉─
- (가)의 밑줄 친 ㉠에 해당하는 관찰 기록법의 명칭을 쓸 것
- (가)의 ㉡을 참고하여 학생 A의 행동 특성에 적합한 관찰 기록법의 명칭을 쓰고, 그 이유를 1가지 서술할 것
- (나)의 밑줄 친 ㉢의 행동 목표 진술에서 빠진 요소를 1가지 포함하여 학생 A의 행동 목표를 바르게 고쳐 쓸 것[단, 메이거(R. F. Mager)의 행동 목표 진술에 근거하여 쓸 것]

171

다음은 ○○특수학교의 특수 교사와 교육 실습생 A와 B가 중도 뇌성마비 학생 A의 식사 기술 지도에 대해 나눈 대화이다. 〈작성 방법〉에 따라 서술하시오.

교육 실습생 A :	학생 A는 목 조절이 힘들고 위식도 역류가 심합니다. 그래서 씹기를 거부하고 구토 증상도 나타나요.
교육 실습생 B :	그런 경우에는 ㉠ 음식을 작은 조각으로 잘라서 조금씩 자주 제공해야 합니다. ㉡ 식사를 마친 후에도 곧바로 눕지 않고 앉아 있도록 하는 게 좋겠네요.
교육 실습생 A :	학생 A는 기도 폐쇄 현상이 자주 나타납니다.
교육 실습생 B :	그럴 경우 ㉢ 죽(퓌레) 형태로 음식물을 수정하여 제공해야 합니다.
교육 실습생 A :	그렇군요. 그런데 학생 A는 혼자 숟가락을 사용하지 못해서 식사 보조를 해 주는데, 그럴 때 숟가락을 강하게 물고 있어서 치아가 손상될까 봐 걱정이에요.
교육 실습생 B :	우선 숟가락을 바꿔 보는 것은 어떨까요? ㉣ 부드러운 실리콘 소재의 숟가락을 사용하는 것이 좋겠네요. 그리고 ㉤ 교사가 식사 보조를 할 때는 학생 A의 앞에 앉아 지원해야 해요.
교육 실습생 A :	선생님, 학생 A가 혼자 식사를 할 수 있도록 숟가락 홀더(utensil holder) 사용하는 방법을 지도하려는데 간격 시도와 (㉥) 중에 어느 것이 더 적절할까요?
특 수 교 사 :	식사 기술 지도에는 간격 시도가 적절하지 않습니다. 그리고 학생 A는 숟가락 홀더 사용을 새로 배워야 하므로 익숙해지기까지 많은 시간이 걸릴 수 있습니다. 그래서 정해진 점심 시간 이외에도 자연스러운 환경 속에서 간식 시간 등을 이용하여 추가로 지도하는 것이 바람직합니다.
교육 실습생 B :	식사 장소도 고민 중입니다. 식사 중에 친구들이 갑자기 큰 소리를 내거나 뛰면 학생 A는 무척 놀라고 ㉦ 갑작스러운 목 신전 반사가 나타나며 팔을 쭉 벌리면서 무언가를 잡으려 하는 자세를 취하게 됩니다.
특 수 교 사 :	주변 상황 변화에 대해 과도한 반사행동을 가진 학생에게는 편안하고 안정된 느낌을 제공해 주는 것도 필요합니다.

─〈 작성 방법 〉─
• 괄호 안의 ㉥에 해당하는 연습 방법을 쓸 것

172

(나)는 유아 특수교사와 윤서 어머니의 대화이다. 물음에 답하시오.

(나)

교 사 :	어머님, 지난번에 제가 알려 드린 배변 훈련 안내가 도움이 되셨어요?
어머니 :	네, 선생님. 알려 주신 방법대로 지도했더니 효과가 있었어요. 감사드려요. 그런데 고민이 한 가지 더 있어요.
교 사 :	어떤 고민이 있으세요?
어머니 :	윤서가 장난감 정리를 너무 안 해요. 정리를 못하는 것도 아닌데 동생과 놀면서 늘 어놓기만 하지 정리를 안 해요. 그래서 윤서가 놀이한 후에 장난감을 정리하지 않으면 자신이 가지고 놀던 것뿐만 아니라 동생이 가지고 놀던 것까지도 모두 정리하게 하고 있어요. 그러다 보니 윤서도 짜증 내고 저도 너무 힘들어요. [A]
교 사 :	어머님, 그건 벌을 주시는 거예요.

3) (나)의 [A]에서 사용된 행동중재 방법이 무엇인지 쓰시오.

173

다음은 유아 특수교사 김 교사의 반성적 저널이다. 물음에 답하시오.

올해 입학한 4세 지적장애 유아 동호가 보이는 몇 가지 행동 때문에 고민이 많다. 새로운 환경에 적응하기 위해 보이는 모습일 수도 있으므로 앞으로 잘 관찰해 봐야겠다.

… (중략) …

1. 2024년 4월 ○일

- 문제행동: 최근 친구뿐만 아니라 선생님을 때리는 행동이 나타남
- 평가 척도: 동기평가척도(Motivation Assessment Scale : MAS) 검사 결과 때리기 행동의 기능은 '관심 끌기'였음
- 면담 결과: 동호 출산 후 어머니는 산후 우울증이 있었다고 함. 어머니 대신 동호를 양육해 주시던 외할머니가 돌아가셔서 우울증이 더 심해져 동호를 거의 돌보지 못했다고 함 [A]

어머니가 실시한 동기평가척도(MAS) 검사로 동호의 때리기 행동의 기능이 '관심 끌기'임을 알게 되었고, 어머니와의 면담을 통해 애착형성의 문제를 확인하였다. 동호가 평소에 좋아하는 감촉이 부드러운 인형을 준비해서 가끔씩 끌어안을 수 있도록 지원해야겠다.

2. 2024년 4월 □일

- 문제행동: 점심시간에 친구의 반찬을 손으로 집어 먹음

점심시간에 동호가 좋아하는 감자튀김이 나왔다. 동호는 얼른 자신의 감자튀김을 먹고, 친구의 감자튀김을 빼앗아 먹었다. 이 행동을 제지했더니 큰 소리로 울었다. 다음에 더 먹고 싶은 반찬이 나오면 "더 주세요."라고 말하도록 가르쳐야겠다.

3. 2024년 4월 △일

- 문제행동: 대집단 활동 시간에 의자에 기대어 앉아 몸을 앞뒤로 흔드는 행동을 보임

이야기 나누기, 동화책 듣기 활동 시 의자에 기대어 앉아 앞뒤로 몸을 흔드는 행동을 자주 보였다. 동호가 활동에 흥미를 가질 수 있는 방법을 고민해 봐야겠다.

1) 김 교사가 [A]에서 사용한, 행동의 기능평가 방법은 무엇인지 쓰시오.

2) ① 김 교사의 반성적 저널에 나타난 동호의 문제행동 중 가장 먼저 중재해야 할 행동을 찾아 쓰고, ② 여러 가지 문제행동을 동시에 중재하기 어려울 때, 문제행동의 수준에 따른 3가지 유형 중 우선적으로 중재해야 할 유형부터 순서대로 쓰시오.

①:

②:

174

(다)는 유아 특수교사 박 교사와 유아교사 송 교사의 대화이다. 물음에 답하시오.

(다)

> 송 교사: 선생님, 승호가 손가락을 튕기는 바람에 햄버 거 놀이의 흐름이 끊어져 버렸어요. 최근에 그 행동이 자주 보여요. 어떻게 하면 좋을까요?
>
> 박 교사: 이 관찰 기록지를 사용해 보면 좋을 거 같아요.
>
> 송 교사: 네, 그럼 저도 함께 해 볼게요.
>
> 박 교사: 이 관찰 기록지는 비교적 사용하기 쉽고 시각 적인 정보도 제공해 준다는 장점이 있어요.
>
> | 관찰 기록지 | | | | | |
> |---|---|---|---|---|---|
> | 유아명 | 승호 | 관찰 시간 | 09:00~13:00 | | |
> | 표적행동 | 손가락을 튕기는 행동 | | | | |
> | 시간 \ 날짜 | 11/4 월 | 11/5 화 | 11/6 수 | 11/7 목 | 11/8 금 |
> | 09:00~09:10 등원 및 정리 | | | | | |
> | 09:10~09:30 대집단 활동 | | | | | |
> | 09:30~11:40 자유놀이 | | | | | |
> | 11:40~11:50 그림책 읽기 | | | | | |
> | 11:50~12:40 점심시간 | | | | | |
>
> ※ □=0회, ◨=1~3회, ▨=4회 이상
>
> 송 교사: 그렇군요. 선생님이 기록하신 걸 보니, 승호 의 손 튕기기 행동이 그림책을 읽을 때 가장 많이 나타나네요. ⓛ 표적행동의 빈도를 빨리 낮추려면 중재를 바로 시작해야겠어요.

3) (다)에서 ① 박 교사가 제시한 관찰 기록 방법의 사용 목적을 쓰고, ② 밑줄 친 ⓛ이 잘못된 이유 1가지를 쓰시오.

①:

②:

175

(나)는 유아 특수교사 김 교사와 유아교사 민 교사가 나눈 대화 및 김 교사의 수업 장면이다. 물음에 답하시오.

(나)

> 민 교사: 선생님, 오늘 놀이 시간에 대호가 손가락으로 실로폰 음판을 치고 있더라고요. 그래서 제가 여러 번 채를 손에 쥐어 줬는데도 손가락으로 만 치는 바람에 친구들처럼 빗소리가 안 나서 재미있게 하지 못했어요. 어떻게 하면 대호가 친구들과 재미있게 할 수 있을까요?
>
> 김 교사: 네, 선생님. 대호에게 적용할 수 있는 중재 전략이 하나 있어요.
>
> 민 교사: 어떤 중재 전략인가요?
>
> 김 교사: ⓒ 먼저 대호에게 대호가 평소에 쉽게 잘 따르는 몇 가지 행동늘을 하게 해요. 그 행동늘을 잘하면 대호가 하지 않으려 하던 행동을 즉시 하게 해서 자연스럽게 그 행동을 할 수 있게 하는 거예요.
>
> 민 교사: 대호가 평소에 좋아하는 하이파이브 하기, 곰 인형이랑 코 비비기, 윙크하기를 활용하면 되 겠어요.
>
> … (하략) …
>
> 〈중재 전략을 적용한 수업 장면〉
>
> 김 교사: 대호야, 선생님하고 하이파이브를 해 보자.
>
> 대　호: (김 교사와 하이파이브를 한다.)
>
> 김 교사: 엄지 척! 최고! 대호야, 곰 인형이랑 코 비비기를 해 보자.
>
> 대　호: (곰 인형이랑 코 비비기를 한다.)
>
> 김 교사: 대호 멋져! 대호야, 윙크를 해 보자.
>
> 대　호: (윙크를 한다.)
>
> 김 교사: 대호 최고! 멋져! (ⓒ)

3) ① (나)의 밑줄 친 ⓒ에 해당하는 중재 전략의 명칭을 쓰고, ② (나)를 고려하여 괄호 안의 ⓒ에 들어갈 말의 예시를 1가지 쓰시오.

①:

②:

176   2025 유아B-6

(가)는 4세 발달지체 유아 연지의 통합학급 놀이 장면이다. 물음에 답하시오.

(가)

정　민: 연지야, 나 색종이로 뾰족 산 접었어.

연　지: 뾰족 산, 나도 뾰족 산.

최 교사: 연지도 색종이로 뾰족 산 만들어 볼래요?

연　지: (색종이를 만지작거리다가) 나 못해.

최 교사: 연지야, 선생님 잘 보세요. ㉠(정사각형 색종이를 산 모양으로 접는 것을 보여 준다.) 이제, 선생님처럼 접어 보세요.

정　민: 와, 연지도 뾰족 산 만들었다!

하　영: 뾰족 산 위에 뾰족 산을 거꾸로 붙여서 반짝 별 완성!

연　지: 와, 예쁘다.

정　민: 선생님, 반짝 별로 보물찾기 놀이 하고 싶어요.

강 교사: 그럼, 반짝 별을 많이 만들어서 보물찾기 놀이 할까요?

최 교사: 그리고 친구들이 잘 찾을 수 있게 보물찾기 지도도 함께 만들어 봐요.

---

1) (가)의 밑줄 친 ㉠에 해당하는 촉구(prompt) 유형을 쓰시오.

177   2025 초등A-3

(가)는 일반 학교에서 통합교육을 받고 있는 자폐성장애 학생들의 특성이고, (나)는 예비 교사와 특수교사가 나눈 대화의 일부이다. 물음에 답하시오.

(가)

학생	특성
정우	• 2어문 수준에서 말할 수 있음 • 문장으로 말을 할 때, "선생님이 와요."를 "선생님이가 와요.", "밥이 맛있어요."를 "밥이가 맛있어요."라고 말함

(나)

예비 교사: 선생님께서 정우에게 지도하고 있으신 독립시행 훈련의 절차에 대해 알고 싶습니다.

특수교사: 그럼, 예시를 보면서 절차를 설명해 드리겠습니다.

〈시행 1〉

┌─────────────────────────┐
• 교사: (정우의 주의를 집중시킨다.)
• 정우: (교사를 바라본다.)
• 교사: ('사과', '수박', '딸기' 단어 카드를 제시하며) "사과를 골라 보세요."　[C]

　• [정반응] 정우: ('사과' 단어 카드를 골라낸다.)
　• [피드백] 교사: "잘했어요!" (강화제 제공)

　• [오반응] 정우: ('수박' 단어 카드를 골라낸다.)
　• [피드백] 교사: "아니야." ('사과' 단어 카드를 보여 주며) "이게 사과예요."

▶ (㉡)
└─────────────────────────┘

… (하략) …

---

3) (나)의 [C]의 절차에서 정우의 정반응을 이끌어 내기 위한 자극 내 촉구의 예를 1가지 쓰시오.

178   2025 초등A-5

(가)는 특수학교 3학년 학생 은우의 특성이고, (다)는 은우에 대해 특수교사가 작성한 행동 지원 계획의 일부이다. 물음에 답하시오.

(가)

- 수업 중 자주 책상에 엎드린다.
- 칭찬 스티커 받는 것을 좋아한다.
- 친구들과 어울리지 못하고 혼자 논다.
- 친구들과 함께 하는 활동에 소극적으로 참여한다.
- 읽기, 쓰기는 어려워하지만 듣기, 말하기는 어려움이 없다.
- 들은 것을 암기하는 능력이 뛰어난 편이다.

(다)

5월 22일, 이은우
- ○ 표적 행동 : 수업 중 책상에 엎드리기
- ○ 기능 평가 결과 : 교사의 관심 끌기
- ○ 관찰 시간 : 수업 시간 40분, 4분 간격
- ○ 관찰 방법 : 시간 간격 관찰 기록법
- ○ 관찰 결과

0   4   8   12   16   20   24   28   32   36   40(분)

- 전체 간격 관찰 기록 : 표적 행동 30% 발생
- 부분 간격 관찰 기록 : 표적 행동 (ㄹ)% 발생
- 순간 관찰 기록 : 표적 행동 40% 발생

- ○ 중재 계획

중재 기법	기준	후속 결과
(ㅁ)	5분 이상 바른 자세로 앉아 있기	칭찬 스티커 제공

3) (다)의 ① ㄹ에 들어갈 내용을 쓰고, ② ㅁ에 들어갈 내용을 쓰시오.

① :

② :

179 　　　　　　　　　　　　　　　　2025 초등B-1

(가)는 지수를 위한 행동 지원 협의회에서 이루어진 대화의 일부이고, (나)는 담임 교사가 설정한 활동 계획의 일부이다. 물음에 답하시오.

(가)

부장 교사 : 지난번에 말씀하신 지수의 문제행동에 대한 기능분석(Functional Analysis : FA)은 어떻게 되었나요?

담임 교사 : 교차처치설계를 실시했고, 다음 그래프와 같은결과가 나왔어요. 보시는 바와 같이 과제 수행 요구 조건에서 문제행동이 가장 많이 나타났어요.

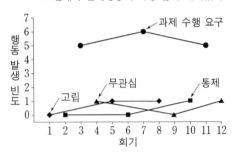

[문제행동의 기능분석 그래프]

부장 교사 : 과제 수행 요구 조건은 어떻게 설정했나요?

담임 교사 : 먼저 지수에게 과제를 수행할 것을 요구했어요. 이때 지수의 문제행동이 발생하면 지수에게 잠시 휴식 시간을 주었어요.

부장 교사 : 그렇다면 지수는 과제 수행을 요구받았을 때 가장 불편해하는군요. 지수의 문제행동은 (㉠)의 기능을 가지고 있다고 볼 수 있겠군요.

… (중략) …

부장 교사 : 중재할 때 영상 촬영은 어떻게 하실 계획인가요?

담임 교사 : 부모님의 동의를 얻은 후 카메라를 설치할 생각입니다. 지난번 연수 때 배운 대로 ㉡ 카메라를 지수가 볼 수 없도록 숨겨 두거나, 여의치 않을 경우 중재와는 상관없이 상시적으로 설치해 두려고 합니다.

부장 교사 : 후속 결과 중재는 어떤 것을 계획하고 있나요?

담임 교사 : 소거법을 적용하려고 합니다.

부장 교사 : 소거법은 초기에 소거 폭발에 유의해야 합니다. 그리고 행동 감소 효과가 어느 정도 안정적이 될 즈음에 갑자기 문제행동이 증가하는 (㉢)의 현상에도 대비해야 합니다.

담임 교사 : 네, 잘 알겠습니다.

부장 교사 : 후속 결과 중재도 중요하지만, 지수의 경우 학습 과제에 부담감을 느끼지 않도록 하는 것이 중요해요. 지수가 ㉣ 수행해야 하는 활동을 더 단순한 하위 세부 기술로 분할하여 후진 행동연쇄로 지도하는 것을 제안드립니다.

(나)

활동	빗자루와 쓰레받기 사용하기

a. 빗자루를 한 손으로 잡기
b. 빗자루로 쓰레기를 한곳에 쓸어 모으기
c. 다른 한 손으로 쓰레받기를 잡고 바닥에 대기　[A]
d. 쓰레기를 쓰레받기에 쓸어 담기
e. 모은 쓰레기를 휴지통에 버리기

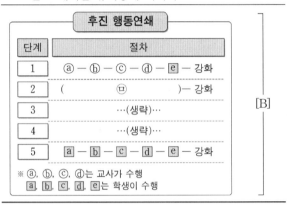

1) (가)의 ㉠에 들어갈 내용을 쓰시오.

2) (가)의 ① 밑줄 친 ㉡의 이유를 피관찰자의 행동 측면에서 1가지 쓰고, ② ㉢에 들어갈 말을 쓰시오.

① :

② :

3) ① (가)의 밑줄 친 ㉣이 설명하는 것이 무엇인지 쓰고, ② (나)의 [B]의 ㉤에 들어갈 학생 행동을 [A]의 a~e에서 찾아 기호를 순서대로 쓰시오.

① :

② :

180

(가)는 특수학교 초등학교 2학년 중도중복장애 학생을 지도하는 초임 교사와 경력 교사 간 대화의 일부이다. 물음에 답하시오.

(가)

초임 교사 : 지난 주에 학부모 상담을 했는데 민수 어머니께서는 민수가 바른 자세로 걷는 법을 배웠으면 좋겠다고 하셨어요. 민수는 뇌성마비가 있는 지적장애 학생인데요, 걸음걸이가 매우 부자연스럽고 걷기가 힘들어 보여요. 걷기 지도를 어떻게 해야 할지 고민이에요.

경력 교사 : 저는 우리 반 학생에게 최대-최소 촉진법을 적용하여 걷기 지도를 하고 있습니다. 최대-최소 촉진법은 다음 순서로 이루어집니다.

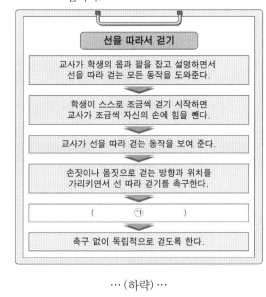

선을 따라서 걷기

교사가 학생의 몸과 팔을 잡고 설명하면서 선을 따라 걷는 모든 동작을 도와준다.

↓

학생이 스스로 조금씩 걷기 시작하면 교사가 조금씩 자신의 손에 힘을 뺀다.

↓

교사가 선을 따라 걷는 동작을 보여 준다.

↓

손짓이나 몸짓으로 걷는 방향과 위치를 가리키면서 선 따라 걷기를 촉구한다.

↓

(㉠)

↓

촉구 없이 독립적으로 걷도록 한다.

… (하략) …

1) (가)의 ㉠에 들어갈 교사의 지도 내용을 1가지 쓰시오.

181

다음은 ○○ 특수학교 중학교 1학년 자폐성장애 학생에 대해 특수 교사 A와 특수 교사 B가 나눈 대화이다. 〈작성 방법〉에 따라 서술하시오.

특수 교사 A : 지난 주에 선생님께서 말씀해 주신 언어 중재 방법을 학생 K를 포함해서 3명 모두에게 실시해 보았어요. 그렇다면 언어 능력에 대한 중재 효과는 어떻게 알아볼 수 있을까요? A-B-A-B 설계를 사용해서 중재 효과를 알아보면 되나요?

특수 교사 B : ㉡ A-B-A-B 설계보다는 다른 연구 설계 방법을 사용하는 게 적절할 듯해요. 예를 들어, (㉢)을/를 사용해 보시면 좋겠어요. 이것은 선생님 반에 있는 학생 3명을 대상으로 기초선 단계와 처치 단계를 두고, 이 중재 방법이 효과적이라는 것을 증명하기 위한 연구 설계 방법이에요. 먼저, 모든 학생들을 대상으로 기초선 측정을 시작해요. 첫 번째 학생의 기초선이 안정되면, 중재를 실시해요. 첫 번째 학생에 대한 중재 효과가 기준을 충족하면 두 번째 학생에 대한 중재를 실시하고, 이처럼 순차적인 방식으로 모든 학생에게 중재를 실시해서 효과를 검증하는 설계 방법이에요.

─〈 작성 방법 〉─
• 밑줄 친 ㉡의 이유를 서술하고, 괄호 안의 ㉢의 명칭을 쓸 것

182   2025 중등A-11

(가)는 ○○ 중학교 통합학급에 재학 중인 정서·행동장애 학생 K의 문제행동에 대한 ABC 관찰 요약이고, (나)는 행동지원에 대한 특수 교사와 일반 교사의 대화이다. 〈작성 방법〉에 따라 서술하시오.

(가) ABC 관찰 요약

선행 사건(A)	문제 행동(B)	후속 결과(C)
어려운 과제를 제시함	큰 소리로 비속어를 말함	조용한 공간으로 보내 진정하게 함

(나) 특수 교사와 일반 교사의 대화

> 일반 교사: 선생님, ABC 관찰 요약을 기반으로 앞으로 학생 K를 어떻게 지원하면 좋을까요?
>
> 특수 교사: 행동 지원을 하시면 돼요. 먼저, 학생 K의 수준에 맞게 난이도를 조절한 과제를 제공할 수 있어요.
>
> 일반 교사: 그럼에도 학생 K가 과제를 어렵게 느낄 땐 어떻게 행동하도록 지도해야 할까요?
>
> 특수 교사: 그럴 때는 ㉠ 학생 K에게 "과제가 어려워요."라고 말하게 지도하고, 학생 K가 이렇게 표현하면 잠깐 쉽게 해 주는 것으로 강화하시면 돼요.
>
> 일반 교사: 선생님, 강화에 대해 궁금한 게 있어요. 학생 K가 모둠 활동에 잘 참여할 수 있도록 강화하는 방법도 있을까요?
>
> 특수 교사: 네. 집단강화를 활용할 수 있어요. 모둠에 있는 모든 구성원에게 각자의 역할을 분담하고, 자신의 역할을 완수하여 모둠이 목표 준거에 도달하면 모든 구성원을 강화하는 방법이에요. [A]
>
> 일반 교사: 선생님, 이 강화 방법을 사용할 때 주의해야 할 사항이 있나요?
>
> 특수 교사: 무엇보다 모둠 학생이 강화를 받기 위해 학생 K의 역할을 다른 학생이 대신해 주지 않도록 해야 해요. 그리고 ㉡ 다른 주의할 점은 다음과 같아요.
>
> … (하략) …

〈 작성 방법 〉
- (가)의 ABC 관찰 요약에 근거하여 학생 K의 문제행동의 기능을 쓸 것
- (나)의 밑줄 친 ㉠에서 학생 K에게 지도하고자 하는 기술을 쓸 것
- [A]의 집단강화 유형을 쓰고, 밑줄 친 ㉡에 해당하는 내용을 '학생 K와 모둠 학생 간의 상호작용' 측면에서 1가지 서술할 것

183

다음은 ○○ 중학교 특수 교사와 일반 교사가 학생 A와 B에 대해 나눈 대화이다. 〈작성 방법〉에 따라 서술하시오.

일반 교사 : 선생님, 지난번에 알려 주신 방법대로 학생 A의 상동행동을 기록해 봤는데 어려웠어요. 학생 A는 몸 흔들기, 머리 흔들기, 손바닥으로 얼굴이나 머리 두드리기를 해요. 학생 A의 상동 행동을 관찰하고 기록할 때 어떤 방법이 유용한지 다시 한 번 설명해 주실 수 있으세요?

특수 교사 : 그럼요, 선생님. 먼저 일정한 시간 간격을 정해 두고, 시간 간격의 끝을 알리는 진동을 사전에 설정해 두세요. ㉠ 시간 간격의 끝을 알리는 소리가 들릴 때, 학생 A를 관찰하고 상동 행동 중에 한 가지 이상을 보이는 경우 해당 시간 간격에 +표시를, 상동 행동을 하지 않을 경우는 −표시를 하세요.

일반 교사 : 네, 선생님. 그렇게 해 보도록 할게요.

… (하략) …

─〈작성 방법〉─
• 밑줄 친 ㉠에 해당하는 관찰 기록법의 명칭을 쓰고, 밑줄 친 ㉠에 근거하여 수집된 자료(관찰 결과)를 보고하는 방법을 쓸 것

184

다음은 ○○ 중학교 지적장애 학생 K에 대해 일반 교사와 특수 교사가 나눈 대화이다. 〈작성 방법〉에 따라 서술하시오.

일반 교사 : 학생 K가 과제를 수행하는 데 있어서도 다소 어려움이 있어요. 선호하지 않는 과제를 요구하면 힘들어 하고 하기 싫어하는데, 어떻게 지도하면 좋을까요?

특수 교사 : 이렇게 해 보시면 좋을 거 같아요. 학생 K에게 먼저 신속하게 수행할 수 있으면서도 선호하는 쉬운 과제를 연속적으로 제시하여, 순응할 때마다 강화를 해 주세요. 그런 다음, 바로 연이어서 학생 K가 선호하지 않는 과제를 제시하면, 그 과제에 대해 학생 K가 순응하는 행동이 증가할 거예요. [A]

─〈작성 방법〉─
• [A]에 해당하는 전략을 쓸 것

김남진
KORSET 특수교육
기출분석 ❶

KORea Special Education Teacher

PART 02

통합교육

Part 02

통합교육 Mind Map

Chapter 1 통합교육의 이해

1 통합교육의 개념
- 통합
  - 통합
  - 교육에서의 통합
- 통합교육
  - 통합교육
  - 장애의 의료적 모델과 사회적 모델
  - 국제 기능·장애·건강분류(ICF) 모델: 손상, 활동, 참여

2 통합교육의 목적 및 형태
- 통합교육의 목적: 다양성의 인정 및 수용, 교육의 평등성 추구, 교육의 수월성 추구, 조화의 극대화
- 통합교육의 형태: 물리적, 사회적, 교육과정적 통합

3 통합교육의 필요성
- 법적 측면
- 사회·윤리적 측면
- 교육성과 측면

Chapter 2 통합교육과 협력

1 협력의 개념 및 필요성
- 협력의 개념
- 협력의 필요성
  - 일관성 있는 교수 제공
  - 일반교사와 특수교사 간 책임과 역할 명확화
  - 최적의 교수방법 결정
  - 예방적 차원의 교육적 접근

2 협력의 특징
- 공동의 목적 정의
- 상호의존과 동등한 공유
- 자원의 상호작용적 교환
- 공동의 의사결정

3 협력적 팀 접근의 형태
- 다학문적 접근
  - 개념
  - 장단점
- 간학문적 접근
  - 개념
  - 장단점
- 초학문적 접근
  - 개념
  - 초학문적 접근의 주요 원리
    - 원형진단
    - 역할방출
    - 통합된 치료
  - 장단점

4 통합교육을 위한 협력 방법 ┬ 협력교수 ┬ 개념
                            │   ├ 특성
                            │   └ 유형
                            ├ 협력적 자문 ┬ 개념
                            │   └ 과정
                            └ 중재 팀 ┬ 중재의 개념
                                      └ 통합교육을 위한 중재 팀

Chapter 3 교수적 수정

1 교수적 수정의 이해 ┬ 교수적 수정의 개념
                        ├ 교수적 수정의 원칙
                        ├ 교수적 수정의 고안 및 적용을 위한 기본 지침
                        └ 교수적 수정의 절차 ┬ 1. 장애학생의 IEP 장단기 교수목표 검토
                                            ├ 2. 일반학급 수업참여를 위한 특정 일반교과의 선택
                                            ├ 3. 일반학급 환경에 대한 정보 수집
                                            ├ 4. 일반 교과수업에서 장애학생의 학업수행과 행동 평가
                                            ├ 5. 장애학생의 개별화된 단원별 학습목표 결정
                                            ├ 6. 교수적 수정 유형의 결정 및 고안
                                            └ 7. 교수적 수정의 적용 및 평가

2 교수적 수정의 유형 ┬ 교수환경의 수정 ┬ 물리적 환경의 수정
                        │   └ 사회적 환경의 수정
                        ├ 교수내용의 수정 ┬ 개념
                        │   └ 수정 단계
                        ├ 교수방법의 수정 ┬ 교수활동
                        │   ├ 교수전략
                        │   └ 교수자료
                        ├ 교수집단의 수정
                        └ 평가방법의 수정 ┬ 평가조정 : 제시형태, 반응형태, 검사시간/스케줄, 검사 환경/기타
                                         └ 대안적 평가 : 다면적 점수

3 통합교육 장면에 적용 가능한 교육과정 ┬ 중다수준 교육과정
                                        ├ 중복 교육과정
                                        └ 중다수준 · 중복 교육과정의 공통점과 차이점

`Chapter 4` 차별화 교수

1 차별화 교수의 이해 ─┬─ 차별화 교수의 개념
                        └─ 차별화 교수의 특징

2 차별화 교수의 기본 가정과 원리 ─┬─ 차별화 교수의 기본 가정 ─┬─ 아동의 적극적인 학습
                                   │   ├─ 아동에 대한 높은 기대
                                   │   └─ 학습의 사회적 맥락
                                   └─ 차별화 교수의 원리

3 차별화 교수의 계획 및 실천 ─┬─ 학습자의 특성 ─┬─ 학습자의 준비도
                             │   ├─ 학습자의 흥미
                             │   └─ 학습자의 학습 양식
                             └─ 차별화 교수의 요소 ─┬─ 교수내용의 차별화 : 교수목표 수정 전략, 교수내용 수정 전략
                                                 ├─ 교수과정의 차별화 : 아동집단의 융통성 있는 구성, 교수 진도와 발문 조절, 인적·물적 자원 제공, 학습전략 지원
                                                 └─ 교수결과의 차별화 : 표현양식의 변경, 숙달수준의 조정, 빈번한 평가

`Chapter 5` 협력교수

1 협력교수의 이해 ─┬─ 협력교수의 개념
                    ├─ 협력교수의 기본 원리
                    ├─ 협력교수의 장점
                    └─ 협력교수의 효과

2 협력교수의 유형 ─┬─ 팀티칭(팀교수) ─┬─ 장점
                    │   └─ 단점
                    ├─ 교수-지원 ─┬─ 장점
                    │   └─ 단점
                    ├─ 스테이션 교수 ─┬─ 장점
                    │   └─ 단점
                    ├─ 평행교수 ─┬─ 장점
                    │   └─ 단점
                    └─ 대안교수 ─┬─ 장점
                                └─ 단점

Chapter 6 또래교수

1 또래교수의 이해 ┬ 또래교수의 개념
├ 또래교수의 특징
├ 또래교수 실행 절차 ┬ 1. 또래교수 목표 및 대상 내용 설정
│ ├ 2. 구체적인 수업지도안 작성
│ ├ 3. 또래교수팀 조직
│ ├ 4. 또래교수 사전 교육
│ ├ 5. 또래교수 과정 점검
│ └ 6. 또래교수 효과 평가
├ 또래교사 측면에서의 장점
└ 또래학습자 측면에서의 장점

2 또래교수의 유형 ┬ 동급생 또래교수
├ 상급생 또래교수
├ 전문가 또래교수
├ 역할반전 또래교수
├ 분리된 또래교수
└ 상보적 또래교수 ┬ 전학급 또래교수
├ 또래지원 학습전략 ┬ 1. 파트너 읽기
│ ├ 2. 단락(문단) 요약
│ └ 3. 예측 릴레이
└ 전학급 학생 또래 교수팀

Chapter 7 협동학습

1 협동학습에 대한 이해 ┬ 협동학습의 개념
├ 협동학습의 특징
├ 협동학습의 원리(요소) ┬ 긍정적 상호 의존
│ ├ 개인적 책임
│ ├ 동등한 참여
│ └ 동시다발적인 상호작용
├ 협동학습의 성공 요인 ┬ 협동학습을 위한 집단 구성
│ └ 협동학습의 효율적 운영을 위한 요소
├ 협동학습에서의 문제행동과 해결 전략
└ 협동학습의 효과

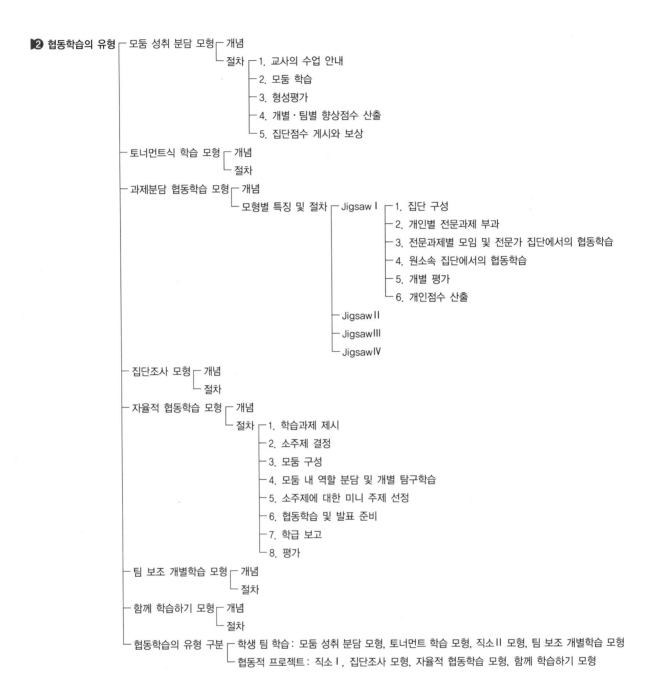

2 협동학습의 유형
- **모둠 성취 분담 모형**
  - 개념
  - 절차
    - 1. 교사의 수업 안내
    - 2. 모둠 학습
    - 3. 형성평가
    - 4. 개별·팀별 향상점수 산출
    - 5. 집단점수 게시와 보상
- **토너먼트식 학습 모형**
  - 개념
  - 절차
- **과제분담 협동학습 모형**
  - 개념
  - 모형별 특징 및 절차
    - Jigsaw I
      - 1. 집단 구성
      - 2. 개인별 전문과제 부과
      - 3. 전문과제별 모임 및 전문가 집단에서의 협동학습
      - 4. 원소속 집단에서의 협동학습
      - 5. 개별 평가
      - 6. 개인점수 산출
    - Jigsaw II
    - Jigsaw III
    - Jigsaw IV
- **집단조사 모형**
  - 개념
  - 절차
- **자율적 협동학습 모형**
  - 개념
  - 절차
    - 1. 학습과제 제시
    - 2. 소주제 결정
    - 3. 모둠 구성
    - 4. 모둠 내 역할 분담 및 개별 탐구학습
    - 5. 소주제에 대한 미니 주제 선정
    - 6. 협동학습 및 발표 준비
    - 7. 학급 보고
    - 8. 평가
- **팀 보조 개별학습 모형**
  - 개념
  - 절차
- **함께 학습하기 모형**
  - 개념
  - 절차
- **협동학습의 유형 구분**
  - 학생 팀 학습 : 모둠 성취 분담 모형, 토너먼트 학습 모형, 직소 II 모형, 팀 보조 개별학습 모형
  - 협동적 프로젝트 : 직소 I, 집단조사 모형, 자율적 협동학습 모형, 함께 학습하기 모형

기출문제 다잡기

정답 및 해설 p.79

01
2009 유아1-5

통합교육 상황에서 아동의 장애유형(중복장애 제외)을 고려한 학습지원 전략으로 적절한 것은?

① 정서·행동장애 아동의 경우 문제행동에 대해서는 일차적으로 벌을 준다.
② 정신지체 아동의 경우 항상 또래교수를 통해 보충 설명과 피드백을 받도록 한다.
③ 시각장애 아동의 안전을 위해 교실 내 물리적 환경을 일관성 있게 구성·배치한다.
④ 유창성장애 아동이 말을 더듬을 때마다 교사가 아동이 하려고 하는 말을 대신해 준다.
⑤ 청각장애 아동을 위해 수화통역자를 활용할 경우 질문을 통역자에게 하고 아동에게 직접 하지 않는다.

02
2009 유아1-27

김 교사는 통합학급에 있는 만 5세 발달지체 유아 민주를 대상으로 다음 사항을 고려하여 탐구생활의 교수적합화(교수수정)를 하고자 한다. 교수적합화의 예시로 적절한 것을 〈보기〉에서 모두 고른 것은?

통합학급 탐구생활 학습목표	세 가지 유형의 색나무조각 40~50개를 크기·색·모양에 따라 분류하고 각 집합에 속한 수를 세어 그 수량을 말할 수 있다.
개별화교육계획의 장기목표	1~5까지 수를 셀 수 있다.
민주의 탐구생활 관련 특성	새로운 것에 대한 호기심이 많음. 지시가 주어지면 물건을 '위·아래·안·밖'에 놓을 수 있음. 두 단어 문장의 언어 표현을 함. 블록 쌓기에 관심이 많음. 간단한 색(빨강·파랑·노랑)을 구분할 수 있음

〈보기〉

ㄱ. 학습목표 수정: 3가지 색의 블록 3개씩 색깔별로 쌓으면서 촉진(촉구) 없이도 수를 셀 수 있다.
ㄴ. 교수활동 수정: 교사가 시범을 보인 후에 교사의 촉진에 따라 활동을 반복하도록 하고 교사의 촉진 없이 활동을 하게 한다.
ㄷ. 교수자료 수정: 색 블록을 활용한다.
ㄹ. 교수평가 수정: 블록을 쌓을 수 있는지와 1~3까지 수를 셀 수 있는지를 준거로 하여 평가한다.

① ㄱ, ㄴ
② ㄷ, ㄹ
③ ㄱ, ㄴ, ㄷ
④ ㄴ, ㄷ, ㄹ
⑤ ㄱ, ㄴ, ㄷ, ㄹ

03

윤 교사는 초등학교 1학년 일반학급에 통합된 정신지체 학생 주호에게 수학과 측정 영역에서 '시각 읽기' 지도를 위해 교수적합화(교수 수정)를 적용하려고 한다. 다음 (가)와 (다)에 들어갈 요소를 〈보기〉에서 고른 것은?

(가) _____
(나) 일반학급 환경에 대한 정보 수집
(다) _____
(라) 주호에게 적합한 학습목표 설정
(마) 주호의 수업참여를 위한 교수적합화 유형의 결정 및 실제 고안
(바) 교수적합화의 적용과 교수적합화가 적용된 수업 참여의 양과 질의 평가

〈보기〉
ㄱ. 주호에 대한 가족지원 필요성 검토
ㄴ. 주호의 개별화교육계획 교수목표의 검토
ㄷ. 일반학급에서 주호의 학업수행 관련 특성 분석
ㄹ. 일반학급 학생들에 대한 수학성취도 검사 실시

① ㄱ, ㄴ ② ㄱ, ㄹ
③ ㄴ, ㄷ ④ ㄴ, ㄹ
⑤ ㄷ, ㄹ

04

다음은 중도·중복장애 학생 민호와 영미를 통합학급 수업에 참여시키기 위해 송 교사와 박 교사가 나눈 대화이다. 밑줄 친 (가)~(다)에 해당하는 내용과 〈보기〉의 내용이 바르게 짝지어진 것은?

송 교사: 내일 인터넷 자료를 가지고 '여러 동물의 한 살이'를 지도하려고 해요. (가) 다른 친구들이 모둠별로 모여 동물의 한살이에 관한 조사 활동을 할 때 민호는 친구들의 이름을 알기 위해 다양한 활동을 할 거예요. 다음 주에는 동물원에 가기 전에 민호가 학교 사육장에 있는 동물들을 직접 관찰하게 하려고 해요.

박 교사: 저는 '여러 곳의 기온재기'를 지도하려고 해요. 먼저 우리 반 친구들이 각자 자기의 모형 온도계를 만들 때 (나) 영미의 것은 제가 만들고 색칠하기는 영미에게 시키려고요. 그리고 (다) 우리 반 친구들이 실제 온도계로 교실 안 여러 곳의 온도를 재는 동안 영미는 모형 온도계 눈금을 읽게 할 거예요.

〈보기〉
ㄱ. 부분참여
ㄴ. 삽입교수
ㄷ. 중다수준 교육과정
ㄹ. 교육과정 중복(중첩)

	(가)	(나)	(다)
①	ㄷ	ㄱ	ㄴ
②	ㄷ	ㄱ	ㄹ
③	ㄷ	ㄴ	ㄹ
④	ㄹ	ㄱ	ㄷ
⑤	ㄹ	ㄴ	ㄷ

05

다음의 대화 내용을 읽고 두 교사가 선택한 협력교수 유형의 특징을 〈보기〉에서 모두 고른 것은?

일반교사 : 이번 국사시간은 '우리나라 유적지' 단원을 배울 차례인데, 수업을 어떻게 할까요?

특수교사 : 지난 시간에는 소집단으로 모둠별 수업을 했으니까 이번 시간에는 프로젝트 중심 수업이 좋을 것 같은데요.

일반교사 : 좋아요. 그럼 주제별로 하고 학습영역은 몇 개로 나눌까요?

특수교사 : 학습영역은 3개로 나누는 게 좋을 것 같아요. 첫째 영역은 선생님이 맡고 두 번째는 제가 맡을게요. 세 번째 영역은 학생들끼리 신문 기사를 읽고 독립운동가 후손들의 삶에 대해 토론하도록 해요.

일반교사 : 그래요. 선생님은 우리나라 시대별 유적지에 대한 내용을 맡고, 제가 시대별 사상들에 대한 내용을 가르칠게요.

특수교사 : 각 영역별로 학생들이 15분씩 돌아가면서 학습을 하면 되겠네요.

─〈보기〉─

ㄱ. 심화학습 기회를 제공한다.

ㄴ. 전략적으로 집단을 구성한다.

ㄷ. 학생들의 반응을 증가시킨다.

ㄹ. 능동적인 학습 형태를 제시한다.

ㅁ. 모델링과 역할놀이 기술을 필요로 한다.

ㅂ. 결석한 학생에게 보충학습 기회를 제공한다.

ㅅ. 집단으로 활동하는 기술과 독립적인 학습 기술이 필요하다.

① ㄱ, ㄴ, ㅁ   ② ㄱ, ㄹ, ㅁ

③ ㄴ, ㄷ, ㄹ, ㅁ   ④ ㄴ, ㄷ, ㄹ, ㅅ

⑤ ㄷ, ㄹ, ㅁ, ㅂ, ㅅ

06

다음은 통합교육 상황에서 교사 간 협력적 접근 방법을 적용한 예이다. 초학문적 접근의 근간이 되는 개념으로서 밑줄 친 부분이 의미하는 것을 가장 적절하게 표현한 것은?

경도 정신지체 중학생 A는 친구들과 대화하거나 학습할 때 급우의 신체를 부적절하게 접촉한다. 특수교사는 통합학급에서 A의 부적절한 사회적 관계 유형을 분석하고, 바람직한 대인관계 형성을 위한 교수계획을 수립하였다. 특수교사는 교과 담당 교사들로 구성된 협력적 팀원들에게 A의 교수계획을 설명하고, 수업활동 시 지도할 수 있도록 구체적인 교수전략을 안내하였다. 특히 특수교사는 A를 지도할 수 있도록 자신이 알고 있는 전문적 지식, 정보 및 전략을 각 팀원들에게 자문하였다.

① 비계설정(scaffolding)

② 역할양도(role release)

③ 책무성(accountability)

④ 역량강화(empowerment)

⑤ 사회적 지원망(social support networks)

KORSET
KORea Special Education Teacher

07 2009 중등2B-3

다음 글을 읽고 물음에 답하시오.

> 일반교사 A는 경도 장애학생이 포함된 통합학급에서 수업을 진행할 때 학생들의 개인차 때문에 어려움을 겪었다. A교사는 이 문제를 해결하기 위해 특수교사의 제안에 따라 협동학습 방법을 적용했으나, 같은 수준의 학생들을 모아 직접 지도하는 동안 나머지 학생들이 학습 활동에 충실하지 못하는 문제를 발견하였다. A교사가 지적한 문제점을 들은 특수교사는 이를 보완하기 위해 자기교수법을 함께 적용하는 것이 좋겠다는 의견을 추가로 제안하였다.

특수교사가 A교사에게 협동학습 방법과 자기교수법을 함께 적용하도록 제안한 이유를 다음 조건에 따라 논하시오.

> 조건 1. 협동학습 방법과 자기교수법의 이론적 특성과 기대 효과를 포함할 것
> 조건 2. 두 교수법을 시행하는 과정에서 교사의 역할을 포함할 것

08 2010 유아1-30

다음은 B초등학교 병설유치원 특수학급의 강 교사와 일반학급의 민 교사가 언어 생활 영역 중 '정확하게 발음해 보기'의 지도를 위해 나눈 대화이다. 대화 내용에 해당하는 협력 방법으로 가장 적절한 것은?

> 강 교사: 은주는 인공와우를 했지만 어릴 때부터 언어 훈련을 잘 받았다고 들었는데, 잘 지내고 있나요?
> 민 교사: 네. 청각장애가 있다고 생각되지 않을 정도로 은주는 학습을 잘 하고 있어요. 그런데 초성 /ㄷ/발음을 약간 /ㅈ/처럼 발음하는 문제가 있는 것 같아요. 조금만 신경 써서 연습하면 금방 좋아질 것 같은데요.
> 강 교사: 선생님, 잘 관찰하셨어요.
> 민 교사: 제가 '말하기'영역 수업 중에 이 문제에 대한 언어 지도를 구체적으로 하고 싶은데 어떻게 하면 될까요?
> 강 교사: 네, /ㄷ/발음은 앞 윗니 안쪽에 혀 끝 부분이 닿았다가 떨어지면서 나는 소리거든요. 그러니까 쌀과자 조각을 앞 윗니 안쪽에 붙이고 혀 끝 부분이 그 조각에 닿도록 놀이하면서 발음하게 해 보세요. 거울을 보면서 연습시키면 더 좋고요.
> 민 교사: 네, 그렇게 해 볼게요.

① 조정(coordination)
② 자문(consultation)
③ 순회(itinerant) 교육
④ 스테이션(station) 교수
⑤ 팀 티칭(team teaching)

09

일반학교에서 장애학생을 과학 수업에 통합시키고자 할 때, 학습자의 장애특성에 따라 중다수준 교수(multi-level instruction)를 적용한 것으로 가장 적절한 것은?

구분	학습자	통합학급 교육 활동	학습자를 위한 적용
①	건강장애 학생	햇빛에 비친 그림자 길이 재기	휠체어 사용을 고려하여 앉아서 햇빛에 비친 그림자 길이를 재게 함
②	자폐성 장애 학생	고무 찰흙을 사용하여 배설기관의 구조 만들기	화장실에 가고 싶다는 의사표현 방법을 지도함
③	뇌성마비 학생	젓는 속도에 따라 설탕이 물에 녹는 속도를 비교하는 실험하기	실험 중에 손잡이가 있는 비커를 제공하여 젓기 활동을 하게 함
④	정신지체 학생	같은 극과 다른 극의 자기력 모양을 비교하는 활동하기	자석에 붙는 것과 붙지 않는 것을 구별하는 활동을 하게 함
⑤	쓰기장애 학생	실험 보고서 작성하기	실험 보고서 내용을 말로 녹음하여 제출하게 함

10

윤 교사는 경도 정신지체 학생인 종수를 포함하여 30명으로 구성된 통합학급의 사회 시간에 (나)의 수업을 실시할 예정이다. (가)와 같은 학습 특성을 보이는 종수를 위해서는 이 수업에 대한 교수적 수정(instructional adaptation)이 필요하다. 1) 학습자의 입장에서 교수적 수정의 필요성 3가지를 제시하시오. 2) 종수의 학습 특성과 관련하여 교수 내용, 교수 방법, 평가 측면에서 수업 계획 중 적절하지 않은 것을 1가지씩 찾아 각각의 이유를 들고, 각 문제점에 대한 교수적 수정 방안을 논하시오. (500자)

(가) 종수의 본시 관련 학습 특성

- 학교 주변의 모습을 살펴보고, 이를 말로 표현할 수 있다.
- 학습 내용을 기억하는 데 심각한 어려움을 갖는다.
- 기호에 대한 이해력이 부족하다.
- 상호작용 활동에 참여하는 것이 소극적이다.

(나) 통합학급 본시 수업 계획

단계	주요 학습 내용	교수·학습 활동	비고
도입	전시 학습 확인	• 지난 시간에 그림 지도에 필요한 기호들을 정하고 익혔음을 확인한다.	
	수업 목표 확인	• 기호를 사용하여 학교 주변의 모습을 그림 지도로 나타내고 설명할 수 있다.	
전개	<활동 1> 그림 지도 그리는 순서 알기	• 학생들이 정한 그림 지도의 기호를 확인한다. • 그림 지도 그리는 순서를 확인한다.	전체 학습
	<활동 2> 기호를 사용하여 그림 지도 그리기	• 교사는 그림 지도 그리는 과정을 시범을 통해 보여준다. • 학생들은 각자 조사한 학교 주변의 모습을 그림 지도로 그린다.	전체 학습
	<활동 3> 그림 지도로 학교 주변 모습 발표하기	• 교사는 시범으로 그린 지도에 나타난 마을의 모습을 설명해 준다. • 학생이 완성한 그림 지도 중 잘된 것을 2~3개 선정하여 발표하게 한다.	전체 학습 발표
	<활동 4> 그림 지도와 실제 지도 비교하기	• 그림 지도와 실제 지도를 비교해 본다.	
정리	학습 활동 정리	• 자신의 그림 지도를 확인하고, 각자의 활동을 정리한다.	
평가		• 기호를 사용하여 그리는 순서에 맞게 그림 지도를 완성하였는가? • 그림 지도를 보고 학교 주변의 모습을 설명할 수 있는가?	

11

다음은 중학교 통합학급에서 특수교사와 일반교사가 협력하여 체육수업을 실시하기 위해 작성한 협의안의 일부이다. (가)~(다)에 대한 설명으로 옳은 것을 〈보기〉에서 고른 것은?

학습 단계	학습 과정	교수·학습활동	활동 시 유의점	협력 교수 모형
전 개	자연을 신체로 표현 하기	• 교사의 시범에 따라 신체를 이용하여 자연물(나무, 꽃 등) 표현하기 − 교사 A는 시범을 보이고, 교사 B는 교사 A의 교수 활동을 명료화한다. • 교사의 시범에 따라 신체를 이용하여 자연현상(소나기, 천둥 등) 표현하기 − 교사 B는 시범을 보이고, 교사 A는 교사 B의 교수 활동을 명료화한다.		(가)
	신체 표현 작품 만들기	• 모둠별로 창작한 동작을 연결하여 작품 만들기 − 교사는 각자 맡은 모둠에서 교수하고 학생 활동을 지원한다.	학생은 두 모둠 으로 구성	(나)
	신체 표현 작품 발표 하기	• 모둠별로 작품 발표와 감상 소감 발표하기 − 교사 A는 전체 활동을 진행한다. − 교사 B는 학생들을 개별적으로 지원한다.	한 모둠이 발표 하는 동안 다른 모둠은 감상	(다)

〈보기〉
ㄱ. (가)는 교사들이 역할을 분담하므로 교수내용 및 자료를 공유하기가 어렵다.
ㄴ. (가)에서 교사 간 상호작용은 학생들에게 학습활동이나 사회적 상황에서 수행할 행동의 중요한 본보기가 된다.
ㄷ. (나)는 전체 학급 활동에 비해 학생들의 반응을 이끌어 내는 데 효과적이다.
ㄹ. (나)에서 교사는 학생들의 학습 수준을 고려하여 모둠을 동질적으로 구성한다.
ㅁ. (다)에서는 교과 및 수업내용에 관한 전문성을 고려하여 교사의 역할을 정할 수 있다.
ㅂ. (다)는 학생들의 학습 수행에 대한 자료를 수집하거나 적절한 도움을 주는 데 어려움이 있다.

① ㄱ, ㄷ, ㅁ
② ㄱ, ㄹ, ㅂ
③ ㄴ, ㄷ, ㅁ
④ ㄴ, ㄷ, ㅂ
⑤ ㄴ, ㄹ, ㅁ

12

다음은 만 5세 통합학급 풀잎반 미술수업에서 유아특수교사인 민 교사와 유아교사인 김 교사가 '공룡 표현하기' 활동을 전개한 내용이다. 이 수업에 대한 설명으로 옳은 것을 〈보기〉에서 모두 고른 것은?

단계	교수·학습 활동	진행교사 김	진행교사 민
도입	• 공룡 사진을 보여 주며 설명한다.	○	
	• 교실 벽에 4장의 전지를 붙여 놓고 OHP로 공룡 사진을 투사 확대한다.	○	
	• 일반 유아 1명과 장애 유아 1명이 확대된 공룡을 선 따라 그리게 한다.	○	
	• 공룡의 일부분이 그려진 4장의 전지를 조별로 나누어 준다.		○

빨강 조	노랑 조	파랑 조	보라 조	
• 여러 가지 종이를 구겨 붙인다. • 신문지 구기기를 좋아하는 발달지체 유아 민수에게 신문지를 구기도록 한다.	• 색 연필, 크레파스, 물감으로 칠한다. • 지체장애 유아 민이에게 스펀지가 달린 막대로 물감을 칠하도록 한다.	• 자유롭게 그린다. • 자폐성장애 유아 효주에게 자신이 좋아하는 세밀화를 그리도록 한다.	• 여러 가지 모양을 오려 붙인다. • 가위질이 서툰 일반 유아 선미에게 보조손잡이가 달린 가위로 교사와 함께 오리도록 한다.	두 교사가 두 조씩 맡아 조별 활동 지도

(전개 단계)

정리·평가	• 조별 활동에 대해 자신의 생각이나 느낌을 말하도록 한다.		○
	• 완성된 공룡 작품을 보고 생각나는 것을 이야기하도록 한다.		○

〈보기〉
ㄱ. 전개 단계에서 교육과정 수정 전략을 사용하였다.
ㄴ. 빨강 조 민수에게 부분 참여 전략을 사용하였다.
ㄷ. 도입 단계에서는 대안적 교수 방법을, 전개 단계에서는 평행교수 방법을 사용하였다.
ㄹ. 다양한 학습 표현 방법을 동등하게 인정해 주는 실제적 다수준 포함 교수법(authentic multilevel instruction)을 사용하였다.

① ㄱ, ㄴ
② ㄱ, ㄷ
③ ㄷ, ㄹ
④ ㄱ, ㄴ, ㄹ
⑤ ㄴ, ㄷ, ㄹ

13

다음은 학습장애 학생 은지를 통합학급 사회시간에 참여시키기 위하여 특수학급 교사와 통합학급 교사가 협력하여 작성한 통합교육 계획표와 교수·학습과정안의 일부이다. ㉠~㉤에 대한 바른 설명은?

〈통합교육 계획표〉

좌석 배치	• ㉠은지의 좌석을 앞에 배치하여 특수교사가 효율적으로 지도할 수 있도록 한다.	
	또래	은지
학습 참여	• 은지에게 지시사항을 알려 준다. • 은지의 과제수행을 도와준다.	• ㉡참여 전략 −교사와 행동계약서를 작성한다. −교사가 제시한 과제를 완성한다. −계약에 따라 과제를 완성하면 강화를 받는다.
평가 계획	• ㉢교육과정 분석 → 측정할 기술 확인 → 목표 설정 → 문항 제작 → 은지의 수행 기준 결정 → 검사 실시 및 자료 해석	

〈교수·학습과정안〉

단원	여러 지역의 생활			
제재	도시와 촌락의 생활모습			
일반 수업		은지를 위한 교수 적합화(교수적 수정)		
목표	학습 활동	목표	학습 활동	교수·학습 자료
도시와 촌락 생활모습의 특징을 비교하여 설명할 수 있다.	• 도시와 촌락 생활모습의 특징을 조사하여 발표하기	㉣도시와 촌락의 생활 모습을 구별할 수 있다.	• 도시와 촌락 생활모습사진구별하기 • ㉤짝의 도움을 받아 과제 수행하기	도시와 촌락의 사진이나 그림

① ㉠은 스테이션 교수를 위한 좌석 배치이다.
② ㉡에서 은지에게 적용한 전략은 자기교수이다.
③ ㉢의 평가 유형은 준거참조−교육과정중심사정(CR−CBA)이다.
④ ㉣은 기능적 기술 습득을 위한 교수목표 적합화이다.
⑤ ㉤은 프로젝트 수업을 위한 협력교수이다.

14

다음은 특수학급 최 교사가 정서·행동장애 학생 민재의 통합학급 김 교사와 협의하여 작성한 사회과 현장학습 계획서이다. 현장학습 계획서의 ㉠~㉤에 대한 설명 중 가장 적절한 것은?

장소	해양수산 박물관
대상	5학년 36명(정서·행동장애 학생 1명 포함)
인솔 교사	특수학급 교사, 통합학급 교사

사전 활동	• 박물관에 가 본 경험 이야기하기
	• 박물관 이용 시 지켜야 할 규칙에 대해 자유롭게 발표하기
	• 해양수산 박물관 관련 자료를 찾아 사전 조사학습지 완성하기
	  ※ ㉠민재는 통합학급 교사의 도움을 받아 인터넷에서 해양수산 박물관 관련 자료를 찾아 사전 조사학습지를 완성한다.
	• 해양수산 박물관 견학 시 주의사항 지도하기
	  ※ ㉡특수학급 교사는 민재가 해양수산 박물관을 견학할 때 다음과 같은 내용을 혼자 할 수 있도록 지도하고 점검하게 한다.
	−해양수산 박물관 전시물 알아보기
	−해양수산 박물관에서 지켜야 할 규칙 알기

㉢견학 활동	• ㉣학급을 두 집단으로 나누어 민재가 속한 집단은 특수학급 교사가 인솔하여 지도한다. • 주의사항을 주지시키면서 질서 있게 관람할 수 있도록 지도한다.
평가	• ㉤박물관에 무엇이 전시되어 있는지 아는가? • 박물관에서 지켜야 할 규칙을 아는가?

① ㉠은 지그소우 Ⅰ(Jigsaw Ⅰ)을 활용한 협력학습이다.
② ㉡은 비연속 시행 훈련을 활용한 지도이다.
③ ㉢은 지역사회 참조 교수법을 활용한 수업이다.
④ ㉣은 평행교수법을 적용한 협력교수이다.
⑤ ㉤의 평가방법은 학습목표 달성을 확인하기 위한 생태학적 목록검사이다.

15 〔2011 중등1-7〕

통합교육을 위한 교수적 수정의 유형별 방법과 내용이 바르게 연결된 것을 고른 것은?

	유형	방법	내용
(가)	교수 환경 수정	사회적 환경 조성	장애학생 개개인의 소속감, 평등감, 존중감, 협동심, 상호의존감 등을 고려한다.
(나)	교수 집단 수정	성취-과제 분담(STAD)	학업 수준이 비슷한 학생 4~6명의 구성원이 과제를 완성하는 데 필요한 일을 분배하고 자료를 구한 후, 과제가 완성되면 집단에게 보고하고 피드백을 받는 협동학습 방법을 사용한다.
(다)	교수 방법 수정	평행교수	두 교사가 동등한 책임과 역할을 분담하여 같은 학습 집단을 맡아서 가르치는 것으로, 수업 내용을 공동으로 구안하고 지도하는 협력교수 방법을 사용한다.
(라)	교수 내용 수정	중첩 교육과정 (curriculum overlapping)	장애학생을 일반학생과 같은 활동에 참여하게 하되, 각각 다른 교육과정 영역에서 다른 교수 목표를 선정하여 지도한다.
(마)	평가 방법 수정	다면적 점수화	학생의 능력, 노력, 성취 등의 영역을 평가한다.

① (가), (나), (라)　　② (가), (나), (마)
③ (가), (라), (마)　　④ (나), (다), (마)
⑤ (다), (라), (마)

16 〔2012 유아1-1〕

다음은 특수학급 유 교사와 일반학급 최 교사가 협력하여 장애이해교육을 실시하기 위해 나눈 대화이다. 두 교사가 계획하는 협력교수(co-teaching)의 형태를 바르게 짝지은 것은?

(가) 유 교사: 이번 장애이해교육의 주제는 '장애인에 대한 에티켓'이에요. 먼저 제가 청각장애인에 대해 설명하면 선생님께서 시범을 보이시고, 선생님께서 지체장애인에 대해 설명하시면 제가 시범을 보일게요. 시각장애인과 정신지체인의 경우도 마찬가지 방법으로 번갈아 가면서 하고요.

(나) 최 교사: 그러지요. 그런 다음 두 집단으로 모둠을 나누어 선생님과 제가 각각 한 모둠씩 맡아서 같은 내용으로 아동들이 역할 놀이를 통해 장애인에 대한 에티켓을 연습해 볼 수 있도록 지도하지요.

(다) 유 교사: 좋은 생각이네요. 모둠별 학습이 끝나면 선생님께서 마무리 평가를 진행해 주세요. 저는 그동안 정신지체 아동인 경수도 평가에 참여할 수 있도록 경수 옆에서 개별적으로 도울게요.

	(가)	(나)	(다)
①	팀교수	평행교수	대안교수
②	팀교수	스테이션 교수	대안교수
③	팀교수	평행교수	교수-지원
④	평행교수	스테이션 교수	대안교수
⑤	평행교수	팀교수	교수-지원

17

특수학급의 박 교사는 읽기에 어려움을 보이는 지수와 읽기를 잘하는 환희를 짝지어 아래와 같은 전략으로 읽기 지도를 하였다. 박 교사가 적용한 전략에 대한 설명으로 적절하지 <u>않은</u> 것은?

1. 파트너 읽기	• 박　　교사 : 학생의 수준에 맞게 선정한 읽기 자료를 제시하고 학습활동을 자세히 안내한다. • 환희, 지수 : 환희가 자료를 먼저 읽고 지수가 뒤이어 읽는다. • 환　　희 : (지수가 읽기에서 오류를 보일 때) "잠깐, 잘못 읽었네. 무슨 단어인지 알아?"라고 묻는다. • 환　　희 : (지수가 대답을 못하면, 몇 초 후) "＿＿＿＿라고 읽는 거야."라고 말한다. • 환희, 지수 : 함께 읽은 후 지수는 읽은 내용을 간략히 다시 말한다.
2. 단락 요약	• 환　　희 : 지수에게 읽은 내용을 짧게 요약하도록 요구한다. • 환희, 지수 : 계속해서 소리 내어 본문을 읽는다. • 지　　수 : 문단이 끝나는 부분에서 멈추고 내용을 요약한다. • 환　　희 : 지수의 요약에 대해서 오류가 있을 경우 이를 수정해 준다.
3. 예상 릴레이	• 환　　희 : 다음 페이지에 나올 내용에 대해서 예측하고, 그 내용을 소리 내어 말한다. • 지　　수 : 예측한 내용이 맞는지 확인하고, 내용을 요약한다. • 환희, 지수 : 역할을 교대로 돌아가며 수행한다.

① 개념과 원리를 발견하는 데 초점을 둔다.

② 정해진 단계와 절차에 따라서 이루어진다.

③ 학습자의 수행 결과에 대해 동료의 교정적 피드백이 제공된다.

④ 학습자가 문제를 해결하도록 참여자 간 비계활동이 이루어진다.

⑤ 학습 내용과 수준을 다양화할 수 있는 차별화 교수(differential instruction) 접근이라 할 수 있다.

18

장애학생들이 통합되어 있는 2학년 일반학급의 박 교사는 슬기로운 생활 '이웃 놀이' 수업을 하려고 한다. (가)는 장애학생들의 특성이고, (나)는 '이웃 놀이' 수업에 사용할 역할극 대본의 일부이다. 이에 대한 설명으로 적절하지 <u>않은</u> 것은?

(가)

수지 : 의사소통장애(언어 표현에 어려움이 있음) 민지 : 정신지체(수 개념은 없으나 같은 숫자를 찾을 수는 있음)

(나)

학생 1 : 아약, 아야! (계단 아래에서 넘어진 상태로 다리를 잡고 울고 있다.) 학생 2 : (학생 1에게 급히 다가가서) 다리를 많이 다쳤나봐. 어떡하지? 학생 3 : 119 구급대에 연락해야 해. 학생 4 : (전화기의 119 숫자를 누른다.)

① 본 수업의 활동 주제는 '소중한 우리 이웃'이다.

② 수지가 '학생 2'의 역할을 할 경우, 대사의 어휘 수준을 수지에게 맞춘다면 교수환경을 수정하는 것이다.

③ 수지가 '학생 3'의 역할을 할 경우, 보완 · 대체의사소통 기구로 대사를 표현하도록 한다면 학생의 과제 수행방법을 수정하는 것이다.

④ 민지가 '학생 4'의 역할을 할 경우, 119 숫자를 정확하게 누를 수 있도록 숫자 1, 9에 표시가 되어 있는 전화기를 준다면 교수자료를 수정하는 것이다.

⑤ 민지가 '학생 4'의 역할을 할 경우, '학생 2'가 민지에게 119 숫자를 하나씩 알려주어 민지가 119에 전화를 걸도록 한다면 또래지원 전략을 적용하는 것이다.

19 〔2012 중등1-12〕

다음은 일반 중학교의 일반학급에 배치된 학습장애학생 A의 특성이다. 학생 A의 효과적인 통합교육을 위해 교수적 수정(교수 적합화)을 할 때 고려할 사항으로 적절하지 <u>않은</u> 것은?

- 수업 중 자주 주의가 흐트러진다.
- 그림을 보고 그리는 데 어려움을 보인다.
- 또래 일반학생들에 비해 필기 속도가 느리다.
---

① 과제를 나누어 제시하는 과제 제시 수정 방법을 고려한다.
② 교사가 판서한 내용을 유인물로 제작하여 학생에게 제공한다.
③ 교육과정 내용을 먼저 수정한 후, 교수 방법의 수정을 고려한다.
④ 지필 고사 시 시험 시간을 연장하는 평가 조정 방법을 고려한다.
⑤ 학습 자료를 제시할 때 주요 내용에 밑줄을 그어주는 등 시각적 단서를 제공한다.

20 〔2012 중등1-15〕

다음은 정신지체학생이 통합되어 있는 중학교 1학년 학급에서 사회과 '다양한 기후 지역과 주민 생활' 단원을 지도하기 위해 직소(Jigsaw)Ⅱ 모형을 적용한 수업의 예이다. 바르게 적용한 내용만을 있는 대로 고른 것은?

(가) 장애학생을 포함한 모든 학생들을 기후에 대한 사전지식과 학업 수준을 고려하여 5명씩 4개 조를 동질집단으로 구성하였다.
(나) 각 조의 구성원들은 다섯 가지 기후(열대, 온대, 냉대, 한대, 건조) 중 서로 다른 한 가지 기후를 선택하였다.
(다) 다섯 가지 기후 중에 동일한 기후를 선택한 학생들끼리 전문가 그룹이라는 이름으로 헤쳐 모여 그 기후에 대해 학습하였다.
(라) 각각의 학생 전문가는 자신의 소속 조로 돌아가 같은 조의 구성원들에게 자신이 학습한 기후에 대해 가르쳤다.
(마) 원래의 조별로 학습 성과를 평가하기 위하여, 같은 조의 구성원들이 서로 협력해서 공동답안을 만들게 한 후 조별 점수를 산출하였다.
---

① (가), (마)
② (나), (다)
③ (가), (라), (마)
④ (나), (다), (라)
⑤ (나), (다), (라), (마)

21 　　　　　　　　2012 중등1-34

다음은 정신지체학생 A의 언어 지원을 위한 협력적 접근 사례이다. 사례에서 나타나는 협력적 접근 모델 및 방법만을 〈보기〉에서 있는 대로 고른 것은?

특수교사, 언어재활사(치료사), 부모는 학생 A의 의사 표현이 가장 활발히 나타나는 사회 시간에 함께 모여 학생 A의 활동을 관찰하면서 언어평가를 실시하였다. 평가 후에 특수교사, 언어재활사, 부모는 평가 결과를 바탕으로 장·단기 목표 및 지원 방법에 대해 함께 논의하였다. 언어중재는 한 학기 동안 특수교사가 혼자 맡아서 교실에서 실시하기로 결정하였다. 정기적인 모임을 통해 언어재활사는 특수교사가 지도할 때에 필요한 구체적인 언어중재 전략에 관한 정보를 제공하기로 하였고, 부모는 가정에서의 언어능력 향상 정도를 특수교사에게 알려 주기로 하였다.

〈 보기 〉
ㄱ. 팀 교수(team teaching)
ㄴ. 역할 양도(role release)
ㄷ. 원형 평가(arena assessment)
ㄹ. 간학문 접근(inter-disciplinary approach)
ㅁ. 초학문 접근(trans-disciplinary approach)

① ㄴ, ㅁ 　　　② ㄷ, ㄹ
③ ㄱ, ㄴ, ㅁ 　　④ ㄱ, ㄷ, ㄹ
⑤ ㄴ, ㄷ, ㅁ

22 　　　　　　　　2013 유아B-2

다음은 유아특수교사인 김 교사가 만 5세 발달지체 유아 태호를 위해 전문가와 협력한 활동이다. 물음에 답하시오.

(가)

김 교사는 언어치료사, 작업치료사, 사회복지사 등 전문가들과 교육진단을 실시하였다. 교육진단은 인사하기와 분위기 조성하기, 과제중심 진단, 휴식시간, 이야기 시간과 교수 시간, 자유놀이, 회의 단계로 구성되었다. 촉진자로 선정된 전문가는 태호와 어머니와의 상호작용을 유도하였고, 다른 전문가들은 태호와 어머니와의 상호작용을 관찰하였다. ㉠ 태호 어머니는 결혼 이민자로 우리 말을 잘 하지 못하기 때문에 회의 시간에는 통역사가 참여하였다.

(나)

김 교사는 간식 시간에 작업치료사로부터 턱 주변의 근긴장도가 낮은 태호의 턱을 지지해주는 손동작을 배우고 있다. 김 교사는 작업치료사의 지원을 받으며 태호의 앞과 옆에서 턱을 보조하는 방법에 대해 배우는 중에, 한쪽이 낮게 잘린 컵에 담긴 물을 먹이고 있다. 이때 ㉡ 컵의 낮게 잘린 쪽이 코 반대 방향으로 향하고 있다.

1) 김 교사가 다른 전문가와 협력하여 실시한 교육진단이 무엇인지 쓰시오.

3) 다음 문장의 괄호 안에 들어갈 알맞은 말을 쓰시오.

(가)와 (나)에서 김 교사가 전문가와 협력한 방법은 (㉢) 접근법이다. 이 접근법은 자신의 전문 영역에 대한 진단은 각자 진행하지만 정기적 모임을 통해 다른 분야 전문가와 의견을 교환하는 (㉣) 접근법의 제한점을 보완한 것이다.

㉢ :

㉣ :

23 　　　　　　　　　　　2013 유아B-3

다음은 특수학교 유치원 과정 5세반 유아의 수업 관찰 내용이다. 물음에 답하시오.

유아	수업 관찰 내용
승호	승호가 미술 활동 중에 물감을 바닥에 뿌리면 교사는 "승호야"라고 이름을 부르며 다가와 흘린 물감을 닦아 주었다. 그러자 승호는 물감을 계속해서 바닥에 뿌렸다. 이러한 행동이 교사의 관심을 받기 위한 것이라고 판단한 교사는 승호가 물감 뿌리는 행동을 해도 흘린 물감을 더 이상 닦아 주지 않았다. 그러자 ㉠승호는 물감을 이전보다 더 많이 바닥에 뿌렸다.
다혜	다혜는 협동 그림을 완성하기 위해 자신이 맡은 부분을 색칠하려고 하였다. 그러나 저시력으로 인해 도화지 위에 연필로 그린 밑그림의 경계선이 잘 보이지 않아서 밑그림과 다르게 색칠하였다. 교사는 다혜의 수업 참여를 증가시키기 위하여 ㉡도안의 경계선을 도드라지게 해 주었고, ㉢조명이 밝은 곳으로 자리를 옮겨 주었다.
철희	철희는 손 힘이 약해서 그리기 활동에 많은 어려움을 겪었다. 그 결과 자신은 그리기 활동을 잘할 수 없다고 생각하여 색칠하기를 거부하였다. 교사는 여러 가지 방법으로 지원하면서 "철희야, 너도 잘 할 수 있을 거야."라고 하였다. 그러나 철희는 여전히 "난 잘 할 수 없어요."라고 말하며 그리기를 주저하였다.

2) 교사가 ㉡과 ㉢에서 사용한 교수적 수정 방법은 무엇인지 쓰시오.

　㉡:

　㉢:

24 　　　　　　　　　　　2013 초등A-1

다음은 김 교사가 초등학교 4학년 수학 시간에 실시한 협동학습과 관련된 내용이다. 이 수업에 통합되어 있는 경아는 특수교육대상학생으로 수학에 어려움을 보이고 있다. 물음에 답하시오.

〈집단 구성 및 학습 자료〉
• 학급 학생을 대상으로 개별 진단 및 배치 검사를 실시함
• 4~5명씩 이질적인 학습 집단(A, B, C, D)으로 구성함
• 각 학생의 학습 속도 및 수준에 적합한 학습 자료를 제공함

〈학습 집단〉
• 학생은 각자 자기 집단에서 개별 학습 과제를 수행함
• 문제 풀이에 어려움이 있으면 자기 집단의 친구에게 도움을 청함
• 학습 과정이 끝난 후, 학생은 자신의 학습 정도를 평가하기 위해 준비된 문제지를 풂
• 집단 구성원들은 답지를 교환하고 답을 점검한 후, 서로 도와 틀린 답을 고침

〈교수 집단〉
• 교사가 각 집단에서 같은 수준의 학생을 불러내어 5~15분간 직접 가르침

〈평가〉
• ㉠각 학생의 수행 결과는 학생이 속해 있는 집단과 학생 개인의 평가에 반영함

1) 위에서 실시한 협동학습 유형이 무엇인지 쓰시오.

2) 위의 협동학습 유형이 수학에 어려움을 보이는 경아와 같은 학생들에게 적절한 이유 2가지를 쓰시오.

3) 위의 ㉠에 나타난 협동학습 요소(원리)를 쓰시오. 그리고 이 요소(원리) 때문에 방지될 수 있는 '협동학습 상황에서의 문제점'은 무엇인지 쓰시오.

• 요소(원리) :

• 문제점 :

25

다음은 중학교에서 통합교육을 받고 있는 중도·중복 장애 학생 A~E를 위해 교사들이 실행한 수업 사례이다. 각각의 사례에 대한 설명으로 옳은 것만을 〈보기〉에서 있는 대로 고른 것은?

박 교사: 과학시간에 심장의 구조와 생리를 지도하면서 학생 A에게는 의사소통 기술을 지도하였다.

이 교사: '지역의 문화재 알기' 주제로 모둠별 협동학습을 실시하였는데, 학생 B가 속한 모둠은 '문화재 지도 만들기'를 하였다.

김 교사: 사회과 수업목표를 지역사회 공공기관에서 일하는 사람들의 역할 익히기에 두고, 학생 C는 지역사회 공공기관 이름 익히기에 두었다.

정 교사: 체육시간에 농구공 넣기를 평가하기 위해 학생 D의 능력, 노력, 성취 측면을 고려하여 골대의 높이를 낮춰 수행 빈도를 측정하였다.

신 교사: 글을 읽지 못하는 학생 E를 위해 교과서를 텍스트 파일로 변환하고, 화면읽기 프로그램을 실행하여 교과서의 내용을 듣게 하였다.

〈보기〉

ㄱ. 학생 A에게 설정된 교육목표는 과학 교과 안에서의 교육목표 위계 개념에 기초하여 작성하였다.

ㄴ. 과제를 하는 동안 학생 B와 모둠 구성원 간에 상호의존성이 작용한다.

ㄷ. 학생 C에게는 '중첩교육과정'을 적용한 것이다.

ㄹ. 수업을 계획하는 과정에서 학생 D에게 적절한 성취 준거를 설정하여 규준참조평가를 실시한다.

ㅁ. 학생 E에게 적용한 보편적 학습설계 원리는 '다양한 정보 제시 수단의 제공'에 해당한다.

① ㄱ, ㄹ   ② ㄴ, ㅁ
③ ㄷ, ㄹ   ④ ㄱ, ㄴ, ㅁ
⑤ ㄴ, ㄷ, ㅁ

26

경도 정신지체 학생이 통합된 학급에서 교사가 또래교수(peer tutoring)를 실시하고자 한다. 또래교수에 대한 특성과 유형에 대한 설명으로 옳은 것을 〈보기〉에서 고른 것은?

〈보기〉

ㄱ. 또래교수는 장애학생의 학업과 사회적 수용을 향상시키기 위하여 학급 교사의 역할과 책임을 또래교사를 하는 학생에게 위임하는 것이다.

ㄴ. 또래교수를 실시하기 위해 교사는 또래교사 역할을 할 학생을 훈련시키고, 역할을 수시로 변경할 경우 누가 먼저 또래교사가 되고 학습자가 될 것인지 결정한다.

ㄷ. 또래교수에서 또래지도를 받던 장애학생이 특정 영역에서 뛰어난 능력을 보이는 경우, 역할을 바꾸어 또래교사가 되어 일반학생을 돕도록 하는 것은 상보적 또래교수 방법의 예이다.

ㄹ. 또래지원 학습전략(PALS)은 비상보적 또래교수전략 중의 하나로 학급에서 자연스럽게 또래교수의 형성이 이루어지지 않을 때, 고학년 일반학생이 저학년 장애학생의 짝이 되도록 지도하는 것이다.

ㅁ. 전학급또래교수(CWPT)는 교사가 학생들에게 개별적인 지도를 하기 어려운 학급에서 모든 학생들이 일대일 방식의 지원을 받을 수 있도록 하는 방법으로, 학생들이 짝을 지어 역할을 바꾸어 가면서 서로를 가르친다.

① ㄱ, ㄴ, ㄷ   ② ㄱ, ㄷ, ㄹ
③ ㄱ, ㄹ, ㅁ   ④ ㄴ, ㄷ, ㅁ
⑤ ㄴ, ㄹ, ㅁ

27 2013추시 중등B-3

다음은 중학교 통합학급에서 참관실습을 하고 있는 A 대학교 특수교육과 2학년 학생의 참관후기와 김 교사의 피드백 일부이다. 물음에 답하시오.

통합학급 국어 시간에 은수의 학습보조를 했다. 은수와 같은 중도 정신지체 학생이 왜 통합학급에서 공부하는지, 그리고 이 시간이 은수에게 무슨 의미가 있는지 의문이 들 때가 많다. 은수가 과연 무엇인가를 배울 수는 있는 것일까?

중도 정신지체 학생들을 위해 ㉠확실한 자료나 근거가 없다면 혹시 잘못된 결정을 하더라도 학생의 미래에 가장 덜 위험한 결과를 가져오는 교수적 결정을 해야 해요. 학생의 잠재력을 전제하여 통합 상황에서 또래와 함께 공부할 수 있는 기회를 제공하는 것이 중요합니다.

다음주부터 중간고사다. 은수가 통합학급의 친구들과 똑같이 시험을 볼 수 있을지 걱정이다. 초등학생이라면 간단한 작문 시험이나 받아쓰기 시험 시간에 특수교육보조원이 옆에서 대신 써줄 수 있을 것 같은데, 은수와 같은 장애학생들에게는 다른 시험 방법을 적용해 주면 좋을 것 같다.

또래와 동일한 지필 시험을 보기 어려운 장애학생들을 위해서 시험 보는 방법을 조정해 줄 수 있어요. 예를 들면, ㉡구두로 답하거나 컴퓨터를 사용하여 답하기, 대필자를 통해 답을 쓰게 할 수 있어요. 다만 ㉢받아쓰기 시험시간에 대필을 해 주는 것은 적절하지 않습니다.

통합학급 국어시간의 학습 목표와 내용이 은수에게 너무 어려웠다. 어떻게 하면 통합학급에서 친구들과 함께 공부하도록 하면서 은수에게 필요한 것을 지도할 수 있을지 궁금하다. 내가 특수교사가 되면 이것을 위해 일반교사와 어떻게 협력해야 할지 생각해 봐야겠다.

국어시간에 일반교사와 특수교사가 중다수준 교육과정/교수를 적용하여 은수에게 학습 자료를 제공한다면 통합학급에서도 은수의 개별적 요구에 맞는 지도를 할 수 있어요. 이때, 두 교사가 적용할 수 있는 협력교수의 형태로 교수-지원, ㉣대안적 교수, 팀티칭 등을 고려할 수 있습니다.

3) ㉢이 적절하지 <u>않은</u> 이유를 쓰시오.

4) 은수에게 적용된 중다수준 교육과정/교수의 특성을 고려하여 ㉣이 적절할 수 있는 이유를 쓰시오.

28

2014 유아A-2

다음은 5세 유치원 통합학급에서 유아특수교사와 유아교사가 쿡과 프렌드(L. Cook & M. Friend)의 협력교수 유형을 적용하여 작성한 활동계획안의 일부이다. 물음에 답하시오.

○ 대집단-일반 유아 21명
● 소집단-발달지체 유아(나리)/일반 유아(서영, 우재, 민기)

소주제	우리 동네 사람들이 하는 일	활동명	일하는 모습을 따라 해 봐요
활동 목표	• 다양한 직업에 대해 관심을 갖는다. • 직업의 특징을 몸으로 표현한다.		
활동 자료	다양한 직업(버스기사, 교통경찰, 미용사, 요리사, 화가, 발레리나, 의사, 사진기자, 택배기사, 축구선수)을 가진 사람들의 모습이 담긴 사진 10장		
⊙ 나리의 IEP 목표 (의사소통)	• 교사의 질문에 사물을 손가락으로 가리킬 수 있다. • 자신의 느낌과 생각을 손짓이나 몸짓으로 표현할 수 있다.		

교수 · 학습 활동내용	
○ 대집단-유아교사	● 소집단-유아특수교사
○ 다양한 직업의 모습이 담긴 사진을 보면서 이야기 나누기 ㅡ 다양한 직업의 특징을 말하기 ○ 직업을 신체로 표현하는 방법에 대해서 이야기 나누기 ㅡ 이 사람은 무엇을 하고 있니? ㅡ 이 사람은 일을 할 때 어떻게 움직이고 있니? ○ 직업을 다양하게 몸으로 표현하고 알아맞히기 ㅡ 사진 속 직업을 몸으로 표현해 보자. ○ 직업을 가진 사람들의 움직임을 창의적인 방법으로 표현해 보기 ㅡ 또 다른 방법으로 표현해 볼 수 있을까?	● 유아가 자주 접하는 직업의 모습(동작)이 담긴 5장의 사진을 보면서 이야기 나누기 ㅡ ⓛ 사진(의사, 버스기사, 요리사)을 보여주면서 "맛있는 음식을 만드는 사람은 누구니?" ㅡ ⓒ 사진(축구선수, 미용사)을 보여주면서 "축구공은 어디 있니?" ㅡ "요리사는 음식을 만들 때 어떻게 움직이고 있니?" ● 유아가 자주 접하는 직업의 모습(동작)이 담긴 사진을 보면서 손짓이나 몸짓으로 표현하기 ㅡ (교통경찰 사진을 보며) "손을 어떻게 움직이고 있니?"

활동평가		평가방법
○	• 다양한 직업에 대해 관심을 갖고 있는가? • 직업의 특징을 다양하게 몸으로 표현할 수 있는가?	• 관찰 • (②)
● (나리)	• 직업의 특징을 손짓이나 몸짓으로 표현할 수 있는가?	

2) 위 활동계획안에서 적용하고 있는 협력교수 유형을 쓰고, 이 협력교수를 실행할 때 나타나는 문제점 1가지를 쓰시오.

• 협력교수 유형:

• 문제점:

29

다음의 (가)는 통합학급에 입급된 특수교육대상학생 A
의 특성이고, (나)는 (가)를 바탕으로 학생 A가 정규 평
가에 참여할 수 있도록 특수교사가 평가를 조정한 예
이다. 평가 조정(test accommodation) 유형 중 (나)
의 ㉠과 ㉡에 해당하는 평가 조정 유형을 각각 쓰시오.

(가) 학생 A의 특성

- 한꺼번에 많은 정보가 주어졌을 때, 정보에 주의를
  기울이는 데 어려움이 있음
- 소근육에 문제가 있어 작은 공간에 답을 표시하는
  데 어려움이 있음

(나) 학생 A를 위한 평가 조정의 예

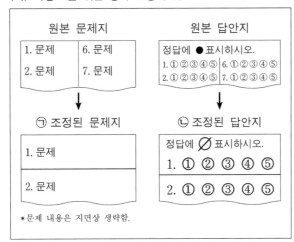

30 　　　　　　　　　　2015 유아A-4

김 교사는 특수교육지원센터의 순회교사이고, 박 교사는 통합유치원의 유아특수교사이다. 다음의 (가)는 김 교사와 박 교사의 대화 내용이다. 물음에 답하시오.

(가) 김 교사와 박 교사의 대화 내용

김 교사: 박 선생님, 개별화교육계획 다 작성하셨어요? 어떻게 하셨어요?
박 교사: ㉠ 저는 통합학급 교사로부터 각 유아에 대한 발달과 학습에 대한 정보를 받고, 유아가 다니는 치료실의 치료사나 심리학자, 의사 등으로부터 진단 결과나 중재 목표를 받아서 부모의 요구와 우선순위를 파악하여 작성했어요.
김 교사: 아, 그러셨군요. 저는 영아를 담당하고 있는데, ㉡ 각 영아의 교육적 요구에 따라 여러 관련서비스 영역의 전문가들과 심리학자, 사회복지사, 부모, 그리고 제가 한 팀이 되어 교육진단을 계획했어요. 교육 진단 시에는 팀 구성원들이 동시에 관찰하며 평가했는데, 그때 제가 촉진자의 역할을 했어요. 그리고 나서 팀이 합의한 평가 결과에 따라 다 같이 개별화교육계획을 수립했어요.
박 교사: 네, 그런데 그렇게 하면 시간도 많이 걸리고 힘드셨겠어요. 그럼 그 다음에 중재는 어떻게 하세요?
김 교사: 각 영아에 따라 팀원 중 한 사람이 영아의 가정을 방문해서 개별화교육계획의 목표 성취를 도울 수 있도록 부모를 지원해요. 주로 부모가 자녀와 상호작용하는 방법을 알려드려요.
박 교사: 가정 방문도 하시는군요.
김 교사: ㉢ 우리 특수교육지원센터에서는 영유아를 위한 순회교육, 특수교육 관련서비스 지원 등을 하고 있어요. ㉣ 특수교육지원센터에서는 순회교육 이외에도 센터 내의 교실에서 장애 영아를 가르칠 수 있어요.
박 교사: 저도 영아를 담당해 보고 싶은데, 그러려면 ㉤ 제가 특수학교 유치원교사 자격증을 가지고 있으니까 3년의 유치원 과정 담당 경력을 쌓아야겠네요. 장애 영아의 수업일수는 어떻게 되나요?
김 교사: ㉥ 장애 영아의 수업일수는 매 학년도 180일을 기준으로 해서 필요에 따라 30일의 범위에서 줄일 수 있어요.

1) ㉠에 해당하는 팀 협력 모델명을 쓰시오.

2) ㉡의 팀에서 주로 사용하는 진단 방법을 쓰시오.

31   2015 초등A-4

(나)는 '2009 개정 교육과정' 과학과 3~4학년군 '식물의 생활' 단원의 교수·학습 과정안의 일부이다. 물음에 답하시오.

(나) 교수·학습 과정안

단원	식물의 생활		
제재	특이한 환경에 사는 식물의 특징 알아보기		
학습목표	**일반학생**		**채은수**
	사막 식물의 특징을 사는 곳과 관련지어 설명할 수 있다.		선인장의 특징을 설명할 수 있다.
	교수·학습 활동	교수·학습 활동	자료 및 유의점
전개	… (중략) … 〈활동〉 사막 식물 관찰하기 • 겉 모양 관찰하기 • 속 모양 관찰하기 • 수분 관찰하기 • 사막 식물의 공통점 알아보기 • 사막에서 살아가는 데 이로운 점 생각해보기 • 관찰 기록지 완성하기 … (생략) …	… (중략) … 〈활동〉 선인장 관찰하기 • 겉 모양 관찰하기 • 속 모양 관찰하기 • 수분 관찰하기 • 그래픽 조직자 완성하기 … (생략) …	– ⓒ 기록지 제공 – 활동 단계별로 자료 구분하여 제공 – 그래픽 조직자 형식 제공

3) (나)를 '중다수준 교육과정/교수(multilevel instruction)'가 적용된 교수·학습 과정안이라고 볼 수 있는 ⓐ 근거를 1가지 쓰고, '중다수준 교육과정/교수'와 '중복 교육과정(curriculum overlapping)'의 ⓑ 차이점을 1가지 쓰시오.

ⓐ :

ⓑ :

32   2015 초등B-1

다음은 특수학급 박 교사와 통합학급 임 교사의 대화 내용이다. 물음에 답하시오.

> 박 교사 : 선생님도 잘 아시다시피 민우는 글을 유창하게 읽지 못하고 읽기 이해 능력도 매우 떨어져요. 그래서 국어 시험을 보면 낮은 점수를 받지요.
>
> 임 교사 : 제가 국어시간에 읽기 활동을 할 때 협동학습의 한 유형인 ㉠ 모둠성취분담모형(Student Teams-Achievement Division; STAD)을 적용하려고 해요. 그런데 민우는 모둠활동에서 초반에는 관심을 보이지만, 이내 싫증을 내곤 해요. 그래서 끝까지 참여하는 데 어려움이 있어서 조금 걱정이 돼요.
>
> 박 교사 : 그렇다면 민우에게는 모둠성취분담모형(STAD)과 함께 또래교수의 한 유형인 (㉡)을/를 적용해 보면 어떨까요? (㉡)은/는 ㉢ 파트너 읽기, 단락(문단) 줄이기, 예측 릴레이 단계로 진행되는데, 민우의 읽기 능력 향상에 도움이 될 거예요.

1) 임 교사가 ㉠을 적용하고자 하는 이유를 민우의 특성과 연결하여 1가지 쓰시오.

2) ㉡의 ⓐ 명칭을 쓰고, ㉡의 주요 활동 단계마다 또래교수자가 ⓑ 공통으로 수행하는 활동을 1가지 쓰시오.

ⓐ :

ⓑ :

3) 민우가 ㉢단계에서 읽기 이해 능력 향상을 위해 수행해야 하는 세부 활동을 1가지 쓰시오.

33

(나)는 최 교사가 작성한 '2009 개정 교육과정' 실과 교수ㆍ학습 과정안의 일부이다. 물음에 답하시오.

(나) 교수ㆍ학습 과정안

학습 목표	• 여러 가지 직업을 조사하여 특성에 따라 분류할 수 있다. • 여러 가지 직업이 있음을 설명할 수 있다.	
단계	㉢ 교수ㆍ학습 활동	보편적학습설계(UDL) 지침 적용
도입	(생략)	
전개	〈활동 1〉 전체학급 토의 및 소주제별 모둠 구성 • 전체학급 토의를 통해서 다양한 직업분류기준 목록 생성 • 직업분류기준별 모둠을 생성하고 각자 자신의 모둠을 선택하여 참여	• 직업의 종류와 특성을 토의할 때 필수적으로 알아야 할 어휘를 쉽게 설명한 자료를 제공함 • ㉣ 흥미와 선호도에 따라 소주제를 스스로 선택하게 함
	〈활동 2〉 모둠 내 더 작은 소주제 생성과 자료 수집 분담 및 공유 • 분류기준에 따라 조사하고 싶은 직업들을 모둠 토의를 통해 선정 • 1인당 1개의 직업을 맡아서 관련된 자료 수집 • 각자 수집한 자료를 모둠에서 발표하고 공유	• 「인터넷 검색절차지침서」를 컴퓨터 옆에 비치하여 자료수집에 활용하게 함 • ㉤ 발표를 위해 글로 된 자료뿐만 아니라 사진과 그림, 동영상 자료 등 다양한 매체를 이용하게 함
	〈활동 3〉 모둠별 보고서 작성과 전체학급 대상 발표 및 정보 공유 • 모둠별 직업분류기준에 따른 직업 유형 및 특성에 대한 보고서 작성 • 전체학급을 대상으로 모둠별 발표와 공유	모둠별 발표 시 모둠에서 한 명도 빠짐없이 각자가 할 수 있는 역할을 갖고 협력하여 참여하게 함

3) (나)의 ㉢에서 적용한 협동학습의 명칭을 쓰시오.

34

다음은 ○○특수학교에 다니는 5세 중복장애 유아들을 위한 지원 방안이다. 물음에 답하시오.

유아	특성	지도 방법	전문가 협력
수지	• 시각정신지체 중복장애 • 촉지각 능력이 뛰어남	㉠ 네모와 같은 단순한 그림을 촉각 그래픽 자료로 지도함	… (생략) …
인호	• 농맹중복장애 • 4세 중도 실명 • 수화를 모국어로 습득함 • 촉독(촉각) 수화를 사용함	㉡ 수지와 의사소통할 때 촉독 수화를 사용하게 함 ㉢ 다양한 사물을 손으로 느껴 체험하노록 지도함	• 유아특수교사, 청각사 등 다양한 영역의 전문가들이 참여함 • 전문가별로 중재 계획을 개발하고 정보를 서로 공유함 • 인호의 부모가 팀원임 • 때때로 팀원 간에 인호의 문제를 논의함
은영	• 청각정신지체 중복장애 • 보완대체 의사소통체계(AAC)를 활용하여 주변 사람과 의사소통함	㉣ AAC의 일환으로 단순화된 수화를 지도함 ㉤ 구어 중심의 중재를 함	… (생략) …

2) 인호를 위한 전문가 팀의 ① 협력 모델명을 쓰고, 진단 측면에서 이 협력 모델의 ② 장점과 ③ 단점을 쓰시오.

　①:

　②:

　③:

35 2016 초등A-1

(가)는 정신지체 학생 민기의 특성이고, (나)는 통합학급 교사와 특수학급 교사가 함께 작성한 '2009 개정 국어과 교육과정' 1~2학년군 '즐겁게 대화해요' 단원에 따른 교수·학습 계획서의 일부이다. 물음에 답하시오.

(가) 민기의 특성

- 수용 및 표현 언어, 사회적 의사소통에 어려움이 있음
- 학습된 무기력이 심하고, 저조한 성취 경험 및 타인의 낮은 기대로 심리가 위축되어 있음

(나) 교수·학습 계획서

단원	즐겁게 대화해요	차시	3~4차시
단원 성취 기준	상대에 적절하게 반응하며 대화를 나눈다.		
차시 목표	상대의 말에 맞장구치거나 질문하며 대화하는 방법을 안다.		

⊙ 교수·학습 활동	민기를 위한 고려사항
• 설명하기: 상대의 말에 적절히 반응하며 대화하는 방법의 중요성을 설명하고, 적절한 대화 방법 안내하기 • 시범보이기 − 교사가 직접 적절한 대화와 부적절한 대화 시범보이기 − 다양한 대화 사례가 담긴 동영상 시청을 통해 간접 시범보이기 • 확인 및 연습하기: 적절하게 대화하는 방법을 이해하고 있는지 질문하고, '역할놀이 대본'을 이용하여 다양한 활동으로 적절한 대화를 연습하기 − ⓒ 안내된 연습하기 − 독립된 연습하기	• 민기가 좋아하는 캐릭터가 나오는 동영상이나 그림을 활용한다. • ⓒ 맞장구치거나 질문하며 대화하기를 지도할 때, 반언어적(준언어적) 표현과 비언어적 표현을 함께 가르친다. • 교수·학습 활동에서 민기를 도와줄 또래도우미를 선정해준다. • ⓔ 활동 참여에 대한 태도와 노력을 점검표에 기록(점수화)하고 칭찬한다.

4) 민기의 수업 참여 촉진을 위해 교사가 (나)의 ⓔ에서 교수적 수정(교수 적합화)을 한 이유를 (가)와 관련지어 쓰시오.

36 2016 초등B-1

다음은 특수학급 교사가 통합학급 교사와 세희의 통합교육을 위해 협의한 후 작성한 협의록의 일부이다. 물음에 답하시오.

[협의록]
○ 일시: 2015년 ○월 ○일
○ 장소: 학습도움실

〈협의내용 1. 학급 적응〉
○ 통합학급 교사
 − 세희가 수업 중 주변 자극에 쉽게 주의가 산만해지기 때문에 ⊙ 세희의 자리를 교탁 옆에 별도로 배치함

○ 특수학급 교사
 − 세희를 교탁 옆에 앉히기보다는 수업 중에 주의집중을 유도하는 다양한 방법을 활용할 것을 권함
 − 세희의 학급 적응을 위해 가족의 역할도 중요함 세희의 경우 가족이 화목하고 함께 보내는 시간이 많다는 강점이 있으니, 이와 같은 ⓒ 가족의 강점을 활용하도록 안내하기로 함
 − 향후 세희네 가족에게 필요한 ⓒ 지역사회 내 공식적 자원을 안내하기로 함

〈협의내용 2. 현장학습〉
… (하략) …

1) ⊙이 적절하지 않은 이유를 사회적 통합 측면에서 1가지 쓰시오.

37 　　　　　　2016 중등B-8

다음은 중학교 1학년 통합학급에서 일반교사와 특수교사가 협력 교수를 실시하기 위해 작성한 사회과 교수·학습 지도안의 일부이다. 협력교수의 장점과 차이점, 특수교사의 지원 내용을 〈작성 방법〉에 따라 논하시오.

단원명	일상 생활과 법	대상	중 1-3, 30명 (장애학생 2명 포함)	교사	일반교사 김○○ 특수교사 박○○
주제 (소단원)	개인의 권리 보호와 법		차시		6/9
학습 목표	• 권리와 의무의 관계를 설명할 수 있다. • 자신의 권리를 정당한 절차와 방법을 통해 주장할 수 있다.				
수정된 학습 목표	• 일상생활에서 자신의 권리와 의무를 말할 수 있다. • 권리 구제에 도움을 주는 기관을 말할 수 있다.				

〈사회과 교수·학습 지도안〉

학습 단계	교수·학습 활동	교수·학습 방법	자료 및 유의점
도입	− 전시 학습 확인 − 학습목표 제시		
전개	활동 1: 개인의 권리와 의무 − 일상생활에서 자신의 권리를 행사한 경험을 발표하기 − 권리와 의무의 관계 알기	㉠ 평행교수	− 자기 점검표
	활동 2: 권리 침해를 구제받는 방법 − 개인의 권리 보호가 어떻게 이루어지는지 알기 − 침해된 권리를 찾는 방법 알기 − 정부 기관과 시민 단체를 통한 권리 구제의 방법을 담은 안내 노트 작성하기	㉡ 스테이션 교수	− 안내 노트 − 스테이션을 3개로 구성함
	활동 3: 권리 구제에 도움을 주는 기관 조사 − 권리 구제에 도움을 주는 기관과 해당 기관의 역할을 모둠별로 조사하기 − 모둠별로 조사한 내용을 전체 학생을 대상으로 발표하기	㉢ 협동학습	− 권리 구제 관련 기관의 목록

〈 작성 방법 〉
• ㉠과 ㉡의 장점을 학습자 입장에서 각각 2가지 제시할 것
• 사회과 교수·학습 지도안에 제시된 '대상', '교수·학습 활동', '자료 및 유의점' 등을 참고하여 ㉠과 ㉡의 차이점을 교수 집단의 구성과 교수·학습 활동의 내용 측면에서 각각 1가지 설명할 것
• ㉢에서 장애학생이 집단의 구성원으로서 긍정적인 역할을 할 수 있도록 사회적 환경을 조성하기 위해 특수교사가 지원해야 할 내용 2가지를 설명할 것
• 서론, 본론, 결론의 형식을 갖출 것

38 ████████

(가)는 학습장애 학생 준수의 특성이고, (나)는 2009 개정 사회과 교육과정(교육과학기술부 고시 제2012-14호) 3~4학년 '나는 미래에 어떤 일을 하면 좋을지 생각해 봅시다.'를 지도하기 위해 특수교사와 일반교사가 협의하여 작성한 교수·학습 과정안이다. 물음에 답하시오.

(가)

• 준수 −단어와 정의를 연결할 수 있음 −어휘의 의미를 깊이 이해하는 데 어려움이 있음 −수업 내용을 요약하는 데 어려움이 있음 −글자를 쓰는 데 많은 노력이 필요함

(나)

단원	경제생활과 바람직한 선택	차시	11~12/20
제재	나는 미래에 어떤 일을 하면 좋을지 생각해 봅시다.		
학습 목표	미래에 자신이 하고 싶은 일을 결정하고 행동계획을 세울 수 있다.		

㉠ 단계	학생 활동	자료(㉗) 및 유의점(㉮)
A	• 각 직업의 장·단점 분석하기 • 갖고 싶은 직업을 평가하여 점수를 매기고 순서 결정하기	㉗ 평가기준표
B	• 직업 선택 시 고려할 조건을 찾아서 평가기준 만들기 • 사실적 기준과 가치 기준을 골고루 포함하기	㉮ 중요하다고 생각하는 기준에 가중치를 부여하게 한다. ㉮ ㉡<u>과제분담 협동학습</u>(Jigsaw Ⅱ)을 실시한다.
C	• 주변에서 볼 수 있는 직업에 대해 자유롭게 이야기하기 • 장래 직업을 고민하는 학생의 영상 시청하기	㉗ ㉢<u>안내노트</u>, 그래픽 조직자, 동영상 자료 ㉮ ㉣<u>의미지도 전략</u>을 활용하여 미래 직업에 대해 알아본다.
D	• 갖고 싶은 직업과 이유 발표하기 • 대안에 대한 브레인스토밍 후 후보 결정하기	㉗ 직업분류표
E	• 갖고 싶은 직업 결정하기 • 행동계획 수립하기	㉮ 의사결정의 목적은 행동을 실천하는 데 있음을 알게 한다.

2) 다음은 (나)의 ㉡을 할 때 수행한 절차이다. ⓐ~ⓓ에서 (나)의 ㉡의 원리에 부합하지 <u>않는</u> 기호와 그 이유를 쓰시오.

ⓐ 학습 절차와 보상 설명하기 ⓑ 이질적인 학생들로 집단 구성하기 ⓒ 각 집단의 구성원들은 서로 다른 한 가지 조건 선택하기 … (중략) … ⓓ 각 구성원이 획득한 점수의 평균으로 집단별 점수 산출하기

39 ▓▓▓▓▓▓▓▓▓▓▓▓▓▓ 2017 초등B-4

(가)는 지적장애 학생 윤후의 특성이고, (나)는 경험학습 수업 모형을 적용하여 계획한 2011 개정 특수교육 교육과정 중 기본 교육과정 과학과 3~4학년 '식물이 사는 곳' 교수·학습 과정안이다. 물음에 답하시오.

(가)

> • 윤후
> - 그림을 변별할 수 있음
> - 구어로 의사소통하는 데 어려움이 있음
> - 손으로 구체물을 조작하는 것을 좋아함

(나)

단원	7. 식물의 생활	소단원	2) 식물이 사는 곳
제재	땅과 물에 사는 식물	차시	6~8/14
장소	학교 주변에 있는 산, 들, 강가		
교수·학습 자료	사진기, 필기도구, 돋보기, 수첩, 식물도감, 채점기준표(루브릭)		
학습 목표	○식물의 모습을 여러 가지 방법으로 살펴볼 수 있다. ○식물의 모습을 비교하여 공통점과 차이점을 찾을 수 있다. ○식물을 사는 곳에 따라 분류할 수 있다.		

단계		교수·학습 활동 (○: 교사 활동, •: 학생 활동)	자료(자) 및 유의점(유)
도입		○학습 목표와 학습 활동 안내하기 ○ⓒ채점기준표(루브릭) 안내하기	유 (ⓒ)
전개	자유 탐색	○자유롭게 탐색하게 하기 •식물에 대해 자유롭게 이야기 나누기 •식물의 모습을 여러 가지 방법으로 살펴보기	자 사진기, 필기도구, 돋보기, 수첩
	탐색 결과 발표	○탐색 경험 발표하게 하기 •숲·들·강가에 사는 식물을 살펴본 내용 발표하기 •친구들의 발표 내용 듣기	유 ㉣ 식물 그림카드를 제공한다.
	㉠ 교사 인도에 따른 탐색	○교사의 인도에 따라 탐색하게 하기 •여러 가지 식물의 모습을 자세히 살펴보고 공통점과 차이점 찾기 •여러 가지 식물을 사는 곳에 따라 분류하기	자 식물도감, 돋보기
정리 및 평가		○학습 결과 정리하게 하기 •친구들과 학습 결과를 공유하고 발표하기	자 채점기준표(루브릭)

4) 교사가 (가)를 고려하여 (나)의 ㉣에 적용한 교수적 수정의 유형을 쓰시오.

40

(가)는 학생 P의 특성이고, (나)는 중학교 1학년 기술·가정과 '건강한 식생활과 식사 구성'을 지도하기 위하여 통합학급 교사와 특수교사가 협의한 내용이다. ㉠에 해당하는 교수법의 명칭을 쓰고, 모둠별 활동을 하는 동안 통합학급 교사의 역할 1가지를 ㉡에 제시하시오.

(가) 학생 P의 특성

- 상지의 소근육 운동 기능에 어려움이 있는 지체장애 학생으로 경도 지적장애를 동반함
- 특별한 문제행동은 없으며, 학급 친구들과 원만한 관계를 유지하고 있음

(나) 통합학급 교사와 특수교사의 협의 내용

관련 영역	수업 계획	특수교사의 제안 사항
학습 목표	• 탄수화물이 우리 몸에서 하는 일을 설명할 수 있다.	• 본시와 관련된 핵심 단어는 특수학급에서 사전에 학습한다.
교수·학습 방법	• 우리 몸에서 필요한 영양소의 종류 및 기능 －㉠모둠 활동을 할 때 튜터와 튜티의 역할을 번갈아 가면서 한다. －(㉡)	• P에게 튜터의 역할과 절차를 특수교사가 사전에 교육한다.
평가 계획	• 퀴즈(지필 평가) 실시	• ㉢UDL의 원리를 적용하여 P의 지필 평가 참여 방법을 조정한다.

41

(나)는 읽기 학습장애 학생을 위한 사회과 '민주주의를 실현하는 기관' 단원 수업 계획의 일부이다. 또래지원학습전략(Peer-Assisted Learning Strategies; PALS)을 활용할 때, ㉢에 들어갈 단계명과 활동 3가지를 제시하시오.

(나) 12차시 수업 계획

차시	12차시 / 심화 학습
주제	국회, 정부, 법원의 삼권분립 이유 알기
교수·학습 활동	• 교사는 2명의 학생을 한 조로 편성하여 튜터와 튜티의 역할을 수행하도록 한다. • 국회, 정부, 법원의 권력분립을 설명하는 읽기 자료를 제공한다. • 학생들이 읽기 활동을 할 때 PALS를 활용한다. **단계 및 활동의 예** 1. 파트너 읽기(partner reading) －튜터가 먼저 읽고 튜티가 다시 읽기 －튜티가 읽을 때 튜터는 오류를 교정해 주기 －튜티가 읽은 내용을 다시 말하기 2. (㉢) 3. 예측 릴레이(prediction relay) －튜터와 튜티는 다음에 읽을 내용이 무엇인지 예측하기 －튜터와 튜티는 예측한 내용이 옳은지 확인하기

42

다음은 3명의 교사들이 학생 A의 수학여행 참여 여부에 대해 대화한 내용의 일부이다. 대화 내용을 참고하여 장애 개념에 대한 의료적 모델, 사회적 모델, '국제 기능 · 장애 · 건강 분류(ICF)' 체계의 모델을 비교 · 설명하고, 본인의 생각을 〈작성 방법〉에 따라 논하시오.

김 교사: 학생 A는 중도장애로 인해 적응행동에 어려움도 있고, 휠체어를 타고 가기에 힘든 곳이 많아 수학여행에 참여하는 것은 무리라고 생각됩니다. 때에 맞춰 약을 먹어야 하는 개인적인 문제도 있고요.

이 교사: 글쎄요, 인식의 차이라고 생각합니다. 학생이 아무리 행동에 어려움이 있고 휠체어를 타고 있더라도 어디나 갈 수 있어야죠. 그런 사회적 환경을 만들어야 한다고 생각해요.

김 교사: 그래도 외부로 나가면 일이 생겼을 때 혼자 해결하기도 어렵고, 스스로 할 수 없으면 자칫 다른 사람에게 피해도 주게 되어서요. 게다가 장애가 있으니 매사 어려움이 많고, 아무래도 친구들과 어울리기도 힘들더라고요.

최 교사: 그렇게 생각하실 수도 있지만, 국제적으로 장애에 대한 인식이 변해 가는 것 같아요. 얼마 전 교사 연수에서 WHO의 ICF 모델에 대해 알게 되었는데, 환경적 요인이 장애인의 신체 기능과 구조, 활동, 참여와 상호작용 한다고 하네요.

… (하략) …

〈 작성 방법 〉
• 서론, 본론, 결론의 형식으로 작성할 것
• 장애를 바라보는 관점으로서 의료적 모델과 사회적 모델을 장애의 원인론 측면에서 비교하여 설명할 것
• 의료적 모델과 사회적 모델을 설명할 때 위 대화의 내용을 예로 인용할 것
• ICF 체계의 모델을 설명할 때 장애를 바라보는 관점과 장애의 제한을 최소화하는 방법을 제시할 것
• 장애의 개념에 대한 본인의 생각을 특수교육에 주는 시사점과 관련하여 논할 것

43

다음은 유아특수교사인 김 교사가 작성한 반성적 저널의 일부이다. 물음에 답하시오.

일자 : 2017년 9월 ○○일 (화)

오늘 유치원에서 공개 수업이 있었다. 나는 발달지체 유아인 나은이가 속해 있는 5세반 박 교사와 협력 교수로 '송편 만들기' 수업을 실시하였다. 유아들의 참여도를 높이기 위해 반 전체를 10명씩 두 모둠으로 나누어 '송편 만들기' 수업을 동시에 진행하였다.
유아들이 재료의 변화를 직접 탐색하고 조작해 볼 수 있도록 유아별로 송편 재료를 나누어 주었고, 여러 가지 재료와 활동 순서에 대해서는 사진 자료를 제시하였다. 나은이는 ㉠ 쌀가루의 냄새를 맡고, 손가락으로 반죽을 눌러 보았다. 찜통 속의 송편을 꺼낼 때 나은이는 ㉡ "뜨거울 거 같아요.", "커졌을 거 같아요."하며 관심을 보였다.
㉢ 동료 교사들의 수업 참관록을 읽어 보니 내가 맡은 모둠보다 박 교사가 맡은 모둠에서 재료 탐색에 대한 과정이 더 적극적으로 이루어진 것으로 평가되었다. 그러나 나은이가 다른 수업 때보다 수업 참여도가 높았고, 친구들과 상호작용도 활발하게 해서 기뻤다.

3) ① 박 교사와 김 교사가 적용한 협력 교수의 유형을 쓰고, ② 그 협력 교수 유형의 단점을 밑줄 친 ㉢에 나타난 내용에 근거하여 쓰시오.

①:

②:

44 ························ 2018 초등B-2

(가)는 통합학급 학생의 현재 학습 수준이고, (나)는 (가)를 고려하여 특수교사와 일반교사가 수립한 컴퓨터 보조 수업(CAI) 기반 협력 교수 계획의 일부이다. 물음에 답하시오.

(가)

학생	현재 학습 수준
일반 학생	두 자리 수×한 자리 수 문제를 풀 수 있음
지혜, 진우 (학습부진)	한 자리 수×한 자리 수 문제를 풀 수 있음
세희 (지적장애)	곱셈구구표를 보고 한 자리 수 곱셈 문제를 풀 수 있음

(나)

협력 교수의 유형 / 교사의 역할	(㉠)
일반교사	• 수업의 시작과 정리 단계에서 학급 전체를 대상으로 진행함 • 전개 단계 중 지혜, 진우, 세희로 구성된 소집단을 제외한 나머지 학생을 지도함 • 교육용 소프트웨어를 활용하여 연습하도록 지도함
특수교사	• 수업의 전개 단계에서 ㉡<u>지혜, 진우, 세희를 소집단으로 구성하여 지도함</u> • 교육용 소프트웨어를 통하여 현재 학습 수준에 적합하게 연습하도록 지도함

1) ① (나)의 ㉠에 들어갈 협력 교수의 유형을 쓰고, ② (나)의 밑줄 친 ㉡을 반복할 경우 발생할 수 있는 문제를 예방하기 위한 방법 1가지를 교사 역할 측면에서 쓰시오.

①:

②:

45 ························ 2018 중등B-1

다음은 A중학교에서 학기 초 교직원 연수를 위해 준비한 통합교육 안내자료 중 일부이다. 〈작성 방법〉에 따라 서술하시오.

〈2017학년도 A중학교 1학년 통합교육 계획안〉

1. 특수교육대상학생 현황

반	이름	장애 유형	행동 특성
2	B	지적 장애	• 교사의 지시를 잘 따르고 적극적임 • 주변 사람들과 친하게 잘 지냄
4	C	자폐성 장애	• 수업에 별다른 관심이 없어 보임 • 하나의 활동이나 장소에서 다른 활동이나 장소로 옮겨 가는 데 문제를 보임 • 모둠 활동 시 또래도우미의 도움에 의존함

2. 교수 적합화 계획

학생 B	과목: 수학	방법: 교수 집단 적합화

팀 보조 개별학습(TAI)

① 모둠 구성 : 개별학생의 수준을 파악한 후, 4~6명의 이질적인 학생들로 모둠을 구성함
② 학습지 준비 : (㉠)
③ 학습 활동 : 모둠 내에서 학습지 풀이를 하는 동안 필요 시 교사와 또래가 도움을 제공함
④ 개별 평가 : (㉡)
⑤ 모둠 평가 및 보상 : 모둠 점수를 산출하고 기준에 따라 모둠에게 보상을 제공함

학생 C	과목: 과학	방법: 교수 자료 및 방법 적합화

㉢ 모둠활동 시간에 또래도우미는 학생 C에 대한 언어 촉진을 점진적으로 증가시킴
㉣ 전체 일과와 세부 활동에 대하여 시각적 단서를 제공함
㉤ 수업 시작 전이나 수업이 끝난 후 수업내용을 칠판에 적어 놓거나 관련 자료를 제공함
㉥ 모둠 활동 시 학생의 자리는 수시로 바꾸어 가며 진행함

… (하략) …

─〈작성 방법〉─
• ㉠에 들어갈 학습지의 특성을 1가지 제시할 것
• ㉡에 들어갈 개별 평가 방법을 1가지 서술할 것
• 학생 C의 특성에 근거하여 ㉢~㉥ 중 적절하지 <u>않은</u> 것 2가지의 기호를 적고, 그 이유를 각각 1가지 서술할 것

46

다음은 뇌성마비 학생 E의 특성과 지원 계획이다. 〈작성 방법〉에 따라 서술하시오.

학생	구분	내용
E	특성	• 경직형 뇌성마비 학생임 • 워커를 사용하여 이동하기 시작함
	지원 계획	• 교사, 부모, 물리치료사, 작업치료사 등 다양한 전문가들이 팀을 이루고 함께 모여 동시에 학생 E를 진단함 • 교사는 촉진자로서 학생 E의 움직임과 행동을 유도해 내고, 팀원들은 학생의 행동을 관찰하면서 각자의 전문영역과 관련한 평가를 함 ⓛ • 평가결과에 기초하여 팀원들은 "워커를 사용히여 목표지점까지 이동할 수 있다."는 목표를 설정하고 공유한 후, 개별화교육 계획에 반영함 ㉠ • 교사와 부모는 물리치료사와 작업치료사에게 다음의 내용을 배워 학생을 지도함 ─바른 정렬을 유지하며 워커로 걷는 방법 ─적절한 근긴장도를 유지하며 걷는 방법 ─방향 전환 방법 • 교사는 학생 E가 학교 일과 중 자연스러운 환경에서 '워커를 사용하여 이동하기'를 연습할 수 있도록 계획하고 지도함

┌〈 작성 방법 〉
• ㉠에 해당하는 팀 협력 모델 명칭을 쓰고, 이 모델에서 사용하는 ⓛ에 해당하는 진단방법을 제시할 것

47

(가)는 통합학급 김 교사의 반성적 저널의 일부이다. 물음에 답하시오.

(가)

> 일자 : 2018년 ○○월 ○○일
>
> 박 선생님과 함께 '코끼리의 발걸음' 음악을 듣고 다양한 방법으로 표현하기를 했다. 우리 반은 발달지체 유아 태우를 포함해 25명으로 구성되어 있어 음악과 관련된 활동을 할 때마다 늘 부담이 되었다. 이런 고민을 박 선생님께 말씀드렸더니 (㉠)을/를 제안해 주었다. 유아들은 세 가지 활동에 모둠으로 나누어 참여했다. 나는 음악에 맞추어 리듬 막대로 연주하기를 지도하고, 박 선생님은 음악을 들으며 코끼리처럼 움직이기를 지도해 주었다. 다른 모둠은 원감 선생님께서 유아들끼리 자유롭게 코끼리 그림을 그릴 수 있도록 해 주었다. 그리고 한 활동이 끝나면 유아들끼리 모둠별로 다음 활동으로 이동해 세 가지 활동에 모두 참여할 수 있도록 해주었다. [A]

1) (가)의 [A]에 근거해 ① ㉠에 해당하는 협력 교수의 유형을 쓰고, ② ㉠과 같은 유형으로 수업을 할 때의 장점을 1가지 쓰시오.

 ① :

 ② :

48 | 2019 초등A-4

(가)는 정서 · 행동장애 학생 민규의 특성이고, (나)는 2015 개정 사회과 교육과정 5~6학년 정치 · 문화사 영역 교수 · 학습 과정안의 일부이다. 물음에 답하시오.

(가) 민규의 특성

- 자주 무단결석을 함
- 주차된 차에 흠집을 내고 달아남
- 자주 밤늦게까지 집에 들어오지 않고 동네를 배회함
- 남의 물건을 함부로 가져간 후, 거짓말을 함
- 반려동물을 발로 차고 집어던지는 등 잔인한 행동을 함
- 위와 같은 행동이 12개월 이상 지속되고 있음

(나) 교수 · 학습 과정안

단계	교수 · 학습 활동	유의 사항
도입	• 조선 시대 국난을 극복한 인물 알아보기 −임진왜란, 병자호란 등 역사적 사건 살펴보기 −임진왜란과 병자호란에서 활약한 인물 중 내가 알고 있는 인물 발표하기	
전개	〈학습 활동 1〉 • 이순신 장군의 업적 살펴보기 −이순신 장군의 일화 살펴보기 −이순신 장군과 관계있는 장소 살펴보기	
	〈학습 활동 2〉 • 모둠별 학습 계획 수립하기 −모둠별 학습 주제 정하기 −모둠별 학습 방법 정하기 −모둠원 역할 정하기	• ㉠ 또래교수를 활용함

	〈학습 활동 3〉
	• 모둠별 학습 활동하기
	 −이순신 장군 되어 보기
	  1모둠: 난중일기 다시 쓰기 [A]
	  2모둠: 적장에게 편지 쓰기
	  3모둠: 거북선 다시 설계하기
		• 표적행동을 관찰 기록함

정리 및 평가	• 활동 소감 발표하기 • 차시 예고하기	

3) 다음은 (나)의 ㉠에 대한 설명이다. ⓐ와 ⓑ에 들어갈 말을 각각 쓰시오.

유형	개념
(ⓐ)	• 학급 구성원을 2~3개의 모둠으로 나누어 또래교수에 참여하도록 함 • 학생의 과제 참여 시간, 연습 및 피드백 기회가 증가됨 • 모든 학생의 학업적 행동에 관심을 갖게 되며 수업 시간 중에 상호작용이 증가됨
일대일 또래 교수	• 특별한 지원이 필요한 학생에게 효과적인 전략임 −역할 반전 또래교수: 일반적으로 학습자 역할을 하는 학생이 특정 영역에서는 교수자 역할을 함 −(ⓑ): 학습 수준이 높은 학생이 낮은 학생을 가르치는 교수자 역할을 함

ⓐ :

ⓑ :

49 2019 초등B-2

(가)는 지적장애 학생 은지의 통합학급 담임인 윤 교사가 특수교사인 최 교사와 실과 수업에 대하여 나눈 대화이다. 물음에 답하시오.

(가) 대화 내용

윤 교사 : 다음 ㉠실과 수업 시간에는 '생활 속의 동물 돌보기' 수업을 하려고 합니다. 그때 은지에게는 국어과 목표인 '여러 가지 동물의 이름 말하기'를 지도하려고 해요. 은지가 애완동물이나 반려동물뿐만 아니라, ㉡소·돼지·닭과 같이 식품과 생활용품의 재료 등을 얻기 위해 기르는 동물의 이름에 대해서도 알았으면 좋겠습니다.

최 교사 : 그렇지 않아도 특수학급에서 은지에게 '여러 가지 동물의 이름 말하기'를 지도하고 있어요. 지난 시간에는 ㉢햄스터가 그려진 카드를 은지에게 보여주면서 이름을 물어보며 '햄'이라고 언어적으로 즉시 촉진해 주었더니 '햄스터'라고 곧잘 말하더라고요.

… (중략) …

윤 교사 : 선생님, 은지가 수업 중에 보이는 문제행동을 어떻게 해야 할지 고민입니다.

최 교사 : 마침 제가 통합학급 수업 시간에 나타나는 은지의 문제행동 기능을 알아보기 위해서 관찰 결과를 요약해 보았습니다.

1) (가)의 ㉠을 중복 교육과정(curriculum overlapping)의 적용 사례로 볼 수 있는 근거를 1가지 쓰시오.

50 2019 중등A-1

다음은 교원을 대상으로 통합교육 연수를 실시하기 위하여 작성한 자료의 일부이다. 괄호 안의 ㉡에 해당하는 내용을 쓰시오. (단, 〈연수 자료〉에 제시된 단어는 제외할 것)

〈연수 자료〉

Ⅱ. 통합교육의 실제
1. 모두를 위한 학교, (㉡)을/를 존중하는 학교
  가. '(㉡)'의 사전적 의미 : 모양, 빛깔, 형태, 양식 따위가 여러 가지로 많은 특성

  나. 학교 교육에서 (㉡)을/를 추구해야 하는 이유
    – 개인별 취향을 인정하듯 학교 구성원의 저마다 다른 개성을 인정하고 교육적 요구를 수용함으로써 필요한 교육을 제공해야 함
    – 다차원적 관점이나 가치관을 학습하는 것이 중요함(다원성)
    – 불평등한 사회 구조의 변혁을 위해 소수자 관점의 교육도 중요함(평등성)
    – 학생의 능력, 개성, 자질을 동등하게 존중하고 가치를 부여해야 함(수월성)

  다. 통합교육의 성공을 위한 출발점
    – 장애학생의 특성을 '차이', '다름', '개성'으로 인정하여 인간의 (㉡) 차원으로 수용
    – 개별 학생에 적합한 학습 방법 및 교육 내용을 적용하는 교육과정 운영

51 〔2019 중등B-8〕

(가)는 ○○중학교에 재학 중인 장애학생에 관한 특성과 배치 형태이고, (나)는 교수적 수정을 적용하고자 하는 국어과 교수·학습 지도안의 일부이다. (다)는 이에 대한 국어교사와 특수교사의 대화 내용이다. 통합교육 상황에서 '교수적 수정'의 필요성, 적용 사례 및 시사점을 〈작성 방법〉에 따라 논술하시오.

(가) 학생의 특성 및 배치 형태

학생 (원적 학급)	특성	배치 형태
학생 A (2학년 1반)	• 시각장애(저시력) • 18 point 확대자료를 요구함 • 시각적 수행능력의 변화가 심하여 주의가 필요함	일반학급
학생 B (2학년 4반)	• 청각장애(인공와우 착용) • 대화는 큰 어려움이 없음 • 듣기나 동영상 자료를 접근할 때 어려움이 있음	일반학급
학생 C (2학년 6반)	• 경도 자폐성장애 • 어휘력이 높으며, 텍스트에 그림이 들어갈 때 이해를 더 잘함 • 많은 사람과 같이 있거나, 한꺼번에 너무 많은 자극이 있는 상황을 어려워함	특수학급

(나) 국어과 교수·학습 지도안

단원명	논리적인 말과 글		
제재	'이 문제는 이렇게'	차시	4 / 5
학습 목표	생활주변의 요구사항을 담은 건의문을 다양한 방식으로 작성한다.		

교수·학습 활동	자료 및 유의점
… (상략) … 〈활동 1〉 – 교사가 준비한 건의문 예시 자료를 함께 읽는다. 〈활동 2〉 – 각 모둠에서 만든 우리 동네의 문제점(잘못된 점자 표기, 주차난, 음식물 쓰레기)이 담긴 동영상 자료를 함께 살펴보고, 지역사회에 건의할 문제에 대해 모둠별로 토론한 후, 아이디어를 발표한다.	– 신문에 나타난 3가지 형식의 건의문 준비하기 – 학생들이 준비한 동영상 자료를 미리 점검하기

(다) 대화 내용

국어교사: 다양한 학생들을 하나의 내용과 방법으로 지도하고 있어서 늘 신경 쓰였어요.

특수교사: 이 고민은 '교수적 수정'을 통해 풀어보면 좋을 것 같아요. 많은 시간 통합학급에서 학습하는 학생 A, B, C를 위해 교수적 수정을 하여 통합교육을 지원해 볼 수 있어요.

… (중략) …

국어교사: 지금까지 교육 환경, ㉠교수 집단화, 교육 방법, 교육 내용 측면에서의 '교수적 수정' 그리고 평가 방법 차원의 수정 방법을 설명해 주셨는데요, ㉡평가 수정 방법에서 시간을 연장하는 것 외에 구체적인 수정 방법으로 무엇이 있을까요?

… (중략) …

특수교사: 잘 들어 주셔서 감사합니다. 하지만 통합교육 상황에서 '교수적 수정'으로 접근할 때도 한계가 있어 '보편적 학습설계'의 원리 적용이 필요하다는 견해가 있습니다.

┌─〈 작성 방법 〉─
• 서론, 본론, 결론의 형식으로 작성할 것
• 서론에는 통합교육 장면에서 '교수적 수정'의 필요성을 서술할 것
• 본론에는 아래 내용을 포함하여 작성할 것
  – 밑줄 친 ㉠의 적용 사례를 (나)의 수업 상황과 연관지어 각 1가지씩 작성할 것(단, 학생 A, B, C의 특성을 고려하여 작성하되 한 사례에 1명의 학생을 반영하여 제시할 것)
  – 밑줄 친 ㉡의 예를 3가지 제시하되, 학생 A에게는 '반응 형태의 수정', 학생 B에게는 '제시 형태의 수정' 그리고 학생 C에게는 '시간 조정(단, 시간 연장 방법은 제외)'에 대해 제시할 것
• 결론에는 통합교육에서 '교수적 수정'이 지닌 한계를 쓰고 '보편적 학습설계'가 주는 시사점을 서술할 것

52   2020 유아A-7

(나)는 2차 교직원협의회 내용이다. 물음에 답하시오.

(나)

민 교사 :	유치원 차원의 긍정적 행동지원 2차 협의회를 시작하겠습니다.

··· (중략) ···

민 교사: 유치원 차원의 긍정적 행동지원 2차 협의회를 시작하겠습니다.

··· (중략) ···

양 원장: 유치원 차원의 긍정적 행동지원을 실시하려면 특수교육대상 유아를 고려한 계획이 필요하지 않나요? 유아별 개별화교육지원팀이 있잖아요. 그 팀 간의 협력도 필요할 것 같고···. 팀 협력도 여러 가지 방법이 있지 않나요?

신 교사: 보라의 ⓒ개별화교육지원팀의 구성원들은 진단과 중재를 각각 하지만 팀 협의회 때 만나서 필요한 정보들을 공유해요. 보라가 다니는 복지관의 언어재활사는 팀 협의회 때 보라의 진단 결과와 중재 방법을 알려줄 수 있어요. 유치원 차원의 긍정적 행동지원과 관련해서는 언어재활사에게 차례 지키기 연습을 할 기회가 있으면 복지관에서도 할 수 있도록 협조를 부탁드리면 좋겠어요.

이 원감: 건하의 ⓒ개별화교육지원팀은 함께 교육진단을 하고, 그 진단을 바탕으로 유아특수교사와 통합학급교사가 교육을 계획한 후 실행하고 평가하는 전 과정에서 함께 협력해요. 두 선생님은 물리치료사에게 알맞은 자세잡기를 배워서 건하에게 적용할 수 있어요.

··· (하략) ···

2) (나)의 ① ⓒ과 ⓒ에 해당하는 팀 접근의 유형을 각각 쓰고, ② ⓒ과 비교하여 ⓒ이 갖는 장점을 1가지 쓰시오.

    ① ⓒ :

       ⓒ :

    ② :

53   2020 유아B-3

(가)는 통합학급 5세반 특수교육대상 유아들의 특성이고, (다)는 교사들의 평가회 장면이다. 물음에 답하시오.

(가)

민지	• 자신감이 부족함 • 지혜를 좋아하고 지혜의 행동을 모방함 • 워커를 이용하여 이동함
경민	• 1세 때 선천성 백내장 수술로 인공수정체를 삽입하였음 • 가까운 사물은 잘 보이지만 5m 이상 떨어진 사물은 흐릿하게 보임 • 눈이 쉽게 피로하며 안구건조증이 심함
정우	• 자발적으로 활동에 참여하려고 하지 않음 • 다른 사람과 눈맞춤은 하지 않지만 상대방의 말을 듣고 이해함 • 불편한 점이 있을 때 '아' 소리만 내고 아직 말을 못함

(다)

송 교사: 꽃빛 1반 교실 배치가 좀 달라졌네요?

박 교사: ㉠ 민지를 고려해서 미리 충분한 공간을 확보하려고 교실 교구장 배치를 좀 바꿨어요.

최 교사: 저는 민지가 동물의 움직임을 표현하는 것을 보고 감동 받았어요. 작년에는 남에게 많이 의존하고 수동적인 태도를 보였어요.

박 교사: 민지가 전에는 ㉡ 실패의 경험들이 누적되어 활동에 참여하는 것을 두려워하고, 끈기 있게 노력하거나 도전하려고 하지 않았어요. "나는 잘 걸을 수 없으니까 못해요. 못 할 거예요."라고 자주 말했어요. 그런데 지금은 민지가 시간이 걸리고 힘들어도 스스로 하려고 노력하고, 성공하는 기쁨을 가끔 맛보기도 해요.

최 교사: 박 선생님이 아이들에게 자유롭고 허용적인 분위기를 조성해 주셔서 유아들이 모두 참여할 수 있었던 것 같아요.

··· (하략) ···

2) (가)에 근거하여 ① (다)에서 ㉠의 이유를 쓰고, ② ㉠에 해당하는 교수적 수정의 유형을 쓰시오.

①:

②:

54

(가)는 정서·행동장애 학생 성우의 사회과 수업 참여 방안에 대해 특수교사와 일반교사가 나눈 대화의 일부이다. 물음에 답하시오.

(가) 대화 내용

일반교사 : 성우는 교실에서 자주 화를 내고 주변 ㄱ
　　　　　친구를 귀찮게 합니다. 제가 잘못된 행 │
　　　　　동을 지적해도 자꾸 남의 탓으로 돌려요. │
　　　　　그리고 교사가 어떤 일을 시켰을 때 무시 ├ [A]
　　　　　하거나 거부하기도 합니다. 이 모든 문제 │
　　　　　행동이 7개월 넘게 지속되고 있어요. │
　　　　　성우가 품행장애인지 궁금합니다. ㄴ
특수교사 : 제 생각에는 ㉠품행장애가 아닙니다. 관찰
　　　　　된 행동만으로 판단하는 것은 어렵지만, '아
　　　　　동·청소년 행동 평가척도(CBCL 6-18)' 검
　　　　　사 결과를 참고하면 좋겠어요.

… (중략) …

일반교사 : 성우는 성적도 낮은 편이라 모둠 활동을 할
　　　　　때 환영받지 못하는 경우가 많아서 사회과
　　　　　수업에 협동학습을 적용하려고 해요. 그런데
　　　　　협동학습에서도 ㉡능력이 뛰어난 학생이
　　　　　모둠 활동에 지나치게 개입하여 주도하려는
　　　　　현상이 나타날 수 있어요.
특수교사 : 맞습니다. 교사는 그러한 현상을 방지하기
　　　　　위해서 ㉢과제 부여 방법이나 ㉣보상 제공
　　　　　방법을 면밀하게 고려해 보아야 하지요.
일반교사 : 그렇군요. 집단 활동에서 성우의 학습 수행을
　　　　　평가할 수 있는 방법은 무엇인가요?
특수교사 : 관찰이나 면접을 활용하여 성우의 ㉤공감 능
　　　　　력, 친사회적 행동 실천 능력의 변화를 평가
　　　　　하면 좋을 것 같습니다.

… (하략) …

2) (가)의 ㉡을 방지하기 위해 교사가 할 수 있는 ㉢과
　 ㉣의 구체적인 내용을 각각 쓰시오.

　 ㉢ :

　 ㉣ :

55

다음은 통합학급 교사인 최 교사가 특수교사인 강 교사와 교내 메신저로 지적장애 학생 지호의 음악과 수행평가에 대해 나눈 대화의 일부이다. 물음에 답하시오.

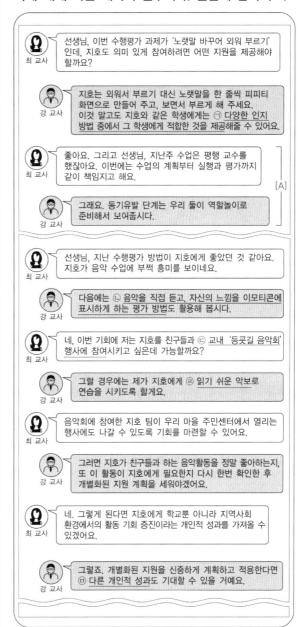

1) [A]와 같은 협력교수 형태를 쓰시오.

56 ㅣ 2020 중등A-10

다음은 읽기 학습장애 학생 J가 있는 통합학급에서 교사가 활용할 교수·학습 활동의 예시이다. 〈작성 방법〉에 따라 서술하시오.

내용 요소	글의 주요 내용 파악하기
주제	설명하는 글을 읽고 구조화하여 글의 내용 이해하기
학습 모형	학생집단 성취모형(Student Teams Achievement Division ; STAD)
모둠 구성	• 이전 시간에 성취한 점수 확인하기 • (㉠)

모둠 읽기 활동	읽기 전	• 브레인스토밍 : 읽을 글에 대해 알고 있는 내용을 생성하고, 조직화한 후, 정교화하기 • ㉡ 글의 제목, 소제목, 그림 등을 훑어보고 글의 내용 짐작하기
	읽기 중	• 모둠원의 개별 수준에 맞는 글 읽기 • 단서 단어 및 중요한 단어 학습하기 〈수준별 읽기 자료 예시〉 미래 직업 변화하는 미래에 기대되는 직업은 환경의 중요성이 커짐에 따라 생기는 직업, 로봇을 이용한 작업이 많아짐에 따라 생기는 직업 등으로 나눌 수 있다. 그중 환경의 중요성이 커짐에 따라 생기는 직업에는 기후변화 전문가, 에코제품 디자이너 등이 있다. 그리고 로봇을 이용한 작업이 많아짐에 따라 생기는 직업에는 로봇 디자이너, 로봇 공연 기획자 등이 있다. … (하략) … • 글의 구조를 고려하여 주요 단어를 기록하기 [미래직업 → 환경 / 로봇 → 기후변화 / 에코제품 / 디자이너 / 공연기획자] ㉢
	읽기 후	• 글 이해에 대한 개별 평가 후 채점하기 • ㉣ 모둠 성취 평가하기
유의할 점	• 교사는 모둠원들이 서로 도우며 주어진 읽기 자료를 이해하도록 지도한다.

┌─〈 작성 방법 〉─
• 괄호 안의 ㉠에 들어갈 모둠 구성 방법을 서술할 것
• 밑줄 친 ㉣을 수행하기 위한 방법을 서술할 것

57 ㅣ 2020 중등B-4

(가)는 ○○중학교에서 통합교육을 받고 있는 학생 D와 E에 대해 담임교사와 특수교사가 나눈 대화의 일부이고, (나)는 특수교사가 작성한 수업 지원 계획의 일부이다. 〈작성 방법〉에 따라 서술하시오.

(가) 대화

특수교사 : 학생 D와 E의 특성에 대해 이야기해 보고, 수업에서 지원할 수 있는 방법을 의논해 볼까요? 담임교사 : 네, 먼저 학생 D는 ⓐ 수업의 주제를 도형이나 개념도와 같은 그림으로 표현하는 것을 좋아한다고 합니다. 자신이 지각한 것을 머릿속에서 시각화하고, 이것을 창의적으로 표현하는 능력이 뛰어난 학생입니다. 그리고 학생 E는 체육 활동에 적극적으로 참여하고, 수행 수준도 우수하다고 해요. 하지만 제 수업인 국어 시간에는 흥미가 없어서인지 활동에 잘 참여하지 않아서 걱정입니다. 특수교사 : 두 학생의 장점이나 흥미를 교수·학습 활동에 반영하고, 선생님과 제가 수업을 함께 해보면 어떨까요? 담임교사 : 네, 좋은 생각입니다. 제 수업 시간에는 ⓑ 제가 반 전체를 맡고, 선생님께서는 학생 D와 E를 포함하여 4~5명의 학생을 지도해 주시면 좋겠어요. … (중략) … 특수교사 : 네, 그리고 ㉠ 수업의 정리 단계에서 학생 D에게는 시간을 더 주고, 글보다 도식과 같은 그림으로 표현하게 하여 그 결과를 확인하는 것이 좋겠습니다.

(나) 수업 지원 계획

수업 지원 교과		국어	
수업 주제		상대의 감정을 파악하며 대화하기	
학생	다중지능 유형	학생 특성을 반영한 활동 계획	협력교수 모형
D	(㉡)	상대의 감정을 시각화하여 창의적으로 표현하기	(㉢)
E	신체운동 지능	상대의 감정을 신체로 표현하기	

┌─〈 작성 방법 〉─
• (가)의 밑줄 친 ㉠에서 사용한 교수적 수정(교수 적합화)의 유형을 1가지 쓸 것
• (가)의 밑줄 친 ⓑ를 참고하여 (나)의 괄호 안의 ㉢에 해당하는 용어를 쓰고, ㉢과 '교수-지원(one-teach, one-assist) 모형'의 차이점을 학습 집단 구성 측면에서 1가지 서술할 것

58 ▰▰▰▰▰▰▰

다음은 4세반 통합학급 서 교사와 유아특수교사 박 교사가 나눈 대화이다. 물음에 답하시오.

> 서 교사: 선생님, 몸으로 표현하는 활동으로 어떤 활동을 계획하세요?
>
> 박 교사: 저는 지금까지 해 왔던 '곰 사냥을 떠나자' 활동을 하려고 해요.
>
> 서 교사: 곰 사냥 가는 길의 풀밭, 강물, 진흙, 숲, 동굴 상황을 ㉠'흔들기'나 '들어올리기'와 같은 동작으로 표현하는 거예요?
>
> 박 교사: 네, 그 동작도 좋지만, 이번에는 ㉡테이프로 바닥에 곰 사냥 가는 길을 만들고, 그 테이프 선을 따라 '달리기', '껑충 뛰기', '밀기', '당기기', '회전하기', '구부리기'와 같은 활동을 해 보려고요.
>
> 서 교사: 그 방법도 참 좋겠네요. '선 따라가기 활동'에서 '밀기', '당기기'와 같은 동작을 하면 ㉢무게나 힘 등의 저항에 대해 한 번에 최대한 힘을 낼 수 있는 능력을 기를 수 있어요.
>
> 박 교사: 그런데 뇌성마비 유아 아람이가 잘 참여할 수 있을지 걱정이 되네요.
>
> 서 교사: 그러네요. 아람이는 대근육운동기능분류체계(GMFCS, 4~5세) 2수준이라고 하셨으니까 또래 유아들과 같은 동작을 하는 데 어려움이 있을 수 있겠네요.
>
> 박 교사: 네, 그래서 ㉣달리기를 힘들어하는 아람이도 참여할 수 있는 방법을 고민하고 있어요.

3) ㉡ 활동을 할 때 ㉣을 위한 교수적 수정을 ① 활동과 ② 교육 자료 측면에서 각각 쓰시오.

　①:

　②:

59 ▰▰▰▰▰▰▰

다음은 5세 발달지체 윤아의 통합학급 민 교사와 유아특수 교사 송 교사가 나눈 대화이다. 물음에 답하시오.

> 민 교사: 선생님, 내일 우리 반 유아들과 함께 독감과 코로나-19 예방을 위해 '마스크 쓰기'와 '비누로 손 깨끗하게 씻기'를 알아보려고 해요. 그런데 윤아는 마스크 쓰기를 싫어해서 벗고 있을 때가 많고, 비누를 사용하지 않으려고 해요. 윤아도 질병을 예방하는 방법을 알고 꼭 실천하게 해 주고 싶어요. 　[A]
>
> 송 교사: 윤아는 얼굴에 물건 닿는 것을 싫어해서 마스크를 쓰지 않으려고 해요. 그리고 ㉠비누의 거품은 좋아하지만 꽃 향기를 싫어하고, 소근육 발달이 늦어서 손으로 비누 잡는 것을 어려워해요. 그래서 꽃 향기가 나는 비누 사용을 힘들어하는 것 같아요.
>
> 민 교사: 선생님, 그러면 협력교수를 통해 함께 지도하면 어떨까요?
>
> 송 교사: 내일 ㉡민 선생님께서 전체 유아를 대상으로 비누로 손 깨끗하게 씻기를 지도하시면, 저는 윤아뿐만 아니라 특별히 도움이 필요한 다른 유아들도 활동에 효과적으로 참여할 수 있도록 도울게요. 만약, ㉢윤아와 몇몇 유아들이 마스크 쓰기와 손 씻기를 계속 많이 어려워하는 경우, 이들을 별도로 소집단을 구성해서 특별한 방법으로 집중 지도를 해 보도록 할게요.

2) 송 교사가 ㉡의 상황에서 윤아의 ㉠ 문제를 해결하기 위해 적용할 수 있는 ① 교수적 수정 유형 1가지와 ② 이에 해당하는 예를 1가지 쓰시오.

3) 민 교사와 송 교사가 적용하려는 ㉡과 ㉢의 협력교수 유형을 쓰시오.

60 2022 유아B-2

(가)는 통합학급 김 교사와 유아특수교사 박 교사의 놀이 지원 내용이다. 물음에 답하시오.

(가)

```
┌─────────────────────────────────────┐
│            놀이상황                   │
│  유아들이 요즘 다양한 미로 그리기 놀이에 몰입함  │
└─────────────────────────────────────┘
                  ↓
┌─────────────────────────────────────┐
│            유아의 요구                 │
│  내가 만든 미로로 친구와 같이 주사위 던지는 보드게임을 하고 싶어요. │
└─────────────────────────────────────┘
                  ↓
```

놀이 지원	두 교사의 고민
• 유아들이 색지에 그린 미로가 작아서 큰 화이트보드와 마커를 제공함	• 현우가 딱딱한 플라스틱 주사위를 세게 던져서 위험성이 있음 [B]
• 현우가 마커로 그린 미로가 잘 이어지지 않아서 현우의 모둠에는 네모자석을 제공함 [A]	• 현우는 미로에 흥미가 있으나 구어 표현이 안 되어 놀이 참여에 어려움이 있음
• 현우 모둠은 자석을 붙여서 길을 만듦	• 현우가 보드게임을 즐기는데 필요한 AAC를 결정해야 함

```
                  ↓
┌─────────────────────────────────────┐
│            협력교수 지원               │
│  현우가 사용하는 AAC 상징 이해를 위해 모든 유아를 대상으로 │
│         '그림말·몸말 놀이' 실시          │
└─────────────────────────────────────┘
```

KORSET

1) (가)의 [A]에서 사용한 교수적 수정 유형을 [B]에 적용하여 그 예를 1가지 쓰시오.

61   2022 초등B-1

(가)는 세희의 특성이고, (나)는 통합학급 교사와 시각장애거점 특수교육지원센터 특수교사의 협의 내용이다. 물음에 답하시오.

(가) 세희의 특성

- 초등학교 6학년 저시력 학생임
- 피질시각장애(Cortical Visual Impairment ; CVI)로 인해 낮은 시기능과 협응능력의 부조화를 보임
- 눈부심이 있음
- 글씨나 그림 등은 검은색 배경에 노란색으로 제 [A] 시했을 때에 더 잘 봄
- 원근 조절이 가능한 데스크용 확대독서기를 사용하지만 읽는 속도가 느림
- 기초학습능력검사(읽기) 결과, ㉠학년등가점수는 4.4임

(나) 특수교사의 순회교육 시, 협력교수를 위한 통합학급 교사와 특수교사의 협의 내용

협의 내용 요약		점검사항 공통사항 : 囲 세희지원 : 셰
통합학급 교사	특수교사	
• 전체 수업 진행 - 구체적인 교과 내용을 지도함 • 팀별 학습 활동 - 팀의 학생들은 상호작용을 하며 과제를 해결함	• 학급을 순회하며 전체 학생 관찰 및 지원 - 학생들에게 학습전략을 개별 지도함 - 원거리 판서를 볼 때 세희에게 확대독서기의 초점 조절법을 개별 지도함	囲 팀별 활동 자료
• 팀 활동 후 평가 실시 - 평가지는 ㉡평가문항들이 단원의 목표와 내용을 충실하게 대표하는지를 같은 학년 교사들이 전문성을 바탕으로 이원분류표를 활용해서 비교·분석하여 확인함	• 학급을 순회하며 학생 요구 지원 - 세희가 평가지를 잘 볼 수 있게 ㉢확대독서기 기능 설정을 확인함 - 시험시간을 1.5배 연장함	囲 이원분류표 셰 ㉣수정된 답안지와 필기구 제공
• 팀 점수 산출 • 팀 점수 게시 및 우승팀 보상	• 팀 점수 산출 시 오류 확인 - 학급을 순회하며 필요한 도움을 제공함	

3) ① (나)에 적용된 협력교수 유형의 명칭을 쓰고, ② 이 협력 교수와 대안교수의 차이점을 교사의 역할 측면에서 쓰시오.

① :

② :

62   2023 유아A-5

다음은 통합학급 교사들이 준우에 관해 나눈 대화의 일부이다. 물음에 답하시오.

박 교사: 선생님, 준우가 듀센형 근이영양증(Duchenne's muscular dystrophy)인데, 신체 활동할 때 고려할 점에 관해 협의해 보아요.

김 교사: 네, 준우가 ㉠ 걷기 능력을 가능한 한 오랫동안 유지할 수 있도록 해요.

박 교사: 그리고 ㉡ 근력 약화도 지연되도록 해야겠어요.

김 교사: 근력 운동은 무게가 있는 물건을 사용하면 어떨까요?

박 교사: 네, 하지만 너무 무거운 것은 피해야 할 것 같아요. 그리고 ㉢ 가성비대가 나타나는 근육은 사용하지 않도록 하는 것이 중요해요.

김 교사: 근력 운동뿐만 아니라 유산소 운동도 꼭 포함해야겠어요. 준우가 비만이 심해질수록 움직이기 더 힘들어하는데, 고정형 자전거를 타게 하면 어떨까요?

박 교사: 좋아요. 준우가 타다가 ㉣ 힘들어서 피로하다고 하더라도 몇 분 더 타도록 지도할게요. 그리고 준우뿐만 아니라 다른 유아들도 타다가 넘어질 수 있으니, ㉤ 고정형 자전거 주변의 물리적 환경을 수정해야겠어요.

… (중략) …

2) ㉤에 해당하는 예를 1가지 쓰시오.

63   2023 유아A-6

(가)는 작은 운동회를 위한 특수학교 교사들의 사전 협의회의 일부이다. 물음에 답하시오.

(가)

김 교사: 10월에 실시할 작은 운동회를 위한 협의회를 시작하도록 하겠습니다.

… (중략) …

김 교사: 이제 작은 운동회 내용을 정리해 보겠습니다.

이 교사: ㉠ 축구 코스에서는 아이들이 발로 미니 골대 안에 공을 넣도록 해요. 지수는 다리에 힘이 조금 부족하지만 워커로 이동할 수 있으니 (㉡).

홍 교사: ㉢ 뿅뿅 코스에서는 의자 위에 올려놓은 뻥 과자를 엉덩이로 부숴 봐요.

박 교사: 터널 코스에서는 유아들이 터널을 기어서 통과하도록 하겠습니다.

김 교사: 그리고 ㉣ 출발점부터 도착점까지 유아들이 걷거나 달려도 되는데 너무 빨리 달리지 않도록 지도해 주세요.

교사 들: 네, 알겠습니다.

김 교사: 그런데 홍 선생님 반의 진서가 갑자기 강당 밖으로 뛰어나간 적이 있었는데 선생님은 어떻게 지도하세요?

홍 교사: 로봇 그림을 사용한 파워카드 전략으로 강당에 올 때마다 지도하고 있어요. 작은 운동회 때도 파워카드를 사용하도록 하겠습니다.

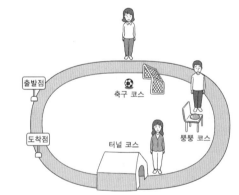

2) ㉡에 들어갈 교수적 수정의 예를 자료 측면에서 1가지 쓰시오.

64

(가)는 통합학급 과학 놀이의 한 장면이고, (나)는 통합학급 김 교사와 유아특수교사 박 교사의 바깥놀이 활동 후 대화이다. 물음에 답하시오.

(가)

(유아들이 미끄럼틀에서 공 굴리기 놀이를 하고 있다.)

은　우: 선생님, 동하가 공을 가지고 미끄럼틀에 올라갔어요.

박 교사: 동하도 미끄럼틀에 공 굴리고 싶은가 보다.

동　하: ㉠ (럭비공을 신기하게 보며) 이거 뭐지? 공이 길쭉하네. 이상하게 생겼네.

동　우: 동하야, 굴려 봐. 우와 재미있겠다. 나도 해 볼래.

성　재: 정말 재밌겠는걸. 나도 굴릴 거야.

… (중략) …

민　수: 그런데, 미끄럼틀에 큰 비닐을 깔면 공이 더 먼저 내려올 것 같아. 비닐은 미끌미끌하니까.

성　재: 아니야, 더 늦게 내려올 것 같은데.

미　주: 선생님, 미끄럼틀에 비닐을 깔면 공이 더 먼저 내려와요, 늦게 내려와요?

김 교사: 선생님도 잘 모르겠는걸. 그럼 우리 내일 다 같이 미끄럼틀 공놀이해 볼까?

유아들: 네.

박 교사: 김 선생님, 바깥놀이터에 같은 미끄럼틀 2개가 있으니까 잘됐네요. 미끄럼틀의 경사면 높이와 길이가 같으니까 같은 공으로 굴리도록 하면 비교할 수 있겠어요. [A]

김 교사: 그러면 우리가 미끄럼틀 한쪽 경사면에 비닐을 깔고 다른 쪽에는 비닐을 깔지 않도록 해요. 이렇게 조건을 다르게 하여 비교할 수 있도록 해요.

박 교사: 선생님, 좋은 생각이네요. (유아들에게) 얘들아, 그럼 내일 바깥놀이터에서 미끄럼틀 공놀이를 해 볼까?

유아들: (박수 치며) 네, 좋아요.

김 교사: 선생님, 그런데 내일 유아들이 미끄럼틀 공놀이할 때 많이 기다리지 않고 잘 관찰할 수 있게 하는 방법이 있을까요?

박 교사: 음 …. 그럼 내일 바깥놀이 미끄럼틀 공놀이 때 ㉡ 평행교수(parallel teaching)를 활용하면 좋을 것 같아요.

 빨간 팀　　 파란 팀

(나)

박 교사: 선생님, 오늘 바깥놀이터 미끄럼틀 공놀이는 어떠셨어요? 저희 빨간 팀은 비닐을 깐 경사면에서 공이 더 늦게 내려오는 걸 확인했어요.

김 교사: 아, 그렇군요. 저희 파란 팀 친구들은 아직 모르겠다고 했어요.

박 교사: 그래요? 파란 팀 친구들이 정말 재미있게 놀이를 하던데요?

김 교사: 처음에는 우리 팀 유아들이 3~4회 정도 비닐의 유무에 따라 비교하면서 놀았어요. 그런데 유아들이 여러 색의 공을 한꺼번에 굴리는 새로운 놀이를 하더라고요. 놀이를 마무리하면서 우리 팀 유아들에게 비닐을 깐 경사면과 비닐을 깔지 않은 경사면 중 어느 쪽에서 굴린 공이 먼저 내려왔냐고 물었어요. 그랬더니, 유아들이 모르겠다고 하더라고요.

박 교사: 선생님과 함께 미끄럼틀 공놀이를 준비하면서 사전에 구체적인 계획도 세우고 놀이 진행에 대한 충분한 협의를 했었는데 ….

… (하략) …

---

3) ① (가)의 ㉡을 적용할 때 집단 구성 시 고려 사항을 쓰고, ② (나)에 근거하여 ㉡의 단점을 1가지 쓰시오.

①:

②:

65

(가)는 지적장애 학생 민호 부모의 요구이고, (나)는 특수교사가 작성한 요구 분석 및 지원 계획이다. 물음에 답하시오.

(가) 부모의 요구

- 본인의 방을 스스로 청소하고 간단한 식사 준비 하기 ⎤
- 스마트폰을 활용하여 혼자 지하철 타기 ⎦ [A]
- 친구들과 함께하는 활동에서 소외되지 않고 즐겁게 참여하기
- 자기가 원하는 것을 말로 표현하기
- 독립적으로 학교생활 하기

(나) 요구 분석 및 지원 계획

1. ⊙ 기능적 생활 중심 교육과정을 계획할 때, 민호의 발달연령보다 생활연령을 고려할 것

2. ⓒ 일상생활 속에서 민호에게 도움을 줄 수 있는 사물이나 사람(圓 같은 반 친구 등)을 파악하여 수업과 생활환경에서 활용할 것

3. 민호가 수업에서 배운 기능적 기술들을 여러 환경에서 일반화할 수 있도록 지도할 것
   - ⓒ 수업에서 배운 기능적 기술을 실생활에 모두 적용할 수 없다는 점을 전제하여, 민호가 배운 내용을 다양한 환경에서 일반화할 수 있는지 확인하고 평가해 볼 필요가 있음

4. 현재는 ② 과제분담학습 I(Jigsaw I)을 적용하고 있으나, 민호와 같은 팀이 되는 것을 학급 친구들이 좋아하지 않음
   - 협동학습의 유형 중 ⑩ 능력별 팀 학습(Student Teams-Achievement Divisions : STAD)을 적용해 볼 필요가 있음

5. 협동학습 수업의 '모둠별 학습' 단계에서 모둠 구성원들이 협동해서 과제를 해결해야 하는데 민호가 잘 참여하지 않는 경우가 많음
   - ⑭ 민호가 집단의 구성원으로 협동학습 과정에서 자신의 역할을 제대로 알고 집단의 문제해결 과정에 적극적으로 참여해야 함을 알려 줄 필요가 있음

3) (나)의 ②과 비교하여 민호에게 ⑩이 효과적인 이유를 보상의 측면에서 1가지 쓰시오.

66

(가)는 ○○중학교에 배치된 특수교육대상 학생에 대한 정보이고, (나)는 체육 교사가 작성한 수업 계획의 일부이다. (다)는 두 교사가 나눈 대화의 일부이다. 〈작성 방법〉에 따라 서술하시오.

(가) 학생의 정보

학생 A	• 시각장애 학생 • 활발하고 도전정신이 강하고, 급우들과의 관계가 원만함
학생 B	• 지체장애 학생으로 휠체어를 사용함 • 자신감은 부족하지만 급우들과 어울리고 싶어함

(나) 체육 수업 계획

과목	체육	영역	경쟁	장소	운동장
주제	• 티볼을 활용한 팀 경기하기				
절차	사전 학습		본 수업		
내용	• 티볼 경기 영상 시청 • 팀 경기 전략 생각하기		• 팀별 역할 및 전략 토론 • 팀 경기 실시		
준비 사항	• 티볼 경기 영상(시각장애인을 위한 화면해설 포함) • 티볼 경기 규칙과 기술에 대한 학습지		• 변형 경기장 조성 및 팀 구성 • ⊙ 준비물 : 티볼 공, 배트, 탬버린		

(다) 특수 교사와 체육 교사의 대화

> … (중략) …
>
> 체육 교사 : 학생 A와 B가 체육 수업에 원활히 참여하기 위해 어떻게 지원하면 좋을까요?
>
> 특수 교사 : 팀의 감독 역할을 할 수 있는 기회를 주시면 좋겠습니다. 경기 시 넓은 공간을 확보하여 이동을 원활하게 해 주면 좋겠어요. 그리고 ⓒ '타격' 동작을 가르칠 때, 다른 학생들보다 과제를 더욱 세분화하거나 구체적으로 가르쳐 주세요. 더 자세한 사항은 학년도 시작 후 2주 이내에 구성되고, 학생의 보호자, 특수 교사, 담임 교사, 진로담당 교사 등이 참여하여 실시한 (②) 협의의 결과를 확인하여 지원해 주시면 좋겠습니다.

┌〈작성 방법〉
- (다)의 밑줄 친 ⓒ에 해당하는 교수적 수정의 유형을 쓰고, 학생 A의 수업 참여를 위한 물리적 환경 수정의 예시 1가지를 서술할 것[단, (나)의 밑줄 친 ⊙을 활용할 것]

67 2024 유아B-4

(나)는 통합학급의 놀이 장면이며, (다)는 또래교수 전략을 적용한 과정의 일부이다. 물음에 답하시오.

(나)

미 나: (나무 블록으로 쌓기놀이를 하고 있다.)
상 우: 재희야, 무슨 놀이 해?
재 희: (상우를 바라보며) 기차놀이!
박 교사: (재희를 보며) 기차놀이 해.　[A]
재 희: 기차놀이 해.
상 우: 재희야, 오늘도 나랑 같이 놀까?
재 희: (반기는 듯 미소 짓는다.)

… (중략) …

(유아들의 기차놀이에 대한 관심과 흥미가 커짐에 따라 교사는 새 노래로 '간다 간다'를 알려 주고, 노랫말에 따른 그림 만들기 활동을 한다.)

간다 간다
김성균 작사·작곡

김 교사: 우리 아이들이 '간다 간다 기차놀이'라고 이름까지 붙여 가며 놀이를 계속 발전시켜 가네요. 놀이를 할 때 재희는 주로 상우만 바라보며 참여하더라고요.
박 교사: 재희가 기차놀이에 조금이나마 참여할 수 있는 것은 상우의 역할이 커요.
김 교사: 네. 상우는 아이들과 기차놀이를 할 때 바닥에 종이테이프로 기찻길을 만드는 아이디어를 내기도 하고, 친구들과 역할을 나누기도 했지요. 놀이 규칙을 정할 때에도 친구들이 의견을 낼 수 있게 잘 배려했어요. 이런 모습 때문인지 우리 반 아이들이 모두 상우를 좋아해요. [D]
박 교사: 그런데 얼마 전에 상우가 재희랑 놀 때 어떻게 해야 하는지 궁금해했어요. 재희가 다른 친구들하고도 즐겁게 놀이할 수 있는 방법을 알려주고 싶대요.

(다)

또래교수 적용 과정	교사의 행동
목표 설정	(생략)
또래교수자 선정	• 상우를 선정함
또래교수자 훈련	• 상우에게 또래교수자 역할을 명시적으로 지도함
실행	• 상우가 또래교수를 실행하는 동안 （　　　㉠　　　）
평가	• 재희의 놀이 기술 향상도를 분석함

3) ① (나)의 [D]를 참고하여 교사들이 상우를 또래교수자로 선정할 때 고려한 기준을 1가지 쓰고, ② (다)의 ㉠에 해당하는 교사의 행동을 쓰시오.

① :

② :

68 2024 유아B-7

(나)는 유아특수교사 박 교사와 유아교사 김 교사, 최 교사의 대화이다. 물음에 답하시오.

(나)

> 박 교사: 유아들의 관심사를 반영하여 다람쥐반과 토끼반이 함께 나뭇잎으로 다양하게 확장된 놀이를 하기로 했잖아요.
>
> 최 교사: 네. 두 반이 함께 나뭇잎과 관련하여 물감 찍기, 그래프 활동을 하고 동화책 듣기도 하기로 했었죠.
>
> 김 교사: 유아들이 각 활동에 좀 더 잘 참여할 수 있도록 두 반의 유아들을 세 모둠으로 나누어 활동하는 것은 어떨까요?
>
> 최 교사: 그러면 세 모둠의 유아들이 한 모둠씩 3가지 활동을 돌아가면서 할 수 있겠어요.
>
> 박 교사: 협력교수 중 (㉠)을/를 말씀하시는 거군요.
>
> 최 교사: 네. 김 선생님이 물감 찍기, 박 선생님이 그래프 활동, 제가 동화책 듣기를 진행하면 되겠어요.
>
> 김 교사: 좋은 생각이네요.
>
> … (하략) …

3) (나)의 ㉠에 해당하는 명칭을 쓰고, ㉠을 실시할 때 고려할 점 1가지를 시간 측면에서 쓰시오.

69 2024 초등A-6

(가)는 2015 개정 도덕과 교육과정 6학년 '공정한 생활' 단원 수업 준비를 위해 통합학급 교사와 특수교사가 협의한 내용의 일부이다. 물음에 답하시오.

(가)

> ○ 통합학급에서 관찰된 지수의 특성
>   - 친구들이 학용품을 빌려 달라고 할 때마다 자신의 심부름을 해 달라고 함
>   - 자신에게 유리할 때만 학급 규칙을 지킴　　[A]
>   - 교사가 도움을 요청하면 자신의 부탁을 먼저 들어 달라고 함
>
> ○ 지도의 중점
>   - 지수가 현재 도덕성 단계에서 다음 도덕성 단계로 발달할 수 있도록 공정함의 의미와 중요성에 대해 충분히 인식하게 함
>
> ○ 수업 지원 방법
>
> | 수업 중 행동 | 지원 방법 |
> |---|---|
> | 오전에 집중력이 높음 | 도덕 수업을 오전에 배치함 |
> | 수업 중 쉽게 산만해짐 → | 교탁과 가까운 곳에 좌석을 배치하고, 주의집중 방해 요인을 제거함　[B] |
> | 여기저기를 돌아다니며 모둠 활동을 하거나 다른 모둠의 활동을 방해함 | 바닥에 색 테이프를 붙여 모둠 간의 영역을 분명하게 구분하고 해당 모둠 영역 안에서만 활동을 하게 함 |

1) (가)의 [B]에 해당하는 교수적 수정의 유형을 쓰시오.

70

다음은 지적장애 학생 A와 B를 지도하는 특수 교사와 통합학급 교사의 대화이다. 〈작성 방법〉에 따라 서술하시오.

통합학급 교사 : 사회 수업 시간에 우리나라의 세계 자연 유산과 매력적인 자연 경관에 대해 조사하는 것을 목표로 자료 수집 활동을 하는데, 학생 A는 의사소통이 쉽지 않아 수업 참여를 잘 하지 못합니다. 학급의 전체 학생이 동일한 목표로 같은 활동에 참여하면 좋겠는데, 학생 A는 어려움이 많네요.

특 수 교 사 : 그러시군요. 학생 A의 경우에는 같은 활동에 참여하더라도 동일한 교과 목표를 가질 필요는 없습니다. 사회과의 목표는 아니더라도 수업 시간에 같은 ㉠ 활동을 하면서 친구들과 말을 주고받는 의사소통 능력 향상에 목표를 둘 수 있습니다.

통합학급 교사 : 네, 그럴 수 있겠군요. 그런데 우리 반에 학생 A뿐만 아니라 학생 B도 있어요. 학생 B는 소극적이고 사람들 앞에서 말하는 것을 힘들어해요. 선생님께서 얼마 전 협동 학습 연수를 받으셔서 여쭙고 싶습니다. 세계 자연 유산을 조사하는 시간에 학생 B가 참여할 수 있는 협동 학습 방법이 있을까요?

특 수 교 사 : 네, 호기심과 흥미를 가지고 적극적으로 참여할 수 있는 협동 학습이 있어요. '(㉡)'은/는 교사와 학생이 토의하여 학습할 주제를 선정합니다. 그리고 자신이 원하는 주제를 선택하고, 원하는 모둠에 들어가서 소주제를 분담한 후 조사한 결과를 발표합니다. 그런 다음 전체 학급에서 발표할 보고서를 준비하여 전체 학생들 앞에서 발표합니다.

통합학급 교사 : 그러면 평가는 어떻게 하나요?

특 수 교 사 : 평가는 교사가 학생들의 소주제에 대한 학습 기여도를 평가하고, 학생들은 모둠 내 기여도 평가와 전체 동료에 의한 모둠 보고서 평가를 할 수 있습니다.

통합학급 교사 : 학생 B가 적극적으로 참여하여 발표할 수 있도록 하는 방법이 있을까요?

특 수 교 사 : ㉢ 학생 B가 사진이나 그림, 영상 등을 가지고 전체 학생 앞에서 발표를 하거나 결과물을 제시할 수 있도록 지원하면 좋을 것 같습니다.

〈작성 방법〉
- ㉠과 같은 교육과정 운영 방식을 쓰고, '대안 교육과정'과의 차이점을 1가지 서술할 것
- 괄호 안의 ㉡에 해당하는 협동 학습의 유형을 쓸 것

71

(가)는 특수교육대상 유아의 특성이고, (다)는 유아 특수교사 김 교사와 유아교사 최 교사의 대화와 통합학급 놀이 장면이다. 물음에 답하시오.

(가)

특수교육대상 유아의 특성	
수지	• 발달지체 • 두 단어 수준의 말을 할 수 있으나 스스로는 말을 하려 하지 않음 • 활동 참여 대부분에 교사의 지원이 필요함
주아	• 지체장애 • 왼쪽 편마비로 양손을 동시에 사용하는 활동에 어려움이 있음 • 미술활동에 적극적으로 참여하는 태도를 보임

(다)

최 교사 : 선생님, 아이들이 지난번에 보고 온 한옥을 교실에서도 만들어 보고 싶다고 하네요.

김 교사 : 그러면 커다란 종이집에 나무, 돌, 흙의 질감이 표현된 그림을 붙여서 꾸미는 활동을 해 볼까요?

최 교사 : 네, 좋아요. 그런데 하나의 종이집에 모든 아이들이 모이면 놀이하기에 어려움이 있을 것 같아요. 아이들을 두 모둠으로 나누고 두 개의 한옥을 꾸며 보아요. 주아는 제 모둠, 수지는 김 선생님 모둠에 포함하면 어떨까요? [A]

김 교사 : 네, 다른 아이들 수준도 고려해서 모둠을 나누고 활동에 대해 더 계획해 보아요. 그리고 활동할 때 주아가 편마비로 인해 모든 단계에서 독립적으로 수행할 수는 없더라도 (㉡)의 원리를 적용해서 참여할 수 있도록 지원해 주세요.

… (하략) …

1) (다)의 [A]에 나타난 김 교사와 최 교사의 협력교수 유형을 쓰시오.

72

다음은 특수교사가 통합교육 지원을 위한 협의회에서 통합학급 교사들과 나눈 대화의 일부이다. 물음에 답하시오.

> 김 교사 : 선생님, 제가 3학년 학습장애 학생 정호를 위해 학급에서 또래교수 전략을 적용해 보려고 합니다. 그런데 또래교수에도 절차가 있지요?
>
> 특수교사 : 그렇습니다. 또래교수를 시작하기 전에 준비해야 할 것들이 있습니다. 지도 목표와 대상 교과를 선정하고, 교수·학습 과정안을 작성하셔야 합니다. 그리고 무엇보다도 (㉠) 단계가 중요합니다.
> 이 단계에서는 대상 학생의 교우 관계 혹은 학생의 강점과 약점을 잘 파악하 [A] 는 것이 필요합니다.
>
> 김 교사 : 정호는 당연히 학습자로 선정되는 거 아닌가요?
>
> 특수교사 : 아닙니다. ㉡ <u>또래교수에서 역할 바꾸기</u>도 가능합니다. 정호의 강점을 잘 파악하셔서 정호가 도움이 필요한 영역에서는 또래학습자가 되고, 정호가 잘하는 영역에서는 또래교수자가 될 수도 있습니다.
>
> 김 교사 : 아, 그렇게 계획을 짜 보도록 해야겠습니다.
>
> … (중략) …
>
> 홍 교사 : 선생님, 저는 체육 수업에서 협동학습을 적용해 보려고 합니다. ㉢ <u>학생 팀 학습(Student Team Learning : STL)과 협동적 프로젝트(Cooperative Project : CP)</u>를 고려하고 있는데 어떤 것을 선택하면 좋을까요?
>
> 특수교사 : 잘 아시겠지만 두 가지 유형은 모두 장단점이 있습니다. 수업 내용이나 학생의 특성 등을 고려해서 선택해야 합니다.
>
> 홍 교사 : 알겠습니다. 그리고 기회가 되면 선생님과 제가 ㉣ <u>팀 티칭</u>을 함께 준비하여 해 보면 어떨까요?
>
> 특수교사 : 예, 좋습니다.
>
> … (하략) …

1) ① [A]를 고려하여 ㉠에 들어갈 말을 쓰고, ② 밑줄 친 ㉡의 긍정적 효과를 정호의 입장에서 1가지 쓰시오.

   ① :

   ② :

3) ① 밑줄 친 ㉢을 집단 간 경쟁의 측면에서 비교하여 쓰고, ② 밑줄 친 ㉣에 대한 설명인 〈보기〉에서 잘못된 것을 1가지 찾아 기호를 쓰고, 바르게 고쳐 쓰시오.

   ┌〈보기〉
   ⓐ 두 명의 교사가 수업의 계획이나 결과보다는 수업의 진행 과정에 중점을 둠
   ⓑ 두 명의 교사가 긴밀하고 원활한 교류가 있는 경우에 활용하는 것이 더 효과적임
   ⓒ 두 명의 교사가 수업의 모든 과정에서 책무를 공유함
   ⓓ 교수 상황에서 역할놀이를 통해 모델을 보여 주는 방식으로 사용될 수 있음

   ① :

   ② :

73

다음은 ○○ 중학교 중도·중복장애 학생 K에 대해 특수교사와 교육 실습생이 나눈 대화이다. 〈작성 방법〉에 따라 서술하시오.

교육 실습생 : 학생 K를 지도하기 위해서는 여러 분야의 전문가로 구성된 팀이 필요할 거 같아요. 그런데 이와 관련하여 팀에서 전문가가 어떤 방식으로 협력할 수 있는지 궁금해요. 특 수 교 사 : 예전에는 ㉠ 다양한 영역의 전문가가 독립적으로 학생을 진단 및 평가하고, 각 분야의 전문가가 각자 세분화된 훈련 계획을 개발해서 실행했어요. 하지만 요즘에는 이런 접근 방법보다는 우리 학교에서 실행하는 것과 같이 ㉡ 초학문적 접근법으로 협력할 것을 권장하고 있어요.

┌─〈작성 방법〉────────────
• 밑줄 친 ㉠에 해당하는 협력적 접근 방법의 유형을 쓰고, 밑줄 친 ㉡의 진단 과정에서의 특성을 1가지 서술할 것
└──────────────────────

74

(가)는 ○○ 중학교 특수교육 대상 학생 A와 B의 통합학급 기술·가정과 교수·학습 계획의 일부이고, (나)는 특수 교사와 교과 교사가 나눈 대화이다. 〈작성 방법〉에 따라 서술하시오.

(가) 교수·학습 계획의 일부

학습단계	교수·학습 활동
전개	[실습 1] 식재료 손질 • 떡볶이 떡 물에 불리기, 야채 썰기 [실습 2] 가열 조리 실습 • 조리 순서에 맞게 떡볶이 만들기
정리	• 실습한 내용 평가하기

(나) 특수 교사와 교과 교사의 대화

교과 교사 : 썰기 활동은 처음인데, 선생님과 함께 지도하니 마음이 놓여요. 특수 교사 : 조리 도구를 사용하니 안전에 유의해야겠어요. 제가 돌아다니며 학생 A와 학생 B뿐만 아니라 도움이 필요한 학생을 개별적으로 지도할게요. 선생님은 시범을 보이며 전체 학생을 지도해주세요. ⌉[C] … (중략) … 특수 교사 : 조리대의 가스레인지를 중심으로 두 모둠으로 나눠 떡볶이 만들기 실습을 해요. 선생님이 학생 A가 속한 모둠을, 제가 학생 B가 속한 모둠을 지도하면 좋겠어요. 교과 교사 : 알겠어요. 두 모둠의 수준이 비슷하게 구성할게요. 교사 대 학생의 비율이 줄어서 효과적으로 수업하기 좋겠어요. ⌉[D] 특수 교사 : 시식도 해야 하니 서로 시간을 잘 점검해요. 교과 교사 : 정리 활동으로 조리 과정을 질문한 평가지에 답을 쓰도록 하면 어떨까요? … (하략) …

┌─〈작성 방법〉────────────
• (나)의 [C]의 협력 교수 유형을 쓸 것
• (나)의 [D]의 협력 교수 유형을 쓰고, 단점을 1가지 서술할 것(단, 일반 교실의 물리적 환경 측면에서 서술할 것)
└──────────────────────

김남진
KORSET 특수교육
기출분석 ❶

KORea Special Education Teacher

PART 03

특수교육평가

Chapter 1 진단 및 평가의 개념

1 특수교육대상자의 판별·배치 과정 ┬ 선별 ┬ 개념
　　　　　　　　　　　　　　　　　　│　　├ 선별검사의 오류 유형 : 위양, 위음
　　　　　　　　　　　　　　　　　　│　　└ 의뢰 전 중재
　　　　　　　　　　　　　　　　　　├ 진단 ┬ 개념
　　　　　　　　　　　　　　　　　　│　　└ 장애진단
　　　　　　　　　　　　　　　　　　├ 적부성
　　　　　　　　　　　　　　　　　　├ 배치 및 프로그램 계획 ┬ 배치
　　　　　　　　　　　　　　　　　　│　　　　　　　　　　　├ 교육진단
　　　　　　　　　　　　　　　　　　│　　　　　　　　　　　└ 프로그램 계획 ┬ 개별화교육지원팀의 구성
　　　　　　　　　　　　　　　　　　│　　　　　　　　　　　　　　　　　　 └ 개별화교육계획
　　　　　　　　　　　　　　　　　　└ 평가 ┬ 형성평가
　　　　　　　　　　　　　　　　　　　　　 └ 총괄평가

2 사정방법의 분류 ┬ 공식적 사정과 비공식적 사정
　　　　　　　　　　├ 전통적 사정과 대안적 사정
　　　　　　　　　　└ 정규사정과 대체사정

Chapter 2 사정 방법

1 검사 ┬ 규준참조검사
　　　　 ├ 준거참조검사
　　　　 └ 관찰의 장단점

2 관찰 ┬ 관찰의 유형
　　　　 └ 관찰의 기록방법

3 면담 ┬ 구조화 정도에 따른 유형 ┬ 비구조화 면담
　　　　 │　　　　　　　　　　　├ 반구조화 면담
　　　　 │　　　　　　　　　　　└ 구조화 면담
　　　　 ├ 피면담자에 따른 유형
　　　　 ├ 기타 유형
　　　　 └ 면담의 장단점

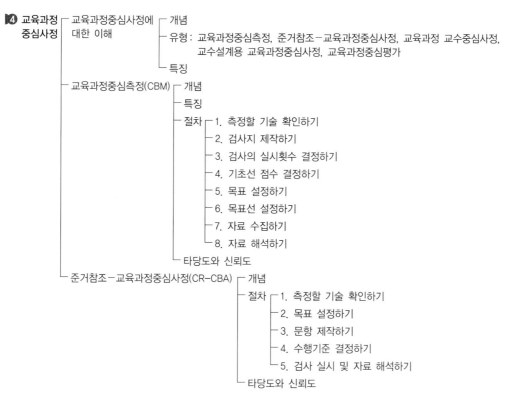

❹ **교육과정 중심사정**
- 교육과정중심사정에 대한 이해
  - 개념
  - 유형 : 교육과정중심측정, 준거참조−교육과정중심사정, 교육과정 교수중심사정, 교수설계용 교육과정중심사정, 교육과정중심평가
  - 특징
- 교육과정중심측정(CBM)
  - 개념
  - 특징
  - 절차
    1. 측정할 기술 확인하기
    2. 검사지 제작하기
    3. 검사의 실시횟수 결정하기
    4. 기초선 점수 결정하기
    5. 목표 설정하기
    6. 목표선 설정하기
    7. 자료 수집하기
    8. 자료 해석하기
  - 타당도와 신뢰도
- 준거참조−교육과정중심사정(CR−CBA)
  - 개념
  - 절차
    1. 측정할 기술 확인하기
    2. 목표 설정하기
    3. 문항 제작하기
    4. 수행기준 결정하기
    5. 검사 실시 및 자료 해석하기
  - 타당도와 신뢰도

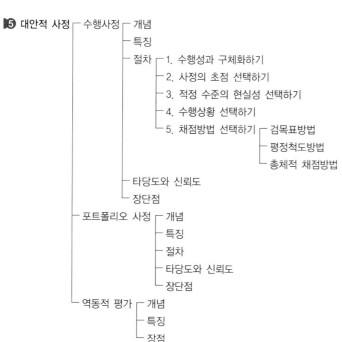

❺ **대안적 사정**
- 수행사정
  - 개념
  - 특징
  - 절차
    1. 수행성과 구체화하기
    2. 사정의 초점 선택하기
    3. 적정 수준의 현실성 선택하기
    4. 수행상황 선택하기
    5. 채점방법 선택하기
       - 검목표방법
       - 평정척도방법
       - 총체적 채점방법
  - 타당도와 신뢰도
  - 장단점
- 포트폴리오 사정
  - 개념
  - 특징
  - 절차
  - 타당도와 신뢰도
  - 장단점
- 역동적 평가
  - 개념
  - 특징
  - 장점

Chapter 3 검사도구의 이해

❶ 기본개념 ┬ 척도 ┬ 개념
            │   └ 종류
            ├ 변인
            ├ 분포 ─ 정규분포
            └ 상관

❷ 표준화검사의 이해 ┬ 표준화검사의 개념
                     ├ 생활연령
                     ├ 기저점과 최고한계점
                     ├ 결과 산출을 위한 점수 유형 ┬ 원점수
                     │   └ 변환점수 ┬ 백분율점수
                     │   └ 유도점수 ┬ 발달점수
                     │   └ 상대적 위치점수
                     └ 기타 ┬ 신뢰수준
                            └ 신뢰구간

❸ 타당도와 신뢰도 ┬ 타당도 ┬ 개념
                   │   └ 종류 : 내용타당도, 준거타당도(공인타당도, 예언타당도), 구인타당도
                   ├ 신뢰도 ┬ 개념
                   │   ├ 종류
                   │   └ 신뢰도 계수
                   └ 타당도와 신뢰도의 관계

Chapter 4 지능 영역 진단 · 평가도구

❶ 한국 웩슬러 아동지능검사-4판(K-WISC-Ⅳ) ┬ 목적 및 대상
                                           ├ 검사도구의 구성
                                           └ 결과 및 해석

❷ 한국 웩슬러 아동지능검사-5판(K-WISC-Ⅴ) ┬ 검사 체계 ┬ 전체척도 수준
                                           │   ├ 기본지표척도 수준 : 언어이해, 시공간, 유동추론 작업기억, 처리속도
                                           │   └ 추가지표척도 수준
                                           ├ 소검사 내용 및 범주 ┬ 소검사 내용
                                           │   └ 소검사 범주
                                           ├ 소검사의 실시
                                           ├ 결과 및 해석
                                           └ 특별한 도움이 필요한 아동의 검사

❸ 한국판 웩슬러 유아지능검사-4판(K-WPPSI-Ⅳ) ┬ 목적 및 대상
                                             ├ 검사도구의 구성
                                             └ 결과 및 해석

❹ 한국판 카우프만 지능검사 2판(KABC-Ⅱ) ┬ 목적 및 대상
                                    ├ 이론적 모델 및 특징
                                    ├ 검사도구의 구성
                                    ├ 검사의 실시
                                    └ 결과 및 해석

Chapter 5 적응행동 영역 진단 · 평가도구

❶ 국립특수교육원 적응행동검사(KNISE-SAB) ┬ 목적 및 대상
                                     ├ 검사도구의 특징
                                     ├ 검사도구의 구성
                                     └ 결과 및 해석

❷ 국립특수교육원 적응행동검사(NISE-K · ABS) ┬ 목적 및 대상
                                      ├ 검사도구의 구성
                                      └ 결과 및 해석

❸ 지역사회적응검사 2판(CISA-2) ┬ 목적 및 대상
                           ├ 검사도구의 구성
                           ├ 검사의 실시
                           └ 결과 및 해석

❹ 한국판 적응행동검사(K-SIB-R) ┬ 목적 및 대상
                           ├ 검사도구의 구성 ┬ 독립적 적응행동
                           │   └ 문제행동
                           └ 결과 및 해석

❺ 사회성숙도검사(SMS) ┬ 목적 및 대상
                   ├ 검사도구의 구성 : 자조, 이동, 작업, 의사소통, 자기관리, 사회화
                   ├ 검사의 실시
                   └ 결과 및 해석 : 원점수, 사회연령, 사회지수

❻ 한국판 바인랜드 적응행동척도 2판(K-Vineland-Ⅱ) ┬ 목적 및 대상
                                           ├ 검사도구의 구성
                                           ├ 기저점과 천정점
                                           ├ K-Vineland-Ⅱ에서 사용되는 여러 가지 환산점수
                                           └ 결과 및 해석

Chapter 6 학습 영역 진단·평가도구

1 국립특수교육원 기초학력검사(KNISE-BAAT) ─ 목적 및 대상
├ 검사도구의 구성 : 읽기, 쓰기, 수학
├ 검사의 실시
└ 결과 및 해석 : 환산점수, 백분위점수, 학력지수, 학년규준

2 국립특수교육원 기초학습능력검사(NISE-B·ACT) ─ 목적 및 대상
├ 검사도구의 특징
├ 검사도구의 구성 : 읽기, 쓰기, 수학
├ 검사의 실시
└ 결과 및 해석 : 표준점수(환산점수), 백분위점수, 학력지수, 학년규준

3 기초학습기능검사 ─ 목적 및 대상
├ 검사도구의 특징
├ 검사도구의 구성 : 정보처리 기능, 언어 기능, 수 기능
└ 결과 및 해석

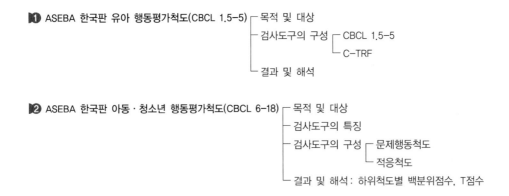

4 기초학습기능 수행평가체제(BASA) ─ 목적 및 대상
├ 검사도구의 특징
├ 검사도구의 구성
├ 개별화교육계획 및 그래프의 작성 ─ 기초선 설정 – 기초평가의 실시
│   ├ 목표 세우기
│   ├ 형성평가 실시
│   └ 검사점수를 활용한 진전도 분석방법
└ 결과 및 해석

Chapter 7 정서·행동 영역 진단·평가도구

1 ASEBA 한국판 유아 행동평가척도(CBCL 1.5-5) ─ 목적 및 대상
├ 검사도구의 구성 ─ CBCL 1.5-5
│   └ C-TRF
└ 결과 및 해석

2 ASEBA 한국판 아동·청소년 행동평가척도(CBCL 6-18) ─ 목적 및 대상
├ 검사도구의 특징
├ 검사도구의 구성 ─ 문제행동척도
│   └ 적응척도
└ 결과 및 해석 : 하위척도별 백분위점수, T점수

❸ 한국판 정서행동문제 검사(K-SEAD) ─┬─ 목적 및 대상
                                                  ├─ 검사도구의 구성
                                                  ├─ 점수의 해석 및 심각도의 판정
                                                  └─ 결과 및 해석

❹ 한국판 정서-행동 평가시스템(K-BASC-2) ─┬─ 목적 및 대상
                                                  ├─ 검사도구의 구성 ─┬─ 보고자 유형별, 연령대별 구성
                                                                        └─ 교사보고형 검사의 구성
                                                  └─ 결과 및 해석

Chapter 8 자폐성장애 영역 진단·평가도구

❶ 한국판 아동기 자폐 평정척도 2판(K-CARS2) ─┬─ 목적 및 대상
                                                  ├─ 검사도구의 특징
                                                  ├─ 검사도구의 구성 ─┬─ 표준형 평가지
                                                                  ├─ 고기능형 평가지
                                                                  └─ 부모/양육자 질문지
                                                  ├─ K-CARS2-ST와 K-CARS2-HF 점수 해석
                                                  └─ 결과 및 해석

❷ 한국 자폐증 진단검사(K-ADS) ─┬─ 목적 및 대상
                                            ├─ 검사도구의 구성
                                            ├─ 검사의 실시
                                            └─ 결과 및 해석

❸ 이화 - 자폐아동 행동발달 평가도구(E-CLAC) ─┬─ 목적 및 대상
                                                  ├─ 검사도구의 구성
                                                  └─ 결과 및 해석

Chapter 9 언어 및 의사소통 영역 진단 · 평가도구

① 우리말 조음 · 음운평가(U-TAP) ─ 목적 및 대상
                              ├ 검사의 구성
                              ├ 검사의 실시 ─ 그림낱말검사
                                                ├ 그림문장검사
                                                └ 오류분석 기록하기
                              └ 결과 및 해석

② 취학전 아동의 수용언어 및 표현언어 발달척도(PRES) ─ 목적 및 대상
                                                                     ├ 검사도구의 구성
                                                                     ├ 검사의 실시
                                                                     └ 결과 및 해석

③ 구문의미 이해력검사(KOSECT) ─ 목적 및 대상
                                            ├ 검사도구의 구성
                                            ├ 검사의 실시
                                            ├ 검사점수의 처리
                                            └ 결과 및 해석

Chapter 10 운동 및 지각 영역 진단 · 평가도구

① 한국판 오세레츠키 운동능력검사 ─ 목적 및 대상
                                      ├ 검사도구의 구성 및 실시
                                      └ 결과 및 해석

② 한국판 아동 시지각발달검사(K-DTVP-3) ─ 목적 및 대상
                                                    ├ 검사도구의 구성
                                                    ├ 종합척도지수 ─ 시각-운동 통합(VMI) 지수
                                                                        ├ 운동축소-시지각(MRVP) 지수
                                                                         └ 일반시지각(GVP) 지수
                                                          └ 결과 및 해석

Chapter 11 아동발달 영역 진단 · 평가도구

① 한국판 DIAL-3(K-DIAL-3) ─ 목적 및 대상
                                   ├ 검사도구의 구성
                                   ├ 검사의 실시
                                   └ 결과 및 해석

기출문제 다잡기

정답 및 해설 p.110

01

다음은 정서 및 행동 문제를 보이는 11세 은비에 대해 부모가 작성한 아동·청소년 행동평가척도(K-CBCL) 검사 결과 프로파일의 일부이다. 이 프로파일에 대한 해석으로 적절하지 <u>않은</u> 것은?

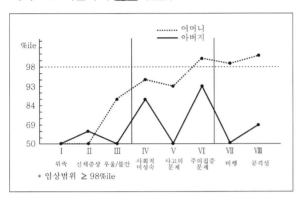

① 아버지와 어머니 반응의 차이는 두 정보 제공자의 관점의 차이로도 볼 수 있다.

② 전반적으로 아버지보다 어머니가 은비의 행동을 더 우려하고 있는 것으로 보인다.

③ 어머니가 작성한 프로파일에 의하면 은비는 3개의 척도에서 임상범위 내에 있다.

④ 어머니가 작성한 프로파일에 의하면 은비는 외현화 문제보다 내재화문제를 더 많이 나타내는 것으로 보인다.

⑤ 은비의 정서 및 행동 문제에 대한 판단을 내리기 위해서는 다른 검사들을 통해 더 많은 정보를 수집할 필요가 있을 것으로 보인다.

02

포트폴리오 평가에 대한 바른 설명을 〈보기〉에서 모두 고른 것은?

┌〈보기〉────────────────
ㄱ. 풍부한 자료 수집이 가능하므로 신뢰도와 타당도 확보가 용이하다.
ㄴ. 활동 사진, 비디오 테이프, 활동 결과물과 같은 다양한 자료를 활용할 수 있다.
ㄷ. 활동 내용, 개별화교육계획의 목표, 활동 주제에 따라 다양하게 조직될 수 있다.
ㄹ. 발달지체 유아의 발달적 변화를 파악하기에 적합한 방법이다.
ㅁ. 유아의 수행에 기초한 평가의 한 형태이며, 유아의 강점과 약점을 파악하는 데 필요한 근거를 제공한다.
────────────────────

① ㄱ, ㄴ, ㄷ   ② ㄴ, ㄷ, ㄹ
③ ㄷ, ㄹ, ㅁ   ④ ㄱ, ㄴ, ㄷ, ㄹ
⑤ ㄴ, ㄷ, ㄹ, ㅁ

03 2009 초등1-2

특수교육에서의 진단·평가 단계에 관한 진술로 바른 것은?

① 교육프로그램 계획은 학생의 장애 여부와 특성 및 정도에 관한 정보를 파악하는 것이다.

② 선별(screening)은 개별화교육계획 작성에 필요한 학생의 현행 수준을 파악하는 것이다.

③ 진도 점검 및 프로그램 평가는 학기 초에 학생의 잠재능력에 관한 정보를 파악하는 것이다.

④ 적격성 판정은 학생의 장애 유형과 정도가 특수교육대상자 선정기준에 부합한지를 결정하는 것이다.

⑤ 진단은 프로그램 실시 중 프로그램의 효과를 파악하기 위하여 필요할 때마다 학생의 진전에 관한 정보를 수집하는 것이다.

04 2009 초등1-13

다음은 특수교육대상자의 선정·배치와 교육지원에 관한 내용이다. 현행 장애인 등에 대한 특수교육법에 근거할 때, ㉠~㉤ 중 바른 설명을 고른 것은?

> 진희의 어머니는 진희가 장애를 가지고 있다고 의심되어 교육장에게 진단·평가를 의뢰하였다. 교육장은 진단·평가를 의뢰받은 후, ㉠즉시 특수교육지원센터에 회부하여 진단·평가를 실시하고 그 결과를 진희 어머니에게 통보하였다. ㉡교육장은 특수교육지원센터로부터 최종 의견을 통보받은 후, ㉢특수교육운영위원회의 심사를 거쳐, 10일째 되던 날 진희를 특수교육대상자로 선정하였다. 그리고 선정 결과를 진희의 어머니에게 통보한 후, 진희를 진희의 집에서 가장 가까운 초등학교에 배치하였다. ㉣교육장은 진희를 위한 개별화교육지원팀을 구성하였고, ㉤매 학년 시작일로부터 30일 이내에 개별화교육계획을 작성하도록 하였다.

① ㄱ, ㄴ, ㄷ
② ㄱ, ㄷ, ㄹ
③ ㄴ, ㄷ, ㅁ
④ ㄴ, ㄹ, ㅁ
⑤ ㄷ, ㄹ, ㅁ

05

다음은 2008년 개정 특수학교 기본교육과정 과학과 '건강한 생활' 수업에서 실시한 평가 결과이다. 이에 근거하여 바르게 설명한 것은?

평가 결과지

이름 : 김수민
모둠 : (구름)조

주제 : 이를 건강하게 관리하기 위한 방법

1. 모둠활동 평가

평가요소	못함	보통	잘함
자기 의견을 분명히 말한다.	○		
조사활동에서 맡은 역할을 완수한다.		○	
모둠활동 시 친구들과 적절한 상호 작용을 한다.			○

2. 종합평가

- 수민이는 이가 썩으면 발생되는 결과에 대해 정확히 알고 있었음
- 이를 건강하게 할 수 있는 방법 2가지(식후 이 닦기, 사탕 먹지 않기)를 조사하였으나 발표 시 내용을 분명하게 전달하지 못하였음
- 개인 실천계획표 검토 결과, 식후 이 닦기 내용만 기록되어 있었음

---

① 결과중심의 평가를 실시하였다.
② 평가의 일차적 목적은 진단과 배치이었다.
③ 평가과정에서 교사의 주관적인 판단이 배제되었다.
④ 학생의 수행 과정과 결과에 초점을 두어 평가하였다.
⑤ 평가의 일차적 목적이 학생의 상대적 위치를 파악하는 데 있었다.

06 2009 중등1-5

특수학교 중학부 1학년에 재학중인 정신지체학생 A의 개별화교육계획과 평가도구를 보고 적절한 것을 〈보기〉에서 모두 고른 것은?

〈개별화교육계획〉

인 적 사 항			
이름: A 학교: K학교 중학부 1학년 2반 작성일자: 00년 0월 0일 작성자: 000			
구 분	내 용	구 분	내 용
생년월일	1995년 1월25일	주소	경기도 S시
전(前)학교명		전화번호	031-500-XXXX
IEP 시작일	00년 0월 0일	IEP 종료일	00년 0월 0일

장애상황	1. 장애유형: 정신지체 2. 장애원인: 조산 및 원인불명 3. 특이사항: 경기(소발작) -약물복용	학교장: 교 감: 교 무: 학부모:

	영역	도구명	검사일	검사결과
진단평가	지능		00년 0월 0일	
	학습		00년 0월 0일	
	행동		00년 0월 0일	
	발달		00년 0월 0일	
	운동		00년 0월 0일	

학업특성	강 점	보완할 점
		글을 읽는 데 유창성이 낮으며, 말할 때 문장으로 자신의 의사를 표현하는 데 어려움이 있다. 숫자 쓰기나 문자 변별 과정에서 반전(reversal) 현상이 나타난다.
학부모요구	사회성 기술 향상, 쓰기 자신감 향상, 일상생활 독립기술 향상, 미술 활동 기회하기	

〈평가도구〉

영역	지도요소	평가항목 ※성취준거 3/3은 완성	평가일 00월0일	
말하기	간단한 문장으로 질문하기	① 질문이 있으면 손을 들어 표시하기	V	
		② 질문 내용을 분명한 발음으로 표현하기	V	
		③ 알고 싶은 것과 모르는 것을 낱말을 사용하여 질문하기	V	
		④ 알고 싶은 것과 모르는 것을 문장을 사용하여 질문하기		
	상대에 맞게 말하기	① 나, 너, 우리 등의 대명사를 상황에 맞게 사용하기	V	
		② 상대에 따라 주어와 동사를 구분하여 말하기		
		③ 적절한 예사말과 높임말을 상대에 맞추어 사용하기		
	이어진 그림을 보고 그 내용 말하기	① 그림을 보고 물음에 맞게 그림내용을 말하기	V	
		② 그림을 일의 순서대로 배열하기		
		③ 그림을 일의 순서대로 배열하고 내용을 차례대로 말하기		
		④ 그림을 보고 사건의 인과관계를 설명하기		
듣기	남의 말을 끝까지 듣기	① 말하는 사람을 바라보며 듣기	V	
		② 말하는 사람의 표정을 살피며 듣기	V	
		③ 말하는 사람을 바라보며 관심을 가지고 듣기		
		④ 말하는 사람을 바라보며 끝까지 듣기		
	남의 말을 주의해서 듣고 잘못 들은 말을 되묻기	① 상대방이 하는 말을 주의를 집중하여 듣기		
		② 상대방이 하는 말을 차례를 생각하며 듣기		
		③ ~하는 말을 인과과~ 듣기		

〈보기〉

ㄱ. A의 학업특성상 시지각검사를 실시할 필요가 있다.

ㄴ. 포테이지 발달검사는 A의 현재 발달 정도를 측정하기에 적합하다.

ㄷ. K-WISC-Ⅲ 검사를 통해 A의 동작성 지능과 언어성 지능을 측정한다.

ㄹ. 오세레츠키 운동능력검사는 A의 전반적인 운동 능력을 측정하기에 적합하다.

ㅁ. 학습준비도검사는 A의 읽기, 쓰기 및 수학 학습 성취수준을 측정하기에 적합하다.

ㅂ. 아동·청소년행동평가척도를 통해 A의 SA(사회연령)와 SQ(사회성 지수)를 측정한다.

ㅅ. 앞에 제시한 〈평가도구〉의 유형은 교육과정중심평가이며, 이는 교육과정에 근거한 규준참조 검사도구이다.

ㅇ. 적응행동검사를 통해 A의 적응행동능력을 측정할 수 있으며, 이 검사는 6가지 행동 영역(자조, 이동, 작업, 의사소통, 자기관리, 사회화)을 측정한다.

① ㄱ, ㄷ, ㄹ

② ㄱ, ㄹ, ㅇ

③ ㄱ, ㄷ, ㄹ, ㅇ

④ ㄴ, ㄹ, ㅂ, ㅅ

⑤ ㄷ, ㅁ, ㅂ, ㅅ

07

「장애인 등에 대한 특수교육법」 및 관련 법령에 근거한 특수교육대상자 선정 및 배치 절차에서 보호자 권리에 대한 설명으로 거리가 먼 것은?

① 보호자는 특수교육대상자 학교 배치에 의견을 제시할 수 있다.
② 심사 결정에 이의가 있는 보호자는 행정심판을 제기할 수 있다.
③ 특수교육지원센터는 진단·평가 계획을 2주 이내에 보호자에게 통보한다.
④ 각급 학교장이 진단·평가를 의뢰하는 경우 보호자에게 사전 동의를 받아야 한다.
⑤ 교육장 혹은 교육감은 특수교육대상자 선정여부 및 교육지원 내용을 보호자에게 서면으로 통지한다.

08

특수교사가 일반교사에게 설명하고 있는 언어평가 방법으로 적절한 것을 〈보기〉에서 모두 고른 것은?

─〈보기〉─
일반교사: A가 무슨 말을 하는지 잘 모르겠어요. 이 학생을 평가해 주실 수 있나요?
특수교사: 예, 할 수 있어요. 제가 ㉠'그림어휘력검사'를 사용하여 낱말표현력을 평가해 보겠습니다. 그리고 ㉡A의 발음이 명료하지 않지요? 혀, 입술, 턱의 움직임에도 문제가 있는지 관찰해 보겠습니다.
일반교사: 예, 고맙습니다.
특수교사: 그런데 혹시 ㉢선생님이 부모님에게 집에서 A의 자발화 표현력이 어떤지 여쭤 봐 주시겠어요?
일반교사: 에, 마침 잘 되었네요! 내일 아침에 학부모 회의가 있어요. 그때 부모님에게 여쭤 볼게요.
특수교사: ㉣A의 언어이해력은 어떻습니까? 만약 이해력이 부족하다면, '구문의미이해력검사'를 실시하여 원인추론 이해력을 측정할 수도 있어요. ㉤선생님은 교실에서 학생의 자발화 표현력을 관찰해 주실 수 있겠어요?
일반교사: 예, 그렇게 하죠.

① ㉠, ㉣
② ㉢, ㉤
③ ㉡, ㉢, ㉤
④ ㉡, ㉣, ㉤
⑤ ㉠, ㉡, ㉢, ㉣, ㉤

09　　　　　　　2010 유아1-14

초등학교 병설유치원에 다니는 보영이의 부모는 2009년 9월 6일 보영이에 대한 특수교육대상자 진단·평가 의뢰서를 해당 교육청에 제출하였다. 〈보기〉는 보영이의 부모가 진단·평가 결과 통지서를 받기까지의 진행 과정을 기술한 것이다. 현행 장애인 등에 대한 특수교육법에 근거하여 바르게 시행된 것을 모두 고른 것은?

─〈 보기 〉─
ㄱ. 보영이의 부모는 A초등학교장의 의견서와 동의를 받아 진단·평가 의뢰서를 제출하였다.
ㄴ. 진단·평가는 특수교육지원센터에서 실시되었다.
ㄷ. 진단·평가 중 보영이의 의료적 진단서가 없어, 교육감은 지역의 병원에 보영이의 의료적 진단을 의뢰하였다.
ㄹ. 진단·평가기관은 2009년 9월 22일에 진단·평가를 실시하여, 그 결과를 보영이 부모에게 직접 서면 통지하였다.
ㅁ. 교육감 또는 교육장은 보영이가 발달장애로 진단되어 특수교육대상자라는 통지서를 보영이 부모에게 보냈다.

① ㄱ, ㄷ　　　　② ㄴ, ㄷ
③ ㄷ, ㄹ　　　　④ ㄱ, ㄴ, ㅁ
⑤ ㄴ, ㄹ, ㅁ

10　　　　　　　2010 유아1-33

곽 교사는 장기간 입원 후 유치원에 입학한 만 6세 정우가 탐구생활 '수학적 기초 능력 기르기' 학습에서 어려움이 있다는 것을 알고, 학습 수준과 전반적인 발달 정도를 알아보기 위해 진단이 필요하다고 판단하였다. 〈보기〉에서 곽 교사가 실시할 수 있는 진단에 관한 설명으로 바른 것을 모두 고른 것은?

─〈 보기 〉─
ㄱ. 기초학습기능검사를 통해 수 기능, 언어 기능, 정보 처리기능을 알아볼 수 있다.
ㄴ. 기초학습기능검사는 준거참조검사이므로 준거를 통해 각 영역별 연령점수와 상대적인 현재수준을 알 수 있다.
ㄷ. 비형식적 검사 시 관찰 결과가 관찰자들 사이에서 얼마나 일치하는지를 알아보는 타당도 검증이 필요하다.
ㄹ. 교육과정 중심 진단을 위해 K-DIAL-3(Korean Developmenral Indecators for the Assessment of Learning-3)를 활용한다.
ㅁ. 전반적인 발달 수준을 알아보기 위해 AEPS (Assessment, Evaluation, and Programming System for Infants and Children)를 활용한다.

① ㄱ, ㄷ　　　　② ㄱ, ㅁ
③ ㄱ, ㄷ, ㅁ　　④ ㄴ, ㄷ, ㄹ
⑤ ㄴ, ㄹ, ㅁ

11 ▮▮▮▮▮▮▮▮▮▮▮▮▮ 2010 초등1-13

다음은 정신지체 학생 예지의 지역사회 적응검사(CIS-A) 결과를 기록한 검사지의 일부이다. 이 결과에 대한 해석으로 가장 적절한 것은?

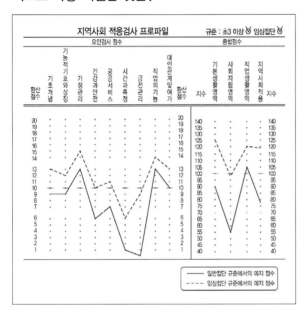

① 예지는 기본생활 영역보다 사회자립 영역에서 더 높은 수준을 보인다.

② 임상집단 규준에서의 예지 점수는 모든 장애학생을 대상으로 한 상대적 적응행동 수준을 보여준다.

③ 직업생활 영역의 경우 일반집단 규준에 기초한 예지의 지수점수는 105로 평균으로부터 1 표준편차 범위 안에 있다.

④ 일반집단 규준에 근거하여 예지의 종합 점수를 볼 때, 지역사회통합 훈련에서는 기본생활 영역을 우선 지도해야 한다.

⑤ 사회자립 영역의 경우 예지의 지수 점수는 임상집단 규준에서는 적응행동지체 수준을 보이지만, 일반집단 규준에서는 평균의 수행수준을 보인다.

12 ▮▮▮▮▮▮▮▮▮▮▮▮▮ 2010 중등1-39

다음은 두 교사가 학생 A의 진단·평가 결과보고서에 관해 나눈 대화이다. M검사는 표준화검사이며 점수가 정규분포를 이루고, 평균이 50점이며 표준편차가 10점이다. ㉠~㉣ 중 옳은 것을 모두 고른 것은?

김 교사: 학생 A의 진단·평가 결과보고서인데, 한 번 보실래요?

이 교사: M검사에서 받은 점수가 39점이니, ㉠이 학생의 점수는 규준의 하위 16퍼센타일 이하에 위치한다고 볼 수 있군요.

김 교사: 그러면 이 학생이 받은 점수는 진점수인가요?

이 교사: 이 학생의 점수는 획득점수로, 진점수라고는 말할 수 없지요. ㉡진점수는 획득점수를 측정의 표준오차로 나누어 산출합니다.

김 교사: 그런데 만약 이 학생이 M검사에서 평균점을 받았다면 백분위점수(순위)는 얼마나 됩니까?

이 교사: 만약 그렇다면, ㉢이 학생의 백분위점수는 50이 되지요.

김 교사: 그럼, 이 학생에게 실시한 M검사는 타당한 도구인가요?

이 교사: ㉣이 검사와 동일한 능력을 측정하고 타당성이 인정된 다른 검사와의 상관계수가 .90이므로 공인타당도가 매우 높다고 말할 수 있지요.

① ㉠, ㉢   ② ㉢, ㉣

③ ㉠, ㉡, ㉢   ④ ㉠, ㉢, ㉣

⑤ ㉠, ㉡, ㉢, ㉣

13   2011 유아1-5

다음은 특수교육지원센터에서 인수에게 실시한 표준화 검사 결과의 일부이다. 이 결과에 대한 설명으로 옳은 것은?

- 발달검사 − DQ 85
- 사회성숙도검사 − SQ 95
- 한국 웩슬러 유아지능검사 − IQ 85
- 아동·청소년행동평가척도(K-CBCL)
  ◦ 위축척도 − 70 T
  ◦ 주의집중문제척도 − 백분위 65

---

① 인수는 발달연령에 비해 생활연령은 더 낮고 사회연령은 더 높다.
② 인수는 발달수준과 지능수준이 같고 발달수준에 비해 적응행동수준은 더 높다.
③ 인수보다 지능이 높은 유아의 비율과 발달이 빠른 유아의 비율은 약 84%로 같다.
④ 인수의 적응행동수준은 평균보다 조금 낮으며, 인수보다 주의 집중 문제가 더 심각한 유아의 비율은 약 35%이다.
⑤ 인수보다 위축 문제가 더 심각한 유아의 비율은 약 2%이며, 주의집중 문제가 더 심각한 유아의 비율은 약 35%이다.

14   2011 유아1-7

다음은 경도 정신지체로 진단된 수미에게 실시한 한국판 K-ABC(Korean Kaufman Assessment Battery for Children) 지능 검사 결과의 일부이다. 올바른 해석을 〈보기〉에서 고른 것은?

인지처리 하위검사 평균 = 10/ 표준편차 = 3	원 점 수	척도점수			백 분 위
		순차 처리	동시 처리	비언 어성	
1. 마법의 창	5		7		16
2. 얼굴기억	2		7		16
3. 손동작	7	11			63
4. 그림통합	9		14		91
5. 수회생	5	11			63
6. 삼각형	3		7		16
7. 단어배열	1	4			2
8. 시각유추					
9. 위치기억					
10. 사진순서					
척도점수 합계		26	35		

습득도 하위검사 평균 = 100/ 표준편차 = 15	원 점 수	표준점수 ± 측정오차 95% 신뢰수준	백 분 위
11. 표현어휘	4	67 ± 11	1
12. 인물과 장소	2	85 ± 13	16
13. 산수	1	71 ± 8	3
14. 수수께끼	1	90 ± 11	25
15. 문자해독		±	
16. 문장이해		±	
표준점수 합계		313	

종합척도 평균 = 100/ 표준편차 = 15	척도 점수/ 표준 점수 합계	표준점수 ± 측정오차 95% 신뢰수준	백 분 위
순차처리척도	26	91 ± 8	27
동시처리척도	35	88 ± 8	21
인지처리과정척도	61	87 ± 7	19
습득도척도	313	67 ± 8	1
비언어성척도		±	

종합척도간의 비교 > · = · < ( )안은 유의수준	순차처리 = 동시처리 (유의차: 없음, 5%, 1%) 동시처리 > 습득도 (유의차: 없음, 5%, ⓛ%)
	순차처리 > 습득도 (유의차: 없음, 5%, ⓛ%) 인지처리 > 습득도 (유의차: 없음, 5%, ⓛ%)

〈보기〉

ㄱ. 인지처리과정척도 [마법의 창] 검사와 [수회생] 검사에서의 수행능력은 동일한 수준이다.

ㄴ. 습득도척도 [인물과 장소] 검사결과의 표준점수 85점이 진점수가 될 확률은 95%이다.

ㄷ. 습득도척도 [산수] 검사에서의 수행능력은 규준집단의 평균 수준에 못 미친다.

ㄹ. 검사한 결과, 습득한 지식과 기술에 비해 정보처리 및 문제 해결 능력이 더 우수함을 알 수 있다.

ㅁ. 검사한 결과, 정보를 동시에 처리하는 능력이 순차적으로 처리하는 능력보다 더 우수함을 알 수 있다.

① ㄱ, ㄴ   ② ㄱ, ㅁ

③ ㄴ, ㄷ   ④ ㄷ, ㄹ

⑤ ㄹ, ㅁ

PART 03

15 2011 초등1-3

정신지체로 의심되는 학생을 특수교육대상자로 선정할 것인지의 여부를 결정하기 위하여 특수교육지원센터에서는 진단·평가를 실시하려고 한다. 장애인 등에 대한 특수교육법(시행규칙 포함)에 제시된 선별검사 및 진단·평가 영역과, 각 영역에 적절한 검사 도구 및 검사 내용이 바르게 짝지어진 것은?

	선별 검사 및 진단·평가 영역	검사 도구	검사 내용
①	지능검사	한국 웩슬러 아동지능검사 (K-WISC-III)	언어성 검사와 동작성 검사로 구성되어 있으며, 결과는 지수점수와 백분위점수로 제시된다.
②	적응행동 검사	KISE 적응행동검사 (KISE-SAB)	개념적 적응행동, 사회적 적응행동, 실제적 적응행동 검사로 구성되어 있으며, 결과는 지수점수로 제시된다.
③	기초학습 검사	기초학습 기능검사	정보처리기능, 언어기능, 수기능을 측정하도록 구성되어 있으며, 결과는 연령점수와 T점수로 제시된다.
④	행동발달 검사	아동·청소년 행동평가척도 (K-CBCL)	사회능력척도와 문제행동증후군척도로 구성되어 있으며, 결과는 백분위점수와 T점수로 제시된다.
⑤	운동능력 검사	오세르츠키 운동능력검사	소근육 운동기술과 대근육 운동기술을 측정하도록 구성되어 있으며, 결과는 운동연령과 정신연령으로 제시된다.

16 2011 중등1-12

다음은 특수교사 연구회 모임에서 포트폴리오 사정에 대해 나눈 대화이다. ㉠~㉤에서 옳은 것만을 모두 고른 것은?

> 김 교사 : 저는 학생들이 작성한 쓰기 표본, 녹음 자료, 조사 보고서 등을 수집해서 실시하는 포트폴리오 사정을 하려고 해요.
>
> 박 교사 : 저도 ㉠우리 반 학생들은 장애 정도가 다양하고, 오랫동안 외국에서 생활하고 온 학생도 있어서 포트폴리오 사정이 효과적이라고 생각해서 사용하고 있어요.
>
> 이 교사 : 그런데 ㉡포트폴리오에는 학생의 과제수행 표본뿐만 아니라 교사가 요약한 자료도 포함된다고 하는데 시간이 많이 걸리지 않나요?
>
> 정 교사 : 그럴 수도 있어요. 그래서 저는 ㉢체크리스트와 평정척도를 포트폴리오 사정에 활용해서 시간을 효율적으로 쓰고 있어요.
>
> 양 교사 : 맞아요. ㉣수행사정에는 필수적으로 포함되어 있는 자기평가가 포트폴리오 사정에는 제외되어 있어서 시간이 절약되더라고요.
>
> 최 교사 : 그런데 이 평가 방법은 타당도에 문제가 있을 수 있잖아요. ㉤타당도를 높이기 위해서는 두 명 이상이 채점한 결과를 비교하는 것이 필요하다고 생각해요.

① ㉠, ㉡
② ㉠, ㉤
③ ㉠, ㉡, ㉢
④ ㉡, ㉢, ㉣
⑤ ㉢, ㉣, ㉤

17

김 교사는 학습장애가 의심되는 학생 A를 대상으로 계산 유창성 훈련을 실시하고 그 결과를 교육과정중심측정(curriculum-based measurement; CBM) 방식으로 평가하고 있다. 학생 A에게 실시하는 CBM 방식에 대한 설명으로 적절한 것만을 〈보기〉에서 모두 고른 것은?

〈보기〉
ㄱ. CBM 방식은 계산 유창성 문제의 원인을 밝히는 데 유용하다.
ㄴ. CBM 방식은 준거참조검사의 대안적인 방법으로 비형식적인 사정에 속한다.
ㄷ. CBM 결과는 교수법을 변경하거나 수정하기 위한 자료로 활용될 수 있다.
ㄹ. CBM 결과로 계산 유창성의 수준뿐만 아니라 효율적인 계산 전략의 적용 여부를 파악할 수 있다.
ㅁ. CBM 결과로 계산 유창성의 진전 여부를 확인할 수 있지만, 또래의 성취 수준과 비교는 할 수 없다.
ㅂ. CBM 방식에서 계산 유창성 점수는 일정 시간 동안 계산 문제의 답을 쓰게 한 후 정확하게 쓴 숫자를 세어 산출할 수 있다.

① ㄱ, ㄴ
② ㄷ, ㅂ
③ ㄱ, ㄴ, ㅁ
④ ㄴ, ㄷ, ㅂ
⑤ ㄷ, ㄹ, ㅁ, ㅂ

18

다음은 연지에게 한국판 DIAL-3(Korean Developmental Indicators for the Assessment of Learning-Third Edition)을 사용하여 선별 검사를 실시한 결과이다. 이 검사도구와 결과에 대한 설명으로 옳은 것은?

- 검사 일자 : 2011년 9월 5일
- 생년월일 : 2007년 4월 25일
- 측정 영역 : 5개 발달 영역
  (운동, 인지, 언어, 자조, 사회성)
- 검사 결과 : 전반적으로 잠재적 지체

① 이 검사도구에서는 연지의 생활 연령을 4년 5개월로 계산해야 한다.
② 이 검사도구는 관찰과 질문지를 통해 평가가 이루어지므로 6개월 미만인 영아에게도 사용할 수 있다.
③ 이 검사도구에서 교사는 질문지를 통해 연지와 부모를 평가하고, 부모는 관찰을 통해 연지를 평가한다.
④ 연지의 평가 결과가 '전반적으로 잠재적 지체'로 나타났기 때문에 별도의 진단·평가 없이 특수교육대상자로 선정한다.
⑤ 5개의 발달 영역 중 교사는 운동 영역, 인지 영역, 언어 영역을 평가하고, 부모는 자조 영역과 사회성 영역을 평가한다.

19 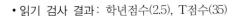 2012 초등1-4

다음은 한국 웩슬러 아동지능검사(K-WISC-III)의 검사결과를 통해 알 수 있는 점수 유형들이다. 〈보기〉에서 이에 대한 설명으로 적절한 것을 모두 고르면?

원점수, 백분위점수, 환산점수, 지표점수, 지능지수점수

〈보기〉
ㄱ. 소검사 원점수가 0점이라면, 그 소검사에서 측정하는 수행 능력이 완전히 결핍되었다고 볼 수 있다.
ㄴ. 백분위점수를 통해 동일연령대에서 학생의 지적 능력의 상대적인 위치를 파악할 수 있다.
ㄷ. 소검사의 환산점수는 표준점수이므로 이를 통해 학생의 환산점수가 각 소검사에서 동일 연령대의 환산점수 평균과 얼마나 차이가 나는지 알 수 있다.
ㄹ. 지표점수 간 비교를 통해 개인 내 강점과 약점을 파악할 수 있다.
ㅁ. 전체 지능지수점수는 비율점수이므로 이를 통해 학생의 발달비율을 알 수 있다.

① ㄱ, ㄴ　　　　② ㄴ, ㄷ
③ ㄱ, ㄹ, ㅁ　　　④ ㄴ, ㄷ, ㄹ
⑤ ㄱ, ㄷ, ㄹ, ㅁ

20 2012 중등1-7

다음은 중학교 1학년 학생 A의 읽기 능력과 행동 특성을 진단한 결과의 일부이다. 옳은 것만을 〈보기〉에서 있는 대로 고른 것은?

• 읽기 검사 결과: 학년점수(2.5), T점수(35)
　　　　　　　　　[검사도구: BASA-Reading)]
• 행동 진단 결과: [검사도구: 아동청소년　행동평가척도(K-CBCL)]

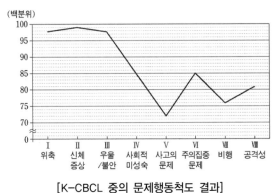

[K-CBCL 중의 문제행동척도 결과]

〈보기〉
ㄱ. 학생 A의 읽기 능력은 일반적인 초등학교 2학년의 여섯 번째 달에 해당하는 학생 수준이다.
ㄴ. 읽기 검사 결과의 T점수는 원점수이므로 Z점수로 환산하였을 때 집단 내에서의 학생 A의 읽기 수준을 알 수 있다.
ㄷ. 학생 A의 내재화 문제 정도는 상위 3% 안에 포함되며, 일반적으로 보았을 때 임상범위 내에 속한다.
ㄹ. 학생 A의 주의집중 문제는 ±1 표준편차 범위 안에 들어, 심각하지 않은 편이다.
ㅁ. K-CBCL은 위에 제시한 문제행동척도 이외에도 사회능력척도가 포함되어 있다.

① ㄱ, ㄴ　　　　② ㄷ, ㅁ
③ ㄱ, ㄷ, ㅁ　　　④ ㄴ, ㄷ, ㄹ
⑤ ㄷ, ㄹ, ㅁ

21

다음은 장애 영아의 교육 지원에 관한 내용이다. 물음
에 답하시오.

(가) 「국민건강보험법」의 '영유아건강검진'의 선별검
사 결과, 지우의 발달에는 특별한 문제가 없는 것
으로 나타났다. 그런데 지우 어머니는 여전히 지
우가 2세의 또래 영아에 비해 발달이 지체되었다
고 생각하여 장애진단 검사를 받았다. 그 결과 지
우는 장애가 있는 것으로 밝혀졌다.

1) (가)에 나타난 선별검사의 오류 종류를 쓰고, 그로
인해 야기될 수 있는 문제점을 쓰시오.

　• 오류 종류 :

　• 문제점 :

22

(나)는 읽기장애 학생 소영이를 위해 반복읽기 전략과 교
육과정중심측정(Curriculum-Based Measurement ;
CBM)을 적용한 사례이다. 물음에 답하시오.

(나) 소영이의 사례

〈반복 읽기 전략의 실시 및 평가 절차〉
① 반복 읽기 전략을 주 2회 10분씩 실시한다.
② 매주 1회 1분간 CBM 구두 읽기검사를 실시한다.
③ 또래의 성장 속도를 고려하여 소영이의 목표선을
설정한다.
④ 소영이의 점수가 3주 연속으로 목표선의 점수보다
낮을 경우 전략을 교체한다.
⑤ 반복 읽기 전략을 적용하기 전에 소영이에게 실시
한 3회의 CBM 구두 읽기검사 점수의 중앙치를 찾
는다.

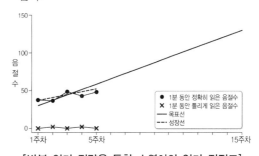

[반복 읽기 전략을 통한 소영이의 읽기 진전도]

2) (나)에서 사용된 '반복 읽기 전략의 실시 및 평가 절
차' ①~⑤를 순서대로 나열하시오.

　(　) → (　) → (　) → (　) → (④)

3) 김 교사는 (나)에 나타난 5주차까지의 중재 결과를
바탕으로 반복 읽기 전략을 교체하지 않고 수정하
기로 결정하였다. 김 교사가 반복 읽기 전략을 교체
하지 않은 이유와 이 전략의 효과를 높이기 위하여
취할 수 있는 수정 방법 1가지를 쓰시오.

　• 이유 :

　• 수정 방법 :

23

A는 만 13세의 중학교 1학년 학생으로 정신지체가 의심된다. (가)~(라) 중 「장애인 등에 대한 특수교육법」의 특수교육대상자 선별 검사 및 진단·평가 영역에 근거하여 A에게 실시할 수 있는 적절한 검사도구명과 해당 특성이 바르게 제시된 것만을 있는 대로 고른 것은?

	검사도구	검사도구의 특성
(가)	한국웩슬러 지능검사 (K-WISC-IV)	• 언어이해지표, 지각추론지표, 작업기억지표, 처리속도지표로 구성된다. • 영역별 합산 점수와 전체적인 인지능력을 나타내는 IQ를 알 수 있다.
(나)	국립특수교육원 기초학력검사 (KISE-BAAT)	• 읽기, 수, 정보처리 영역으로 구성된다. • 하위검사별 백분위점수, 학력지수, 학년규준점수를 알 수 있다.
(다)	국립특수교육원 적응행동검사 (KISE-SAB)	• 개념적 기술, 사회적 기술, 실제적 기술로 구성된다. • 하위검사별 적응행동지수와 전체적응행동지수를 알 수 있다.
(라)	한국판 시지각발달검사 (K-DTVP-2)	• 일반시지각, 운동-감소시지각, 시각-속도통합으로 구성된다. • 하위검사별 연령지수, 백분위점수를 알 수 있다.

① (가), (다) ② (나), (라)
③ (다), (라) ④ (가), (나), (다)
⑤ (가), (나), (라)

24

장애학생의 진단·평가를 위해 활용하는 방법 및 특징에 대한 설명으로 옳은 것만을 〈보기〉에서 있는 대로 고른 것은?

〈보기〉
ㄱ. '표준화 검사'의 장점 중 하나는 측정 영역에 대한 학생의 수준을 객관적으로 볼 수 있다는 점이다.
ㄴ. '준거참조평가(criterion-referenced evaluation)'는 학생의 점수를 또래 집단과 비교함으로써 집단 내 학생의 상대적 위치에 대한 정보를 제공한다.
ㄷ. '관찰'은 일상적인 상황에서 나타나는 학생의 행동을 기록함으로써 특정현상에 대한 자료를 수집하는 방법이다.
ㄹ. '관찰'에서 사용하는 '시간표집법'은 일정 관찰기간 동안 지속적으로 관찰하여 관찰 대상 행동이 발생할 때마다 기록하는 방법이다.
ㅁ. '구조화 면접'은 질문의 내용과 순서를 미리 준비하여 정해진 방식대로 질문해 나가는 면접이다.

① ㄱ, ㄴ, ㄹ ② ㄱ, ㄷ, ㅁ
③ ㄴ, ㄷ, ㅁ ④ ㄴ, ㄹ, ㅁ
⑤ ㄱ, ㄷ, ㄹ, ㅁ

25

다음은 일반 유아와 정신지체 유아 집단을 규준집단으로 하여 동희의 적응행동 수준을 작성한 적응행동 검사(KISE-SAB) 프로파일이다. 물음에 답하시오.

개념적 적응행동							사회적 적응행동								실제적 적응행동											
언어이해	언어표현	읽기	쓰기	돈개념	자기지시	환산점수	사회성일반	놀이활동	대인관계	책임감	자기존중	자기보호	규칙과법	환산점수	화장실이용	먹기	옷입기	식사준비	집안정리	교통수단이용	진료받기	금전관리	통신수단이용	작업기술	안전및건강관리	환산점수

A는 동희의 소검사 환산점수선이다.

1) A는 동희의 소검사 환산점수선이다. 어떤 집단을 규준집단으로 한 프로파일인지 쓰시오.

2) 동희의 적응행동지수를 해석한 다음의 문장을 완성하시오.

> 동희의 전체 적응행동지수는 115이다. 이는 (①) 유아규준집단의 약 (②)%가 동희보다 낮은 적응행동 점수를 받았음을 의미한다.

3) 이 적응행동 검사는 규준집단의 평균으로부터 적어도 2표준편차 이하의 수행을 나타낼 때 적응행동에 유의미한 제한성을 지닌 것으로 해석한다. 이와는 달리 개인의 수행을 규준집단의 수행수준과 비교하지 않고, 개인이 일정 숙달수준에 도달했는지의 여부를 알아볼 수 있는 검사 유형을 무엇이라고 하는지 쓰시오.

26

다음은 김 교사가 담당하고 있는 특수학급 유아들과 가족의 사례이다. 물음에 답하시오.

> 진수네 가족 : 진수의 부모는 진수가 24개월이 되었을 때 문제가 있음을 감지하고 여러 군데의 병원을 찾아다니다 2세 6개월에 자폐성 장애 진단을 받았다. 그 후 여러 클리닉을 다니며 치료하려는 노력을 기울였으나 최근 부모로서 무능함을 토로하며 크게 낙담하고 우울해 한다.
>
> … (하략) …

2) 김 교사는 진수 어머니와 면담을 실시하려고 여러 면담 유형을 살펴보았다. 다음에서 설명한 면담의 유형을 쓰시오.

> • 면담 시 질문할 항목과 질문의 순서를 미리 정해 둔다.
> • 필요한 정보를 제한된 시간에 수집할 수 있어 효율적이다.
> • 면대면 면담 외에도 질문지나 평정척도를 사용하여 정보를 획득할 수도 있다.
> • 가족이 표현하고자 하는 문제나 가족의 필요, 우선순위 등을 간과할 우려가 있다.

27 　　　　　　　　　　 2013추시 중등B-2

(가)는 자폐성장애 학생 철규의 진단 · 평가 결과이다. 물음에 답하시오.

(가) 진단 · 평가 결과

검사명	결과	해석
적응행동검사 (KISE-SAB)	전체 적응행동지수 62	㉠ 전체 적응행동 지수 62는 1표준편차 범위로 정상 범위의 적응행동을 보인다.
아동기자폐증 평정척도 (CARS)	척도 평정점수 42점	㉡ 척도 평정점수 42점은 아동기 자폐증 평정척도 점수 분류표에서 중증 자폐에 속한다.
한국자폐증 진단검사 (K-ADS)	자폐지수 132	㉢ 자폐지수 132는 2표준편차 이상으로 자폐 확률이 매우 높다
기초학습 기능검사	쓰기 백분위점수 2	㉣ 쓰기 백분위점수 2는 3표준편차 이하로 또래들보다 쓰기 기술이 낮다.

1) ㉠~㉣에서 틀린 것 2가지를 찾아 그 기호를 쓰고, 바르게 고쳐 쓰시오.

　• 기호와 수정 내용 :

　• 기호와 수정 내용 :

KORSET

28   2014 유아A-2

다음은 5세 유치원 통합학급에서 유아특수교사와 유아교사가 쿡과 프렌드(L. Cook & M. Friend)의 협력교수 유형을 적용하여 작성한 활동계획안의 일부이다. 물음에 답하시오.

○ 대집단-일반 유아 21명
● 소집단-발달지체 유아(나리)/일반 유아(서영, 우재, 민기)

소주제	우리 동네 사람들이 하는 일	활동명	일하는 모습을 따라 해 봐요
활동 목표			• 다양한 직업에 대해 관심을 갖는다. • 직업의 특징을 몸으로 표현한다.
활동 자료			다양한 직업(버스기사, 교통경찰, 미용사, 요리사, 화가, 발레리나, 의사, 사진기자, 택배기사, 축구선수)을 가진 사람들의 모습이 담긴 사진 10장
㉠ 나리의 IEP 목표 (의사소통)			• 교사의 질문에 사물을 손가락으로 가리킬 수 있다. • 자신의 느낌과 생각을 손짓이나 몸짓으로 표현할 수 있다.

교수 · 학습 활동내용	
○ 대집단-유아교사	● 소집단-유아특수교사
○ 다양한 직업의 모습이 담긴 사진을 보면서 이야기 나누기 　– 다양한 직업의 특징을 말하기 ○ 직업을 신체로 표현하는 방법에 대해서 이야기 나누기 　– 이 사람은 무엇을 하고 있니? 　– 이 사람은 일을 할 때 어떻게 움직이고 있니? ○ 직업을 다양하게 몸으로 표현하고 알아맞히기 　– 사진 속 직업을 몸으로 표현해 보자. ○ 직업을 가진 사람들의 움직임을 창의적인 방법으로 표현해 보기 　– 또 다른 방법으로 표현해 볼 수 있을까?	● 유아가 자주 접하는 직업의 모습(동작)이 담긴 5장의 사진을 보면서 이야기 나누기 　– ㉡ 사진(의사, 버스기사, 요리사)을 보여주면서 "맛있는 음식을 만드는 사람은 누구니?" 　– ㉢ 사진(축구선수, 미용사)을 보여주면서 "축구공은 어디 있니?" 　– "요리사는 음식을 만들 때 어떻게 움직이고 있니?" ● 유아가 자주 접하는 직업의 모습(동작)이 담긴 사진을 보면서 손짓이나 몸짓으로 표현하기 　– (교통경찰 사진을 보며) "손을 어떻게 움직이고 있니?"

활동평가		평가방법
○	• 다양한 직업에 대해 관심을 갖고 있는가? • 직업의 특징을 다양하게 몸으로 표현할 수 있는가?	• 관찰 • (㉣)
● (나리)	• 직업의 특징을 손짓이나 몸짓으로 표현할 수 있는가?	

3) 유아특수교사는 수행평가 방법의 하나인 ㉣을 다음과 같이 실시하였다. ㉣에 들어갈 말을 쓰시오.

> 유아특수교사는 하루 일과 내 계획된 활동이 끝나면 활동에서 산출된 모든 작업샘플들(사진, 일화기록 등)을 분석한 후 나리의 발달영역과 IEP 목적 및 목표에 따라 분류하여 각각의 서류파일 안에 넣어 저장하였다. 수집한 자료는 정기적인 회의에서 유아의 진도를 점검하는 자료로 사용하였다.

29

다음의 (가)는 중학교 2학년에 재학 중인 특수교육대상 학생 A의 기초학력검사─쓰기 검사 결과의 일부이고, (나)는 이 검사 결과에 대해 특수교육지원센터의 진단·평가 팀장과 신임 특수교사가 나눈 대화 내용의 일부이다. 괄호 안의 ㉠과 ㉡에 해당하는 평가 용어를 각각 쓰시오.

(가) 학생 A의 기초학력검사─쓰기 검사 결과

원점수	백분위 점수	학력 지수	95% 신뢰 수준 (㉠)
47	6	72	68~76

(나) 대화 내용

> 특수교사: 이 학생의 학력 지수는 72점으로 나왔어요. 그러면 68~76은 어떻게 해석해야 할까요?
>
> 팀   장: 이번 결과에서 이 학생이 획득한 점수는 72점이지만, 이는 이 학생의 (㉡)이/가 68점과 76점 사이에 있을 확률이 95%라는 뜻입니다. (㉠)을/를 구하기 위해서는 학생 A의 획득 점수, 95% 신뢰 수준에 해당하는 z점수, 이 검사의 측정의 표준오차가 필요합니다.

30

(나)는 김 교사와 은지 어머니의 대화 내용이다. 물음에 답하시오.

(나) 김 교사와 은지 어머니의 대화 내용

> 은지 어머니: 선생님, 지난번에 가르쳐 주신 대로 은지와 상호작용을 하려고 했는데 효과가 별로 없는 것 같아요. 왜 그럴까요?
>
> 김 교 사: 어머니들께서 자녀에 대한 중재를 실행하는 것이 쉬운 일은 아니에요. 그래서 ㉥은지 어머니께서 배운 방법대로 정확하게 하고 있는지, 그리고 이것을 일관성 있게 하는지 점검하고 모니터링해야 해요. 그래서 이미 개별화교육계획을 작성할 때 이를 위한 절차와 점검표를 계획해 놓았어요. 그럼 이것을 실시해 보도록 하지요.
>
> 은지 어머니: 선생님, 한 가지 더 의논드릴 일이 있어요. 우리 이웃집에 은지 또래의 아이가 있는데 발달이 더딘 것 같아 그 아이의 엄마가 걱정하고 있더라구요.
>
> 김 교 사: 그래요? 그럼 먼저 ⊙선별검사를 해 보는 것이 좋겠군요.

5) ⊙의 선별 과정에서 나타날 수 있는 음성 오류(부적 오류, false negative)를 장애 진단과 관련하여 1가지 쓰시오.

31   2015 유아A-5

영수는 ○○유치원 5세 반에 다니고 있다. (나)는 박 교사와 특수교육지원센터 순회교사인 최 교사와의 대화 내용이다. 물음에 답하시오.

(나) 두 교사의 대화

박 교사: 선생님, 지난번 특수교육지원센터에서 영수의 발달 문제로 검사를 하셨잖아요.
최 교사: 네. ⓒ 한국 웩슬러유아지능검사(K-WPPSI)와 ② 한국판 적응행동검사(K-SIB-R)를 했어요. 그 외 여러 가지 장애진단 검사들도 실시했어요.
박 교사: 그래요? 그럼 결과는 언제쯤 나오나요?
최 교사: 다음 주에 나올 것 같아요.
박 교사: ⓜ 검사 결과가 나오면 그것을 토대로 개별화교육지원팀이 영수의 개별화교육계획을 수립할 수 있겠네요.

3) ⓒ과 ②의 하위 검사 영역 2가지를 각각 쓰시오.

    ⓒ :

    ② :

4) ⓜ이 적절하지 않은 이유 1가지를 쓰시오.

32   2015 초등A-3

(가)는 단순언어장애 학생 정우에 대한 검사 결과이다. 물음에 답하시오.

(가) 검사 결과

- 생활연령: 7세 2개월
- K-WISC-III 결과: 동작성 지능지수 88, 언어성 지능지수 78
- ㉠ 취학 전 아동의 수용언어 및 표현언어 발달 척도(PRES) 결과: 수용언어 발달연령 64개월, 표현언어 발달연령 58개월, 통합언어 발달연령 61개월
- 언어 문제 해결력 검사 결과: 원점수 17점, ㉡ 백분위 9
- 순음청력검사결과: 양쪽 귀 모두 10 dB
- 사회성숙도 검사 결과: 사회성 지수 90
- 구강조음기제에서 특이사항 관찰되지 않음
- 사회·정서적 문제를 보이지 않음

1) 다음은 (가)의 ㉠을 실시하는 절차이다. 괄호 안의 ⓐ와 ⓑ에 들어갈 말을 쓰시오.

생활연령을 산출한다.
일·월·년의 순으로 검사일에서 출생일을 뺀다.

⇩

시작점을 찾는다.
검사 설명서에 나온 연령층에 적합한 시작점에서 검사를 시작한다.

⇩

기초선(기저선)을 설정한다.
아동이 그 이전의 낮은 단계 문항들을 모두 맞힐 수 있다고 확신할 수 있는 지점을 정한다.

⇩

<중략>

⇩

(ⓐ)을/를 설정한다.
아동이 그 이상의 높은 문항들은 모두 못 맞힐 것이라고 확신할 수 있는 지점을 정한다.

⇩

획득점수(원점수)를 산출한다.
(ⓑ) 문항에서부터 (ⓐ)까지 아동이 맞힌 문항에 부여된 배점을 합산한다.

ⓐ :

ⓑ :

2) 다음은 (가)의 ㉡에 대한 설명이다. 괄호에 들어갈 말을 쓰시오.

정우의 원점수가 아동이 속한 연령 집단과 비교하여 ( )에 해당한다는 것을 의미한다.

33

다음은 통합학급 유아교사인 김 교사와 유아특수교사인 최 교사의 대화이다. 물음에 답하시오.

김 교사: 최 선생님, 오늘 은미가 교실에서 말을 많이 했어요.

최 교사: 와! 우리 은미 멋지네요.

김 교사: 실은 오늘뿐 아니라 요즘 계속 말을 많이 해서 얼마나 달라졌는지 알아보고 싶어요. 어떤 방법이 있을까요?

최 교사: 언어 발달 평가에는 여러 가지가 있지만, 자발화 평가를 해도 좋을 것 같아요.

김 교사: 그러면 ㉠은미가 가장 말을 많이 하는 영역인 도서 영역 한 곳에서 자발화 수집을 하면 되겠네요. ㉡은미는 좋아하는 동화책을 외워 그 내용을 혼자 계속 중얼거리는데, 그것도 자발화 수집에 포함시켜야겠어요. 그런데 은미가 하는 말이 계속 같은 낱말을 반복하는 것인지 아니면 여러 가지 어휘를 사용하는 것인지도 알아보고 싶어요. 그것은 어떻게 알 수 있을까요?

최 교사: 아, 그건 은미가 ㉢사용한 총 낱말 중에서 서로 다른 낱말의 비율을 산출해보면 알 수 있어요.

김 교사: 네, 잘 알겠습니다. 그리고 저번에 말씀드렸던 지호에 대해서도 의논드릴 일이 있어요. 내일 지호 어머님과 상담하기로 했는데, 어머님께서 지호에 대해 걱정이 많으세요. 저도 지호가 다른 친구들과 달리 가르치기 힘들다는 생각이 들어서요. 내일 어머님께 지호가 특수교육대상자인지 진단·평가를 받으라고 말씀드리는 것이 좋겠지요?

최 교사: ㉣그 전에 일반 학급에서 교수 방법 등을 수정하여 지도해 보면서, 지호의 발달에 변화가 있는지 살펴보는 것이 우선인 것 같아요. 저도 도와드릴게요. 그렇게 해도 지속적으로 어려움이 있을 경우 특수교육대상자 선정을 의뢰해야겠지요.

3) ㉣에서 ① 최 교사가 제안한 절차의 명칭을 쓰고, ② ㉣의 목적 1가지를 쓰시오.

① :

② :

34

다음은 진단과 중재 체계를 제시한 그림이다. 유진이는 이 체계에 따라 진단과 중재를 받게 되었다. 물음에 답하시오.

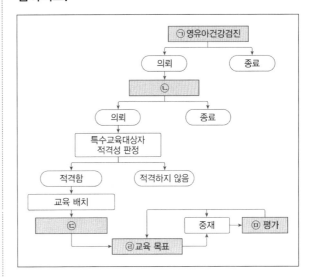

1) ㉠ 단계에서 유진이가 받은 발달평가의 목적을 쓰시오.

2) ㉡과 ㉢에 들어갈 내용을 각각 쓰시오.

3) 유진이는 위 체계를 거치면서 여러 가지 검사를 받았다. 그중에서 '한국웩슬러유아지능검사(K-WPPSI)' 결과와 '유아행동 평가척도(CBCL 1.5-5)' 결과로 ㉣을 작성한다면, 이때 발생할 수 있는 문제점 1가지를 쓰시오.

4) ㉤을 실시하는 이유 2가지를 쓰시오.

35

(나)는 교육실습생과 지도교사가 학습장애 학생 은미의 검사 결과에 대해 나눈 대화 내용의 일부이다. 물음에 답하시오.

(나)

> 교육실습생 : ㉠ K-WISC-IV는 같은 연령의 또래와 비교하여 은미 지능의 상대적 위치를 알 수 있는 준거참조검사로 알고 있어요. 이 검사 결과를 보면, ㉡ 은미의 전체 지능지수는 4개 지표 합산점수의 평균인 91이에요. ㉢ 4개 지표 합산점수들은 71에서 102 사이에 분포하고 있어 전체 지능지수가 은미의 전반적인 지적 능력을 반영한다고 단정 짓기는 어려운 것 같습니다. 또한 ㉣ '처리속도 지표' 합산점수는 71로 −1 표준편차에서 −2 표준편차 사이에 위치하는 것을 알 수 있어요.

은미의 'K-WISC-IV' 결과 요약

지표	합산점수
언어이해	98
지각추론	102
작업기억	93
처리속도	71

… (중략) …

> 교육실습생 : BASA 읽기 검사 결과를 바탕으로 은미의 읽기지도 계획을 수립하려고 하는데 어떻게 해야 하는지 궁금해요.
>
> 지도 교사 : 이 검사는 교육과정중심측정(CBM)을 활용한 검사예요. 이 검사에서는 3회에 걸쳐 실시한 읽기 검사 원점수의 중앙치로 기초선을 설정하는데 은미의 경우 (㉤)이 되겠지요. 기초선 설정 후 목표수준을 정하고 ㉥ 읽기 중재를 하면서 매주 2회 정도 읽기 검사를 해요.

은미의 '기초학습기능 수행평가체제(BASA) : 읽기 검사' 결과 요약

읽기 검사 1회	원점수 : 63
읽기 검사 2회	원점수 : 68
읽기 검사 3회	원점수 : 66

2) (나)의 ㉠~㉣에서 틀린 것을 2가지 찾아 기호와 이유를 각각 쓰시오.

① :

② :

3) (나)의 ① ㉤에 들어갈 점수를 쓰고, ② ㉥의 이유 1가지를 쓰시오.

① :

② :

36 2018 유아A-5

(가)는 5세 유아 민지의 한국판 웩슬러 유아 지능검사 (K-WPPSI-Ⅳ) 결과의 일부이고, (나)는 특수학급 김 교사와 통합학급 최 교사가 민지의 검사 결과에 대해 나눈 대화이다. 물음에 답하시오.

(가)

척도	환산 점수 합	지표 점수	백분위	95% 신뢰 구간	분류 범주
언어이해	10	71	3.0	61~81	경계선
시공간	6	58	0.3	45~71	매우 낮음
유동추론	8	66	2.0	58~74	매우 낮음
작업기억	8	64	1.0	54~74	매우 낮음
처리속도	10	73	3.0	61~85	경계선
전체척도	26	60	0.5	47~73	매우 낮음

(나)

최 교사: 민지 어머니께서 지능검사 결과를 민지 편에 보내셨어요.

김 교사: 이 검사는 ㉠민지의 지능을 또래와 비교하여 상대적인 위치를 보여 주는 검사예요.

최 교사: 그럼, 비교할 수 있는 점수표가 있나요?

김 교사: 네, ㉡민지와 같은 또래들과 비교할 수 있도록 규준이 만들어져 있고, 실시 방법과 채점 방법 등이 정해져 있어요.

최 교사: 그럼, ㉢각 지표마다 백분율 점수를 산출하는 것이 중요하겠네요.

김 교사: ㉣민지의 검사 결과 프로파일을 보니 민지는 시공간 능력이 제일 낮아요.

최 교사: 그러면 민지의 시공간 능력 발달 정도를 알려면 ㉤매달 이 검사를 실시해서 시공간 능력이 향상되었는지 살펴보아야겠어요.

1) (가)에서 민지의 '처리속도' 분석 결과를 ① 백분위와 ② 신뢰구간에 근거하여 해석하시오.

①:

②:

2) (나)의 밑줄 친 ㉠~㉤ 중에서 틀린 내용 2가지를 찾아 기호와 그 이유를 각각 쓰시오.

①:

②:

37

다음은 특수교육지원센터 홈페이지 질의·응답 게시판의 일부이다. 물음에 답하시오.

Q	우리 아이는 오랜 외국 생활로 한국어 사용이나 한국 문화에 익숙하지 않습니다. 이런 경우 사용할 수 있는 지능검사가 있나요?
A	지능검사는 여러 유형이 있습니다. 특수교육지원센터에서는 학생의 문화·언어적 배경에 영향을 받지 않는 ㉠마임과 몸짓으로 실시하는 비언어성 지능검사를 받을 수 있습니다.

Q	국립특수교육원 적응 행동 검사(KISE-SAB) 결과에서 '일반 학생 적응 행동 지수'와 '지적장애 학생 적응 행동 지수'를 동시에 명시하고 있는데 이해가 어렵습니다. 두 지수의 차이점이 무엇인가요?
A	일반적으로 ㉡지적장애 학생을 진단할 때, 먼저 '일반 학생 적응 행동 지수'를 활용하여 해석한 후 '지적장애 학생 적응 행동 지수'를 해석합니다.

1) 밑줄 친 ㉠의 예 1가지를 쓰시오.

2) 밑줄 친 ㉡을 하는 이유 1가지를 규준 참조 검사의 특성을 고려하여 쓰시오.

38

다음은 특수교사와 교육실습생이 나눈 대화의 일부이다. ㉠에 들어갈 내용을 쓰시오.

교육실습생:	선생님, 검사도구를 선택할 때에는 타당도를 고려하라고 하는데 타당도에 대해 설명해 주시겠어요?
특수교사:	타당도는 검사도구의 적합성이라고 생각하면 돼요. 여러 가지 종류가 있는데, (㉠)은/는 검사도구가 얼마나 검사의 목적을 달성할 수 있는 문항으로 구성되었는지를 나타내는 것입니다. 즉 측정하고자 하는 영역을 검사 문항이 얼마나 충실하게 대표하는가를 의미합니다. 그리고 예언타당도는 검사를 통해 얻어진 결과가 향후 학생의 행동이나 특성을 얼마나 정확하게 예측할 수 있는지를 나타내는 것이랍니다.

39 ~~~~~~~ 2019 초등A-1

다음은 ○○초등학교 연수자료 「통합교육 실행 안내서」의 일부이다. 물음에 답하시오.

통합교육 실행 안내서

○○초등학교

1. 학교 차원의 긍정적 행동지원
 1.1 학교 차원의 긍정적 행동지원의 개념

… (중략) …

 1.2 학교 차원의 긍정적 행동지원의 연속체

1차 지원 단계 : ㉠ 보편적 지원

• 학교 차원의 기대 행동 결정하고 정의하기
 − 기대 행동 매트릭스

	기본예절 지키기	인진하게 행동하기	책임감 있게 행동하기
교실	• 발표할 때 손들기 • 바른 자세로 앉기	• 차례 지키기	• 수업 준비물 챙기기

• 학교 차원의 기대 행동과 강화체계 가르치기

… (중략) …

3.4 중재 방법 선정 시 유의 사항
 3.4.1 (㉡) 고려하기
 −중재 목표가 사회적으로 얼마나 중요한가?
 −중재 과정은 사회적으로 수용 가능하고 합리적인가? [A]
 −중재 효과는 개인의 삶을 개선할 수 있는가?

… (중략) …

5.3.3 검사의 종류
 −(㉢)은/는 피험자가 사전에 설정된 성취 기준에 도달했는지에 대한 정보를 제공하는 검사
 −(㉣)은/는 피험자 간의 상대적인 위치를 평가하며, 상대평가 혹은 상대비교평가라고 부르기도 함 상대적 서열에 대한 변환점수의 예로 표준점수, 스테나인 점수, (㉤) 등이 있음

… (하략) …

---

3) ㉢과 ㉣에 들어갈 검사 종류의 명칭을 각각 쓰시오.

 ㉢ :

 ㉣ :

4) 다음은 ㉤에 대한 설명이다. ㉤에 들어갈 말을 쓰시오.

> • 전체 학생의 점수를 크기순으로 늘어놓고 100등분하였을 때의 순위
> • 특정 점수 이하의 점수를 받은 학생 사례 수를 전체 학생 사례 수에 대한 백분율로 나타낸 것
> • 상대적 위치 점수

40   2019 중등A-3

다음은 학생 A를 위한 평가 계획에 대하여 김 교사와 박 교사가 나눈 대화의 일부이다. 괄호 안의 ㉠, ㉡에 해당하는 내용을 순서대로 쓰시오.

… (상략) …

김 교사 : K-WISC-Ⅳ와 같은 규준참조검사 이외의 다른 평가방법도 있나요?

박 교사 : 예. (㉠)이/가 있어요. (㉠)은/는 정적 평가(static assessment)와는 달리 학생에게 자극이나 촉진이 주어졌을 때 학생의 반응을 통해 향상 정도를 알아보는 대안 평가방법입니다.

김 교사 : 이 평가 방법은 어떤 특징이 있나요?

박 교사 : (㉠)은/는 학생의 근접발달영역(zone of proximal development)을 알아보는 평가 방법으로 학생의 가능성과 강점을 확인해 볼 수 있어요. 또한 학습 과제를 하는 동안 학생에게 적절한 피드백을 주면서 문제를 어떻게 해결하는지 확인하기 때문에 학습의 결과보다는 (㉡)을/를 강조하는 특징이 있습니다.

김 교사 : 학생 A의 개별화교육에 활용할 수도 있겠군요.

---

41   2020 초등A-3

(나)는 '아동·청소년 행동평가척도(Child Behavior Checklist; CBCL 6-18)' 문제행동증후군 하위 척도와 설명이다. 물음에 답하시오.

(나) 'CBCL 6-18' 문제행동증후군 하위 척도와 설명

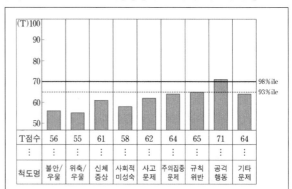

척도명	불안/우울	위축/우울	신체증상	사회적 미성숙	사고문제	주의집중문제	규칙위반	공격행동	기타문제
T점수	56	55	61	58	62	64	65	71	64

〈 설명 〉

㉥ 70은 T점수를 의미하고 98%ile에 해당됨

㉦ 93%ile은 표준편차(SD)를 활용하면 +1 SD에 해당됨

㉧ '불안/우울', '위축/우울', '신체증상' 척도는 내재화 요인에 해당됨

㉨ '신체증상' 척도는 특정한 의학적 원인으로 인해 두통, 복통, 구토 등과 같은 신체증상을 호소하는 정도를 반영함

㉩ 막대그래프가 점선 위로 올라오면 '준 임상' 범위이며, 실선 위로 올라오면 '임상' 범위라고 볼 수 있음

---

4) (나)의 ㉥~㉩ 중 적절하지 <u>않은</u> 내용 2가지를 골라 기호를 쓰고 바르게 고쳐 쓰시오.

42 ⬛⬛⬛⬛⬛⬛⬛

(가)는 특수교육지원센터에서 실시한 학생 H의 한국 웩슬러 아동용 지능검사 4판(K-WISC-Ⅳ) 결과의 일부이고, (나)는 김 교사와 이 교사가 나눈 대화의 일부이다. 〈작성 방법〉에 따라서 서술하시오.

(가) 검사 결과

지표	환산점수 합계	지표 점수	백분위	95% 신뢰구간	질적분류 (수준)
언어이해	7	56	0.2	52~68	매우 낮음
지각추론	17	72	2.9	66~83	경계선
작업기억	11	73	3.8	68~85	경계선
처리속도	17	92	28.9	83~103	평균

(나) 대화

김 교사 : 이 검사는 학생의 지적 능력을 또래와 비교하여 학생의 상대적 위치를 알 수 있게 해 주는 (㉠) 참조 검사이지요. 특수교육에서는 주로 장애 진단을 목적으로 많이 사용합니다.

이 교사 : 네, 그렇군요. 이 검사에서 사용된 점수에 대해서도 설명해 주세요.

김 교사 : 이 점수는 대표성을 띠는 피검자 집단으로부터 구한 평균과 표준편차를 가지고 정규분포를 이루도록 변환한 점수입니다. 정규분포에서 특정 원점수가 평균으로부터 얼마나 떨어져 있는지를 표준편차 단위로 환산한 점수로 Z점수, T점수, 지표점수 등이 이에 해당합니다. ─ ㉡

〈 작성 방법 〉
• (가)의 작업기억의 검사 결과를 신뢰구간에 근거하여 해석하여 서술할 것
• (나)의 괄호 안의 ㉠과 ㉡에 해당하는 용어를 순서대로 쓸 것

43 ⬛⬛⬛⬛⬛⬛⬛

(가)는 수학 학습에 어려움이 있는 초등학교 2학년 영호의 검사 결과이고, (나)는 일반 교사와 특수 교사가 나눈 대화이다. 물음에 답하시오.

(가) 검사결과

• K-WISC-Ⅴ 검사결과 : 지능지수 107
• KNISE-BAAT(국립특수교육원 기초학력검사) 수학 검사 결과 : 학력지수 77

(나) 대화 내용

특수 교사 : 영호의 검사결과를 검토해보니 한 가지 문제점이 예상되네요. 수학 검사에서 받은 77점은 영호의 실제 수행수준보다 낮은 것 같아요.

일반 교사 : 왜 그렇게 생각하시죠?

특수 교사 : 두 검사 점수 간의 상관계수는 1이 아니기 때문에 지능점수가 (㉠) 이상이더라도 학업점수는 낮게 추정될 수 있어요. 이러한 문제 때문에 두 점수 간의 불일치된 (㉡) 점수를 이용하는 능력-성취 불일치 모형에서는 영호를 학습장애로 과잉 진단할 수 있어요.

일반 교사 : 학습장애가 아닐 수 있는 영호를 학습장애로 진단하는 것은 큰 문제네요.

특수 교사 : 네, 그렇죠.

일반 교사 : 다른 대안은 없을까요?

특수 교사 : 다단계 중재반응모형이 대안이 될 수 있어요. 이 모형에서는 ㉢교육과정중심측정을 사용하여 학생의 반응을 지속적으로 점검해요. 이러한 검사 결과를 고려하면 과잉 진단의 문제점을 어느 정도 예방할 수 있어요.

2) (나)의 ㉢을 장기교육목표 성취도 평가 방법으로 사용하는 이유를 쓰시오.

44   특수교육평가   2021 중등B-5

(나)는 ○○중학교 특수학급에 재학 중인 학습장애 학생을 위한 교육과정 중심 측정(Curriculum-based Measurement ; CBM) 절차의 일부이다. 〈작성 방법〉에 따라 서술하시오.

(나) CBM 절차의 일부

순서	내용	유의점
1	측정할 기술 확인	검사지 제작 시 문항의 내용, 유형, 문항 난이도를 유사하게 (㉢) 검사를 제작함
2	검사지 제작	
3	검사 실시 횟수 결정	
4	기초선 점수 결정	
5	목표선 설정	
··· (하략) ···		

┌〈 작성 방법 〉────────────────────┐
• (나)의 괄호 안의 ㉢에 해당하는 용어를 쓸 것

KORSET

45 ▨▨▨▨▨▨▨▨▨▨▨▨▨▨▨▨▨▨ 2022 초등B-1

(가)는 세희의 특성이고, (나)는 통합학급 교사와 시각장애거점 특수교육지원센터 특수교사의 협의 내용이다. 물음에 답하시오.

(가) 세희의 특성

- 초등학교 6학년 저시력 학생임
- 피질시각장애(Cortical Visual Impairment ; CVI)로 인해 낮은 시기능과 협응능력의 부조화를 보임
- 눈부심이 있음   ⎫
- 글씨나 그림 등은 검은색 배경에 노란색으로 제 [A]
  시했을 때에 더 잘 봄   ⎭
- 원근 조절이 가능한 데스크용 확대독서기를 사용하지만 읽는 속도가 느림
- 기초학습능력검사(읽기) 결과, ㉠학년등가점수는 4.4임

(나) 특수교사의 순회교육 시, 협력교수를 위한 통합학급 교사와 특수교사의 협의 내용

협의 내용 요약		점검사항
통합학급 교사	특수교사	공통사항 : 공 세희지원 : 세
• 전체 수업 진행 - 구체적인 교과 내용을 지도함 • 팀별 학습 활동 - 팀의 학생들은 상호작용을 하며 과제를 해결함	• 학급을 순회하며 전체 학생 관찰 및 지원 - 학생들에게 학습 전략을 개별 지도함 - 원거리 판서를 볼 때 세희에게 확대독서기의 초점 조절법을 개별 지도함	공 팀별 활동 자료
• 팀 활동 후 평가 실시 - 평가지는 ㉡ 평가 문항들이 단원의 목표와 내용을 충실하게 대표하는지를 같은 학년 교사들이 전문성을 바탕으로 이원분류표를 활용해서 비교·분석하여 확인함	• 학급을 순회하며 학생 요구 지원 - 세희가 평가지를 잘 볼 수 있게 ㉢확대독서기 기능 설정을 확인함 - 시험시간을 1.5배 연장함	공 이원분류표 세 ㉣ 수정된 답안지와 필기구 제공
• 팀 점수 산출 • 팀 점수 게시 및 우승팀 보상	• 팀 점수 산출 시 오류 확인 - 학급을 순회하며 필요한 도움을 제공함	

1) ① (가)의 ㉠을 해석하여 쓰고, ② (나)의 ㉡에 해당하는 타당도의 유형을 쓰시오.

①:

②:

46 　　　　　　　　　　2022 중등B-10

(가)는 의사소통장애 학생 I의 기본 정보 및 현행 언어 수준의 일부이고, (나)는 우리말 조음·음운평가(U-TAP)의 실시 방법이다. 〈작성 방법〉에 따라 서술하시오.

(가) 기본 정보 및 현행 언어 수준

1. 기본 정보
- 현재 13세 여학생으로 통합교육을 받고 있음
- 주 양육자인 어머니의 보고에 의하면 첫 돌 무렵에 첫 낱말을 산출하였으나, 두 낱말 표현은 36개월경에 나타났음
- 오랫동안 조사나 연결어 등을 생략하고 명사와 동사 중심으로 짧게 말하는 (㉠)(으)로 말을 하는 경향이 있었음

　　　　　… (중략) …

2. 언어 수준
- 우리말 조음·음운평가(U-TAP) 결과, 낱말 수준에서 자음 정확도는 65.1%이며 모음정확도는 90%임
- 음절 수준의 음세기 과제에서는 총 20문항 중 19개에서 정반응을 보임
- 모방이나 청각적 혹은 시각적 단서를 주었을 때, 정조음 하는지를 알아보는 (㉡) 검사에서 /ㄱ/ 음소는 10회 중 6회 정반응을 보임

(나) 실시 방법

㉢ 정반응을 하면, "정답이야."라고 말해 준다.
㉣ 적절한 유대관계를 형성한 후 검사를 실시한다.
㉤ 단어의 이름을 모를 때에는 유도 문장을 말해 준다.
㉥ 반응을 보이지 않으면 단어를 따라 말해 보도록 한다.
㉦ 정반응을 보인 단어는 '+'로, 오조음을 보인 단어는 '−'로 표기한다.

─〈작성 방법〉─
- (나)의 ㉢~㉦ 중 틀린 것 2가지를 찾아 기호와 함께 바르게 고쳐 각각 서술할 것

47

(가)는 선우 어머니와 유아교사 강 교사가 나눈 대화의 일부이고, (나)는 강 교사와 특수교육지원센터 유아특수교사 송 교사가 나눈 대화의 일부이다. 물음에 답하시오.

(가)

강 교사: 안녕하세요, 선우 어머님.
어머니: 네, 선생님, 안녕하세요. 아무래도 우리 선우의 발달이 걱정돼요.
강 교사: 그러시군요. 선우는 ㉠ 석 달 전 선별검사에서 특별한 문제가 없었지요. 그래서 진단·평가에 의뢰하지 않았지요.
어머니: 그동안 선우를 지켜봤는데, 선우가 또래 친구들에 비해 발달이 느린 것 같아요. 말도 느리고요. 그래서 전문적인 검사를 받아 보고, 선우에게 필요한 교육과 도움을 받을 수 있으면 좋겠어요.
강 교사: 그러시면 특수교육지원센터에 의뢰해서 진단·평가를 받아 보는 방법이 있어요.
어머니: 저는 선우가 ㉡ 장애인으로 등록되어야 특수교육지원 센터에 진단·평가를 의뢰할 수 있다고 알고 있어요. 그러면 특수교육지원센터에서 선우를 진단·평가하고, 선우에게 특수교육이 필요하다고 판단되면 ㉢ 특수교육진단·평가위원회에서 특수교육대상자로 선정하는 것으로 알고 있거든요.
강 교사: 아, 그런데 선우 어머님께서 잘못 알고 계시는 부분이 있어요. … (중략) … 선우가 특수교육대상자로 선정되면, 선우에게 필요한 특수교육과 특수교육 관련서비스를 받을 수 있답니다.
어머니: 그렇군요. 그럼 진단·평가를 신청하고 싶어요.
강 교사: 네. 신청 서류를 준비해 드릴게요.

(나)

송 교사: 선생님, 선우가 발달지체를 가진 특수교육대상자로 선정되었어요.
강 교사: 네, 그래서 선우 어머님이 선우의 전반적인 양육과 교육에 대해 많이 궁금해하셨어요.
송 교사: ㉣ 다음 달에 특수교육지원센터에서 발달지체 유아 학부모 대상 연수가 있는데, 선우 어머님께 안내해야겠어요.

1) (가)와 (나)의 대화 내용에 근거하여 ① (가)의 ㉠에 해당하는 선별검사의 오류 유형을 쓰고, ② 그로 인해 선우가 겪게 된 어려움을 교육적 측면에서 쓰시오.

① :

② :

48 2023 초등A-2

(가)는 은주의 시지각발달검사(K-DTVP-3) 결과의 일부이고, (나)는 특수 교사가 은주와 현우에게 적용한 수행사정(performance assessment) 절차이다. (다)는 은주의 수행 채점기준표이고, (라)는 현우의 수행 채점표이다. 물음에 답하시오.

(가) 은주의 시지각발달검사 결과 일부

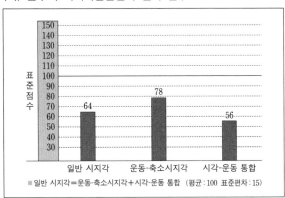

※ 일반 시지각=운동-축소시지각+시각-운동 통합 (평균: 100 표준편차: 15)

(나) 수행사정 절차

단계	수행사정 절차 내용
1단계	수행성과 구체화하기
2단계	㉠ 수행사정의 초점 선택하기
3단계	적정 수준의 현실성 선택하기
4단계	수행 상황 선택하기
5단계	채점 방법 선택하기

(다) 은주의 수행 채점기준표

※ 해당 점수에 ○표 하시오.

3 ___
• 교사가 보여 주는 모양과 같은 드라이버를 매우 잘 꺼냄
• 교사가 나사못에 드라이버를 맞추어 주면 매우 잘 돌림
• 건전지 교체를 매우 잘함
• 공구함 정리와 끝마무리가 전반적으로 매우 깔끔함

2 ___
• 교사가 보여 주는 모양과 같은 드라이버를 대체로 잘 꺼냄
• 교사가 나사못에 드라이버를 맞추어 주면 대체로 잘 돌림
• 건전지를 대체로 잘 교체함
• 공구함 정리와 끝마무리가 대체로 깔끔함

1 ___
• 교사가 보여 주는 모양과 같은 드라이버를 잘 꺼내지 못함
• 교사가 나사못에 드라이버를 맞추어 주어도 잘 돌리지 못함
• 건전지를 잘 교체하지 못함
• 공구함 정리와 끝마무리가 거의 깔끔하지 못함

(라) 현우의 수행 채점표

※ 다음과 같이 1~3점으로 판단하여 해당 숫자에 ○표 하시오.

	문항	못함	보통	잘함
1	사운드 북의 나사못 형태(+/−)에 맞는 드라이버를 공구함에서 찾아 꺼낸다.	1	2	③
2	사운드 북의 나사못에 드라이버를 수직으로 맞추고 드라이버를 왼쪽(시계 반대 방향)으로 돌려 나사못을 푼다.	1	②	3
3	사운드 북의 뚜껑을 열어 건전지를 꺼낸다.	1	②	3
4	새 건전지의 +/−를 확인하고 건전지를 교체한다.	1	2	③
5	사운드 북의 뚜껑을 덮고 나사못을 구멍에 맞춘다.	1	②	3
6	㉡	1	②	3
7	사운드 북 뚜껑에 나사못이 정확히 끼워져 있다.	1	②	3
8	공구함 정리와 끝마무리가 깔끔하다.	1	②	3

요약: $[(2 \times 6) + (3 \times 2)] \div 8 = 2.25$

1) (가)에서 시지각발달검사 표준점수의 평균과 표준편차에 의거하여 은주의 일반 시지각 지수가 어느 정도인지 쓰시오.

2) (다), (라)와 같이 채점 문항을 구성한 이유를 ㉠과 연관시켜 쓰시오.

3) ① (다)와 (라)의 수행 채점 방법의 명칭을 각각 쓰고, ② (라)의 ㉡에 알맞은 문항 예시를 작성하시오.

① (다):
  (라):

② :

49 　　　　　　　　　　2023 중등A-12

다음은 특수교육대상 학생 진단을 위해 두 교사가 나눈 대화의 일부이다. 〈작성 방법〉에 따라 서술하시오.

교사 A: 학습장애 학생 진단을 위해서 학업 성취 수준과 지능에 대한 정보를 확인할 필요가 있습니다.

교사 B: 학업 성취 수준을 파악하기 위해서 주로 국립특수교육원의 기초학력검사(KISE-BAAT)나 기초학습능력검사(NISE-B·ACT)를 사용하고 있습니다. 두 검사는 어떠한 특성이 있나요?

교사 A: 두 검사 모두 규준참조검사로 구성되어 있으며, 영역별 백분위 점수, (㉠), 학년 규준을 제공합니다. 특히 학업의 수행이나 발달 정도를 나타내는 (㉠)에 대한 진단적 분류를 제공하고 있이 검사 결과를 해석하는 데 도움을 줍니다.

… (중략) …

교사 B: 지적 능력을 측정하는 검사도구로 최근 개정된 한국 웩슬러지능검사 5판(K-WISC-V)을 사용하려고 합니다. 기존의 한국웩슬러지능검사 4판(K-WISC-IV)과는 어떤 차이가 있나요?

교사 A: K-WISC-V는 전체척도, 기본지표척도, 추가지표척도로 구성되어 있습니다. 특히 K-WISC-IV의 지각추론 지표가 (㉡)지표와 ㉢유동추론지표로 나뉘어져 K-WISC-V의 기본지표척도를 구성하고 있습니다. K-WISC-V에 새롭게 추가된 소검사는 (㉣), 퍼즐, 그림기억 3가지가 있습니다.

… (하략) …

─〈 작성 방법 〉─
• 괄호 안의 ㉠에 공통으로 해당하는 용어를 쓸 것
• 괄호 안의 ㉡에 해당하는 명칭을 쓰고, 밑줄 친 ㉢이 측정하고자 하는 지적 능력의 내용을 서술할 것
• 괄호 안의 ㉣에 해당하는 소검사의 명칭을 쓸 것

50 　　　　　　　　　　2024 유아A-8

(가)는 유아특수교사 김 교사가 쓴 반성적 저널의 일부이다. 물음에 답하시오.

(가)

[4월 ○○일]
한 달 동안 연우의 대화를 관찰한 결과, 어휘와 문법에서는 연령에 적합한 발달을 보였다. 그러나 연우는 ㉠상황과 목적에 맞게 말을 하는 데 어려움을 보였다. 또한 친구들과 대화할 때 대화 순서를 지키거나 적절한 몸짓과 얼굴 표정을 나타내는 것에도 어려움을 보였다. 연우의 의사소통 능력의 향상을 위하여 유치원과 가정에서 보다 체계적인 지원이 필요하다고 생각했다. 이를 위해 ㉡ 연우의 의사소통 장면을 주의 깊게 관찰하여 그 내용을 간결하고 객관적인 글로 기록하려 한다. 이 자료는 연우의 의사소통 발달 정도를 파악하고 중재를 계획하는 데 도움이 될 것이다. 그리고 연우가 가정에서 보이는 의사소통의 특징을 파악하기 위해 보호자와 ㉢ 비구조화된 면담을 실시하려고 한다.

2) ㉢의 장점을 정보 수집 측면에서 구조화된 면담과 비교하여 1가지 쓰시오.

51

(나)는 수아의 읽기 평가 과정 및 결과의 일부이다. 물음에 답하시오.

(나)

담임 교사: 선생님이 글을 읽어 줄게요. 수아는 눈으로 따라 읽다가 낱말이 빠진 곳이 있으면 해당되는 낱말 카드를 찾아서 읽어 주세요.

… (중략) …

부릉 부릉, (　　　)가 지나가요.
따르릉 따르릉, (　　　)도 달려가요.
철컹 철컹, (　　　)도 지나가네요.

… (중략) … [B]

[C]

2) (나)의 [C]에 근거하여 6주차 평가가 종료된 시점에서 교사가 해야 할 교육적 의사 결정의 내용을 1가지 쓰시오.

52

다음은 특수교육지원센터 특수 교사 A와 B의 대화이다. 괄호 안의 ㉠에 해당하는 명칭을 쓰고, 괄호 안의 ㉡에 해당하는 점수의 유형을 쓰시오.

특수 교사 A: 안녕하세요? 지난번에 「한국판 아동기 자폐 평정 척도 2(Korean Childhood Autism Rating Scale, 2nd Edition: K-CARS2)」에 대한 연수를 받으셨지요? 어떠셨어요?

특수 교사 B: 네, 도움이 많이 됐어요.

특수 교사 A: 기존의 「아동기 자폐 평정 척도(Childhood Autism Rating Scale: CARS)」와 비교해서 달라진 점이 있나요?

특수 교사 B: 네, K-CARS2는 표준형 평가지, (㉠) 평가지, 부모/양육자 질문지로 개발되어 있어요. (㉠) 평가지는 IQ가 80 이상이면서 구어 기술이 비교적 양호한 6세 이상의 피검자를 대상으로 합니다.

특수 교사 A: 그렇군요. 검사 결과는 어떻게 제공되나요?

특수 교사 B: 이번 도구는 표준화되었기 때문에 원점수 이외에 (㉡), 백분위 점수가 제공돼요. 예를 들어 (㉡)이/가 45~54 사이에 있다면 자폐로 진단된 사람과 비교할 때 평균 수준의 자폐 관련 증상을 보인다는 의미예요.

53

(가)는 지적장애 진단 시 사용할 수 있는 적응 행동 진단 도구를 소개한 내용이고, (나)는 적응 행동 검사 결과 해석 중 일부이다. 〈작성 방법〉에 따라 서술하시오.

(가) 적응 행동 진단 도구 소개

사회성숙도 검사 (Social Maturity Scale : SMS)	
검사 대상	0세부터 만 30세
검사 영역 구성	자조, 이동, 작업, 의사소통, (㉠), 사회화
검사 실시 방법	피검자를 잘 아는 부모나 형제, 친척, 후견인과의 면담
검사 결과 제공 점수	원점수, 사회연령, 사회지수

지역사회 적응 검사 (Community Integration Skills Assessment-2 : CISA-2)	
검사 대상	만 5세 이상의 지적장애인과 자폐성장애인을 포함한 발달장애인
검사 영역 구성	기본생활, 사회자립, 직업생활
검사 실시 방법	(㉡)
검사 결과 제공 점수	원점수, 환산점수, 영역별 (적응)지수, 적응지수

(나) 적응 행동 검사 결과 해석

㉢ 사회성숙도 검사에서 정보 제공자의 응답을 믿기 어려운 경우에는 직접 만나서 행동을 관찰하고 판단하는 것이 좋음

㉣ 사회성숙도 검사 결과에서 '사회지수'가 70(점)이라면 평균에서 대략 −2 표준 편차에 해당하는 점수라고 볼 수 있음

㉤ 지역사회 적응 검사 결과를 통해 일반 규준과 임상 규준에서의 적응 수준과 강·약점을 파악할 수 있음

㉥ 지역사회 적응 검사에서는 원점수를 백분위 점수인 영역별 (적응)지수, 적응지수로 변환하여 산출함

〈작성 방법〉

• (가)에서 괄호 안의 ㉠에 해당하는 영역을 쓸 것
• (가)에서 괄호 안의 ㉡에 해당하는 내용을 서술할 것
• (나)의 ㉢~㉥ 중 틀린 내용을 2가지 찾아 기호를 쓰고, 그 이유를 각각 서술할 것

54

(가)는 특수교육지원센터 유아 특수교사 김 교사와 특수학급 미설치 병설유치원 유아교사 박 교사의 전화 통화 내용과 참고 자료이다. 물음에 답하시오.

(가)

김 교사 : 선생님, 안녕하세요. 경수의 특수교육대상자 선정·배치 신청서가 접수되어 전화 드렸어요.

박 교사 : 네, 선생님. 경수 어머님께서 영유아건강검진 결과 '추적검사 요망'이 나왔다고 말씀하셨어요. 특수교육지원센터에서 무료로 선별검사를 한 후에 진단검사를 받을 수 있다고 안내해 드렸더니 신청서를 보내셨어요. 유치원에서도 경수가 놀이에 관심이 없고, 지원이 필요한 행동이 심해졌어요. 〔A〕

김 교사 : 그렇군요. 그러면 다음 주에 진단·평가를 실시할게요.

박 교사 : 네, 선생님. 혹시 경수가 특수교육대상자로 선정되면 복지카드도 받게 되는 건가요?

김 교사 : 그렇지 않아요. 특수교육대상자로 선정이 되었다고 해서 모두 장애인 등록을 하는 것은 아니에요.
장애인으로 등록했다고 특수교육대상자로 선정되는 것도 아니고요. 특수교육대상자를 선정할 때 다양한 정보를 수집해서 특수교육대상자인지를 결정하는 절차를 거쳐야 해요. 〔B〕

박 교사 : 아, 그렇군요. 저는 특수교육대상자와 장애인이 같다고 생각했어요.

1) (가)의 ① 〔A〕에서와 같은 선별검사를 실시하는 목적을 쓰고, ② 〔B〕는 특수교육대상자 선정 단계 중 어느 단계에 해당하는지 쓰시오.

①:

②:

55 2025 초등B-2

다음은 일반 교사와 특수교사가 초등학교 4학년 학생 지우에 대해 나눈 대화의 일부이다. 물음에 답하시오.

(4주 후)

일반 교사: 선생님께서 말씀해 주신 부분에 중점을 두고 일주일에 2회씩 지우를 지도했어요. 그리고 공부한 내용에 대해 20분 동안 연산 문제 20개를 평가했어요. 8회기 동안 평가 결과를 기록한 그래프입니다. 한번 봐 주시겠어요?

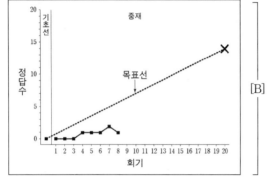

특수교사: 제 생각에는 ㉣ 지금 사용하시는 교수 방법을 수정할 필요가 있습니다.

··· (하략) ···

---

3) 밑줄 친 ㉣과 같이 교사가 판단한 이유를 [B]에 근거하여 쓰시오.

56 ▬▬▬▬▬▬

(가)는 ○○ 중학교 개별화교육지원팀에서 작성한 협의록의 일부이고, (나)는 같은 학교 특수 교사와 일반 교사가 나눈 대화이다. 〈작성 방법〉에 따라 서술하시오.

(가) 개별화교육지원팀 협의록

〈학생 B의 특성〉
• 학습 측면
 − 글 읽기는 가능하나 읽기 이해력이 부족함
 − 사칙 연산은 가능하나 수학 문장제 문제 성취도가 현저히 낮음

… (중략) …

〈형성 평가 시 고려 사항〉
• 반복적인 측정을 통해 수행 능력의 변화 정도를 객관적인 수치로 파악할 것
• 학생 B의 교육적 요구에 따라 한 가지 이상의 기술을 측정할 것
• ㉠ 반복 측정을 위한 검사의 실시 횟수에 따라 검사지를 제작할 것
• 학생 B의 진전도 측정 시 근거가 되는 시작 점 [A] 수를 결정할 것
• 해당 학년이 끝날 때 기대되는 점수를 설정할 것
• 시작 점수와 기대 점수를 연결하는 표적선을 설정할 것
• 형성 평가 결과에 근거하여 학생 B의 진전도에 대해 해석할 것

(나) 특수 교사와 일반 교사의 대화

일반 교사: 선생님, 우리 반에 특수교육 대상자 진단·평가에 의뢰할지 고민이 되는 학생 C가 있어요. 어떻게 해야 할까요?

특수 교사: 제 생각에는 학생 C를 진단·평가에 의뢰하기 전에 선생님께서 먼저 일반 학급에서 의뢰 전 중재를 실시하시는 게 좋을 것 같아요.

일반 교사: 네, 그렇군요. 그런데 의뢰 전 중재를 실시하는 목적은 무엇인가요?

특수 교사: 의뢰 전 중재를 하면 ㉡ 판별 오류를 줄일 수 있고, ㉢ 교육적 측면에서도 장점이 있어요.

• (가)의 [A]에 해당하는 형성 평가 방법의 명칭을 쓸 것
• (가)의 밑줄 친 ㉠을 할 때, 유의점을 1가지 서술할 것
• (나)의 대화를 참고하여 밑줄 친 ㉡의 종류를 쓰고, 밑줄 친 ㉢을 1가지 서술할 것

57

(가)는 ○○ 중학교 특수교육 대상 학생 A와 B의 통합 학급 기술·가정과 교수·학습 계획의 일부이고, (나)는 특수 교사와 교과 교사가 나눈 대화이다. 〈작성 방법〉에 따라 서술하시오.

(가) 교수·학습 계획의 일부

학습단계	교수·학습 활동
전개	[실습 1] 식재료 손질 • 떡볶이 떡 물에 불리기, 야채 썰기
	[실습 2] 가열 조리 실습 • 조리 순서에 맞게 떡볶이 만들기
정리	• 실습한 내용 평가하기

(다) 특수 교사의 메모

```
☆ 정리 활동에 대한 개별화 계획 ☆
► 학생 A
 • 일반 학생과 동일한 평가에 참여
► 학생 B
 • 대안적 평가 방법을 사용
 • 조리 실습 과정에 초점을 두어 평가
 • 조리 단계별로 작성된 채점 기준표에 '체
  크' 표시                              [E]
 • 활동 목적을 명료화하여 학생에게 동기
  부여
```

〈작성 방법〉
• (다)의 [E]에 활용한 평가 방법을 쓸 것

58

다음은 ○○ 중학교 특수 교사와 일반 교사가 학생 A와 B에 대해 나눈 대화이다. 〈작성 방법〉에 따라 서술하시오.

일반 교사: 선생님, 우리 반에 이주배경 학생 B가 있는데요, 한국어를 잘 못해도 지능 검사가 가능한가요?

특수 교사: 네, 한국판 카우프만 아동 지능 검사(Kaufman Assessment Battery for Children-Ⅱ, KABC-Ⅱ)를 실시해 보면 어떨까 해요. 이 검사에서는 ⓛ 순차 처리, 동시 처리, 계획력, 학습력, 지식 등 광범위한 지적 능력을 측정하는데, ⓒ 피검자의 국적에 따라 실시하는 하위 검사의 수와 검사 소요 시간이 달라져요. 또한, 이 검사는 ⓔ 모든 하위 검사가 비언어성 척도로 구성되어 있기 때문에 한국어가 서툰 학생에게도 실시할 수 있어요. 표준화된 비언어적 지능 검사 도구로 ⓜ 한국판 라이터 비언어성 지능 검사 개정판(K-Leiter-R)이 있긴 하지만, 이 도구는 중학생에게는 적합하지 않아요.

일반 교사: 네, 그렇군요. 좋은 정보 감사해요.

〈작성 방법〉
• 밑줄 친 ⓛ~ⓜ 중 틀린 내용을 2가지 찾아 기호를 쓰고, 바르게 고쳐 서술할 것

MEMO

김남진
KORSET 특수교육 기출분석 ①

초판인쇄 | 2025. 3. 12. **초판발행** | 2025. 3. 17. **편저자** | 김남진

발행인 | 박 용 **발행처** | (주) 박문각출판 **등록** | 2015년 4월 29일 제2019-000137호

주소 | 06654 서울특별시 서초구 효령로 283 서경 B/D **팩스** | (02) 584-2927

전화 | 교재 주문 (02) 6466-7202, 동영상 문의 (02) 6466-7201

저자와의
협의하에
인지생략

ISBN 979-11-7262-641-9 / ISBN 979-11-7262-640-2(세트)

정가 25,000원(분권 포함)